D0993125

Comprendre l'Homme à travers ses manifestations les plus singulières, par exemple les croyances religieuses, la danse, la musique, la création littéraire, saisir les mystères de l'esprit, les raisons de ses fascinations pour le merveilleux ou l'inexplicable, définir des matières aussi impénétrables, aussi étranges que la conscience ou l'imaginaire : telles sont les voies sur lesquelles Mircea Eliade a engagé sa recherche et son travail d'écriture depuis maintenant plusieurs dizaines d'années. Résultat, son œuvre. Un ensemble à la fois monumental et parfaitement original, considéré comme l'un des plus importants de notre XXᵉ siècle, où cohabitent deux versants d'égale renommée : celui de la fiction, du roman, et celui de la réflexion scientifique, devenu désormais un passage obligé en philosophie comme dans toutes les sciences humaines.

L'intellectuel Eliade est à lui seul un personnage étonnant, et sa vie constitue un surprenant condensé de paradoxes et d'aventures. Né avec l'aurore du siècle, en 1907, dans la Roumanie des révoltes paysannes, il se qualifie lui-même de « synthèse ». « Mon père était moldave — explique-t-il — et ma mère olténienne. Dans la culture roumaine, la Moldavie représente l'aile sentimentale, la mélancolie, l'intérêt pour la philosophie, la poésie et une certaine passivité devant la vie [...]. Au contraire, l'Olténie c'est la province la plus active, la plus enthousiaste, et la plus brutale même. Les Olténiens sont des gens ambitieux, énergiques. » Double atavisme donc, qui pourrait peut-être figurer l'une des clés de son personnage contradictoire et complexe, visiblement partagé entre le plaisir de l'étude livresque et l'attirance pour l'action.

Son goût pour l'écriture se manifeste très tôt. A quatorze ans il a publié un premier article : *Comment j'ai découvert la pierre philosophale*, et à dix-sept, rédigé un roman autobiographique, qui restera inédit... Après des études brillantes, le jeune Roumain part conquérir l'Europe, puis, rapidement dérive vers l'Inde. Premières expériences, premières découvertes, premier grand travail universitaire : sa thèse, *Le Yoga, essai sur les origines de la mystique indienne*. Retour au pays vers la fin de 1931, service militaire et, dans la foulée, publication d'un roman, *La Nuit bengali*, dont le succès est foudroyant. A partir de cette période, l'avenir d'Eliade semble tracé : romancier reconnu et universitaire prisé, s'ouvre devant lui une carrière normale d'intellectuel qui sera choyé par les institutions savantes et le pouvoir en place. Pourtant, contre toute attente, il quitte à nouveau la Roumanie et, en 1940, s'installe à Londres comme attaché culturel. Séjour éphémère. Quelques mois plus tard il débarque à Lisbonne et y demeure jusqu'à la fin de la guerre... Là dessus, Paris. La France l'attire depuis longtemps. Et plusieurs années durant, ce sera son point d'attache priviligié. Mais il rencontre des difficultés pour s'intégrer dans le

(Suite au verso.)

milieu intellectuel parisien — en ces temps encore, le provincialisme intellectuel français n'était pas un vain mot —, si bien qu'en 1956, sollicité par les Etats-Unis, il part donner une série de conférences à l'Université de Chicago et, séduit par l'accueil qui lui est réservé, décide de se fixer définitivement sur ce continent. Il y trouvait, dira-t-il par la suite, « de bonnes conditions de travail, un environnement propice au développement de ses recherches, et la sécurité matérielle ».

En effet, l'ancrage aux Etats-Unis paraît avoir stimulé Eliade, et le penseur déjà étonnamment productif va redoubler d'activité. Le *Cahier* que Constantin Tacou lui consacre s'en fait d'ailleurs largement l'écho. Toute l'œuvre est passée au tamis de l'analyse. Rien ne manque. C'est le jalonnage complet, l'exploration systématique d'un travail dont chacun s'accorde à reconnaître qu'il n'a pas d'équivalent aujourd'hui.

La part littéraire, bien sûr, est longuement abordée. *Mademoiselle Christina, Forêt interdite, Le Vieil Homme et l'Officier, Minuit à Serampore, Le Serpent,* etc., tous les romans sont examinés par le détail. Domaine du rêve, « univers onirique » — comme Eliade lui-même le qualifie —, dont l'étude révèle que le mythe peut effectivement être source de création — *cf.* les textes de Simone Vierne et de Jacques Masui. On découvre aussi qu'Eliade se sert du récit de fiction pour illustrer ses thèses philosophiques, en quelque sorte qu'il expose dans des histoires ce que lui ont appris ses recherches. Ainsi, grâce à Matei Calinesco et William A. Coates, effectuons-nous une formidable traversée dont il ressort que le réel sans cesse nous échappe. Nous croyons comprendre l'ensemble de ces phénomènes quand en fait nous vivons dans l'illusion et nous laissons prendre aux pièges des apparences trompeuses. Eliade romancier nous délivre une formidable leçon de vie et finalement nous enseigne l'art du doute.

Et puis il y a l'autre part de l'œuvre, qui touche autant à la démarche encyclopédique qu'au dur labeur philosophique : la réflexion sur le sacré, sur l'homme, sur l'histoire, sur la modernité, portée par des ouvrages comme *Le Mythe de l'éternel retour, Le Sacré et le Profane, La Nostalgie des origines,* ou l'immense *Histoire des croyances et des idées religieuses.* Le tout forme une entreprise décisive dont le but avoué est de déboucher sur une compréhension nouvelle de l'être humain. Quête éblouissante, qui franchit les millénaires et les espaces, généalogie flamboyante et remontée aux sources de l'humanité, opérant leur déchiffrement des couches de passé qui sédimentent notre Etre, et au fil des ouvrages, devenant une élucidation passionnée des ressorts secrets qui animent la vie de l'esprit humain. Toute l'œuvre philosophique et scientifique d'Eliade se déploie autour de cette unique préoccupation du dévoilement des régions secrètes de la conscience. Et les pistes arpentées, que ce soit la religion, le sacré, la mythologie ou l'art, convergent vers le même point. Voilà pourquoi Eliade est actuellement tenu pour l'un des principaux penseurs de notre temps.

CAHIER DE L'HERNE

Mircea Éliade

L'HERNE

Ce cahier a été dirigé par
Constantin Tacou

Sommaire

AVANT-PROPOS

Ce n'est pas un hasard si à ce Cahier ont collaboré des savants et des écrivains venant tout particulièrement de trois pays. C'est en Roumanie, où Mircea Éliade est né, qu'il a écrit et publié ses premières œuvres d'essayiste et de romancier, c'est là aussi qu'il a abordé l'étude des religions, continuée et parachevée dans la France d'après-guerre. Le *Traité d'histoire des religions, Le Chamanisme et les techniques archaïques de l'extase* et *Le Tantrisme*, ne l'oublions pas, furent conçus à Paris. Appelé en 1956 à l'Université de Chicago, il allait y donner des cours forcément spécialisés et y déployer une activité des plus fécondes dans des domaines plutôt étrangers à la littérature. La carrière qui l'attendait était-elle exempte de tout danger, l'érudit ne menaçait-il pas d'étouffer l'écrivain ? Son talent survivrait-il à l'enseignement ? Fort heureusement, ces craintes n'étaient pas fondées.

La pensée de Mircea Éliade ne pouvait pas manquer d'avoir un vif écho parmi les nouvelles générations, lasses d'une vision du monde d'où le *sacré* est banni et avides, au contraire, de valeurs qui transcendent l'Histoire et la mettent carrément en cause.

En préparant ce Cahier de l'Herne, j'ai redécouvert le jeune Éliade, l'auteur de ces essais écrits en roumain :

Solilocvi (1930), *Oceanografie* (1934), *Fragmentarium* (1937), pleins de notations fulgurantes, qui donnent une idée de ce qu'il était à l'époque où il séjournait dans des ermitages himalayens, sur lesquels on lira le journal qu'il tenait alors.

S'il appartenait aux spécialistes des mythes et des symboles de révéler les aspects multiples de l'œuvre du savant, il fallait d'un autre côté — et c'est la tâche à laquelle je me suis particulièrement attaché — faire connaître par des écrivains le romancier, le maître du fantastique, toute une partie de ses productions dont l'intérêt est d'autant plus grand qu'elles rejoignent en profondeur l'œuvre proprement théorique.

Mais la raison primordiale de notre Cahier est de proposer aux lecteurs, un ensemble d'études critiques, d'exégèses, de commentaires, de témoignages et deux textes inédits de Mircea Éliade pour mieux éclairer son univers.

CONSTANTIN TACOU.

PHÉNOMÉNOLOGIE
ET HERMÉNEUTIQUE

HISTOIRE DES RELIGIONS, PHÉNOMÉNOLOGIE, HERMÉNEUTIQUE

UN REGARD SUR L'ŒUVRE DE MIRCEA ÉLIADE

Julien Riès

Recherche d'une méthode

La méthode et la recherche de Georges Dumézil débouchant sur la remarquable découverte de la théologie archaïque et de l'idéologie tripartite des anciens Indo-Européens, exercent sur Éliade un attrait fascinant. Comme Dumézil, il saisit l'importance, pour l'historien des religions, de la recherche des structures, des mécanismes, des équilibres constitutifs à l'intérieur de la théologie, de la mythologie, des rituels et de l'idéologie des divers peuples. Au cours de ces études et à travers les événements parfois douloureux de sa vie, Éliade aboutit à la découverte de deux types d'homme : d'une part l'*homo religiosus* avec son univers spirituel, un homme qui croit à une réalité absolue, le sacré, et qui de ce fait assume dans le monde un mode d'existence spécifique ; d'autre part l'homme areligieux qui refuse la transcendance et en arrive à douter du sens de l'existence. Éliade a trouvé sa voie : l'historien des religions doit montrer ce que sont les faits religieux et ce qu'ils révèlent. En 1949, la publication du *Traité d'histoire des religions* préfacé par Dumézil, est l'affirmation d'une méthode et d'une recherche nouvelles sur le sacré, sur le symbole et sur la cohérence intérieure du phénomène religieux. Le coup d'essai est un coup de maître.

L'exploration de la pensée et de la conscience de l'*homo religiosus* amène Éliade à s'intéresser aux peuples sans écriture. A ce stade de ses investigations, en 1950, il rencontre Jung et découvre une série d'interprétations communes. Comme Jung, il est frappé par l'importance de l'archétype. A partir de cette donnée, il ouvre une voie nouvelle et s'y engage résolument : un essai d'identification du transcendant dans la conscience humaine. Dans ce but, il tente d'isoler de la masse de l'inconscient ce qui, à ses yeux, est transconscient. Pour Éliade, c'est l'orientation décisive vers l'étude du sacré, du mythe et du symbole. Il est persuadé que les nombreux phénomènes historico-religieux de l'humanité ne sont que les expressions infiniment variées de quelques expériences religieuses fondamentales.

Professeur à Chicago à partir de 1956, Éliade va pouvoir se consacrer entièrement à sa recherche et montrer que l'histoire des religions — à ses yeux une discipline totale — est appelée à jouer un rôle de premier plan dans la vie culturelle d'aujourd'hui.

Histoire

Toute expérience religieuse se situe dans un contexte culturel et socio-économique déterminé ; tout phénomène religieux est un phénomène historique. Aussi, en histoire des religions, la première démarche est celle de l'historien. Il s'agit d'abord de reconstituer l'histoire des formes religieuses et, pour chacune d'elles, de dégager son contexte social, économique et politique. Dans l'optique d'Éliade, les sources documentaires les plus importantes sont d'une part les grandes religions de l'Asie, d'autre part les cultures des peuples sans écriture. Dès lors, la documentation des orientalistes, des historiens et des ethnographes s'avère indispensable. Cependant ces documents sont hétérogènes : textes, monuments, inscriptions, traditions orales et coutumes en provenance de milieux fort différents. En face de cette hétérogénéité historique et structurale des matériaux, il est nécessaire de dresser tout l'appareil de la méthode critique. Par ailleurs, il faut savoir que chaque document révèle en soi une modalité du sacré et se présente comme une hiérophanie. Cette hiérophanie est un véritable document historique qu'il s'agit de replacer dans son contexte, car toute expérience religieuse est exprimée et transmise dans un cadre historique déterminé. Le phénomène religieux n'existe pas à l'état pur. Chaque phénomène religieux est un événement de l'histoire humaine. Dès lors, l'historien des religions doit d'abord être historien.

Phénoménologie

La deuxième démarche est celle du phénoménologue. Partant du principe de la science moderne que « c'est l'échelle qui crée le phénomène », Éliade revendique l'échelle religieuse pour l'étude de tout phénomène religieux, qu'il considère comme irréductible à cause de son caractère sacré. Essayer de le cerner par la psychologie, par la sociologie, par la philologie constitue une erreur de méthode : un phénomène religieux doit être appréhendé dans sa modalité propre, le sacré. S'il s'avère indispensable d'étudier la complexité des faits religieux, leurs structures fondamentales et la diversité des cercles culturels dont ils relèvent, il faut aussi veiller à étendre de plus en plus le champ de la recherche en y incluant notamment les phénomènes archaïques et primitifs. Car si la théologie peut se limiter aux religions historiques révélées, l'histoire des religions, elle, doit multiplier l'étude du plus grand nombre possible de faits religieux. Ici Éliade met en garde contre l'optique évolutionniste qui place aux origines les formes élémentaires de la vie religieuse et explique une croissance allant du simple au composé. Aussi, au lieu de voir dans les religions des peuples sans écriture soit une pensée religieuse élémentaire proche d'un commencement absolu, soit une religion en dégénérescence par rapport à une situation idéale primitive, l'historien des religions doit essayer de comprendre l'histoire sainte de ces peuples pour lesquels les actes mythiques et créateurs des origines ont fondé leur civilisation, leurs institutions et ont ainsi conféré un sens à l'existence humaine.

En vue de cerner le phénomène religieux, Éliade utilise un mot qu'il trouve adéquat et commode : hiérophanie. Tout phénomène religieux est une hiérophanie, c'est-à-dire un acte de manifestation du sacré. « C'est toujours le même acte mystérieux : la manifestation de quelque chose de « tout autre », d'une réalité qui n'appartient pas à notre monde, dans des objets qui font partie intégrante de notre monde « naturel » et « profane »[1]. Le sacré se montre comme une réalité qui relève d'un autre ordre que l'ordre de la nature. Cependant, il ne se présente pas à l'état pur mais il se manifeste au moyen d'êtres ou d'objets qui, tout en restant eux-mêmes et sans cesser de participer à leur milieu naturel, deviennent autre chose. Ainsi, l'homme en qui se manifeste le sacré — chaman, prêtre — reste un homme. Cependant, aux yeux de celui à qui se révèle le sacré, cette réalité immédiate de l'être ou de l'objet en qui se révèle le sacré se transmue au contact de la réalité surnaturelle. C'est le sens fondamental de l'expérience religieuse. Selon la théorie éliadienne, dans toute hiérophanie, il faut distinguer trois éléments ; l'objet naturel qui continue à se situer dans son contexte normal ; la réalité invisible ou le « tout autre » qui forme le contenu révélé ; le médiateur qui est l'objet naturel revêtu d'une dimension nouvelle, la sacralité. Celle-ci fait de l'objet le révélateur du « tout autre ». Le rôle de la phénoménologie est de comprendre l'essence et les structures des phénomènes religieux, d'interpréter le sens de chaque hiérophanie puis d'en dégager le contenu révélé et la signification religieuse. « Les phénoménologues s'intéressent aux significations des données religieuses[2]. » Éliade fait sienne la théorie de Pettazzoni qui voit dans « la phénoménologie religieuse la compréhension religieuse de l'histoire, l'histoire dans sa dimension religieuse[3] ». Ainsi, la phénoménologie reconstitue la diachronie de chaque forme religieuse et en donne la signification.

En histoire des religions, le travail du phénoménologue est un essai de déchiffrement du sens profond de chaque hiérophanie. Entre la recherche historique d'une part et la recherche du psychologue, du sociologue, de l'ethnologue, du philosophe et du théologien d'autre part, Éliade situe l'historien des religions dans sa démarche phénoménologique, car c'est lui « qui dira le plus de choses valables sur le fait religieux en tant que fait religieux[4] ». Cette démarche doit décrire la morphologie et la typologie de chaque hiérophanie, elle doit en reconstituer la diachronie et en donner la signification. Dans cette perspective se situe la publication avec Ernst Jünger de la collection *Antaios* dont les douze volumes (1960-1971) constituent une recherche pluridisciplinaire autour du mythe et du symbole.

Herméneutique

Au-delà de la démarche historique et de la recherche typologique, Éliade s'engage résolument sur une troisième voie, celle de l'herméneutique. Le phénoménologue s'interdit le travail de comparaison réservé à l'herméneute. A partir des documents bien établis par la recherche historique et correctement interprétés par l'étude phénoménologique, l'herméneute doit procéder à un travail comparé en vue d'expliciter le message et d'en faire une synthèse. Il s'agit donc de déchiffrer le message contenu dans les faits religieux afin de le rendre accessible à l'homme d'aujourd'hui. Si la morphologie et la typologie permettent d'identifier un fait religieux en tant que religieux, l'herméneutique essaie de dégager des faits religieux ce qu'ils ont de transhistorique. Éliade insiste sur la place prépondérante qu'il assigne à l'herméneutique, l'aspect qui reste le moins développé en histoire des religions. « Ce n'est que dans la mesure où elle accomplira cette tâche — en particulier en rendant la signification des documents religieux intelligible à l'esprit de l'homme moderne — que la science des religions remplira sa véritable fonction culturelle[5]. » Aux yeux d'Éliade, la synthèse est aussi scientifique que l'analyse. Cette dernière se contente de comprendre et d'interpréter. Par contre, l'herméneutique est transformante : elle essaie de changer l'homme. Dévoilant les significations, elle crée des valeurs nouvelles et modifie la qualité même de l'existence. Sur le lecteur, l'herméneutique exerce une action de réveil car elle le met en contact avec le monde spirituel. Aussi, pour Éliade, l'histoire des religions peut être la base d'un nouvel humanisme. C'est dans cette optique qu'avec ses collègues J.M. Kitagawa et Ch.M. Long, il a fondé en 1961 *History of Religions*, un périodique international pour l'étude comparée en histoire des religions.

Éliade se montre préoccupé par le rôle que l'histoire des religions est appelée à jouer dans la vie culturelle contemporaine tant par la compréhension des religions archaïques, ethnologiques et des grandes religions de l'humanité que par l'intelligence des situations existentielles vécues par l'homme au cours de son histoire. En 1969 déjà, il écrivait ces phrases significatives : « Quel qu'ait été son rôle dans le passé, l'étude comparative des religions est appelée à jouer un rôle culturel de la plus haute importance dans l'avenir immédiat... Notre moment historique nous oblige à des confrontations qu'on n'aurait même pas pu imaginer il y a cinquante ans. D'une part, les peuples de l'Asie ont récemment fait leur rentrée sur la scène de l'histoire et, d'autre part, les peuples dits "primitifs" se préparent à faire leur apparition à l'horizon de la "grande histoire" en ce sens qu'ils cherchent à devenir les *sujets actifs* de l'histoire au lieu de ses *objets passifs*, rôle qu'ils ont tenu jusque-là[6]. » Dans l'histoire des religions considérée comme discipline totale, Éliade voit le moyen idéal pour faire comprendre la permanence de l'*homo religiosus* et sa situation existentielle. Il y voit aussi une discipline humaniste capable de contribuer à l'élargissement de l'horizon culturel occidental ainsi qu'au rapprochement des cultures occidentales, orientales et ethnologiques.

Le sacré

Toute l'œuvre d'Éliade est bâtie sur cette triple démarche, historique, phénoménologique, herméneutique. Au centre de sa recherche se trouvent deux grands axes, le sacré et le symbole. Au début du siècle, Émile Durkheim et Rudolf Otto avaient tenté de faire du sacré le fondement de l'histoire des religions. Au terme de son exploration des religions australiennes dans lesquelles il identifiait le sacré au *mana* et en faisait la substance du dieu totémique du clan, Durkheim définissait le sacré comme un produit de la conscience collective créé par la société en vue de faire vivre par les individus l'idéal collectif. Rejetant cette optique sociologique et sécularisante, Otto voyait dans le sacré, le *numinosum*, une valeur divine qui constitue l'élément fondamental et le principe vivant de toutes les religions. Grâce à une donnée première de l'esprit, l'homme découvre le sacré et dans ce contact avec le divin il vit une révélation intérieure, ineffable et mystique qui lui permet une approche du « tout autre ». Pour Otto, à l'origine des diverses religions de l'humanité se trouve la manifestation du sacré dans l'histoire humaine.

De la recherche de Durkheim, Éliade retient que le sacré se montre comme différent du profane : sacré et profane constituent deux modalités d'être dans le monde. Les analyses admirables mais incomplètes des univers religieux tentées par Otto l'aident à mieux voir comment, au cours de l'histoire, l'homme a assumé les deux situations existentielles basées sur le sacré et sur le profane. Dépassant à la fois la perspective sociologique réductionniste de Durkheim et les assises trop étroites d'Otto, Éliade montre que c'est autour de la conscience de la manifestation du sacré que s'organise le comportement de l'*homo religiosus*. Le sacré se manifeste sous une multitude de formes : rites, mythes, formes divines, objets, symboles, cosmologies, hommes, animaux, plantes, lieux. L'acte dialectique d'une hiérophanie est la manifestation du sacré à travers quelque chose d'autre que lui-même : c'est un acte paradoxal d'incorporation. Le sacré se manifeste qualitativement différent du profane. Cependant la dialectique de la manifestation est toujours identique. L'homme saisit l'irruption du sacré dans le monde et découvre ainsi l'existence « d'une réalité absolue, le sacré qui transcende ce monde-ci mais qui s'y manifeste et de ce fait, le rend réel[7] ». En se manifestant, le sacré introduit une dimension nouvelle. Cette dimension n'est pas une évidence en elle-même. Découvrir cette dimension sacrale du monde est le propre de l'*homo religiosus*. Par cette découverte il assume dans le monde une existence spécifique. Sacré et hiérophanie sont deux concepts clefs qui permettent à Éliade de couvrir l'aire très vaste des formes religieuses de l'humanité. Pour Durkheim l'histoire des religions se réduit à décrire les phases historiques de la création du sacré par les sociétés humaines. Dans l'optique d'Otto, l'histoire des religions est la découverte des manifestations du sacré comme facteur actif et opérant dans l'histoire des peuples. Selon Éliade, l'histoire des religions consiste d'abord à découvrir et à comprendre le comportement de l'*homo religiosus* qui depuis l'âge de la pierre jusqu'à nos jours a vécu la dimension sacrale de son existence. Ensuite au moyen de l'herméneutique, elle doit dégager le message transhistorique de cet homme religieux.

Le symbole

Le symbole constitue le second axe de la recherche éliadienne. C'est par le contact avec la pensée asiatique et grâce à l'étude de la religion des peuples sans écriture qu'Éliade a été amené à tenter l'explication de la structure du comportement de l'homme religieux et à déchiffrer les symboles qui la sous-tendent. Lucien Lévy-Bruhl avait conféré au symbole religieux une fonction de participation de l'homme au monde surnaturel. Pour Éliade, le symbole donne à l'homme une ouverture sur un monde transhistorique et le met en contact avec le Transcendant. « Le symbole prolonge ou constitue une hiérophanie. Il révèle une réalité sacrée ou cosmologique qu'aucune autre manifestation n'est à même de révéler[8]. » Ainsi, Éliade situe le symbole et sa fonction dans la dialectique du sacré. Il le considère comme une forme autonome de révélation, comme un langage multivalent qui fait prendre conscience de l'unité du monde. Le symbole consistera en un être, une forme divine, un objet, un mythe ou un rite qui, dans le contexte d'une hiérophanie, révèlent à l'homme religieux la conscience et la connaissance de dimensions sacrales. Continuant le processus d'hiérophanisation, il fait découvrir une réalité sacrée et conduit l'homme à réaliser sa solidarité avec le sacré.

Éliade estime que la meilleure façon de pénétrer dans le symbolisme religieux est l'étude des religions ethnologiques. En effet, c'est en elles que nous trouvons bien conservé l'*homo symbolicus* qui nous permet de voir le déroulement de sa vie dans le contexte de la dialectique du sacré. L'homme religieux des sociétés ethnologiques intègre le sacré dans une logique symbolique : corpus de mythes, de rites, d'idéogrammes qui lui permettent de lire et de vivre son histoire sainte. Grâce au symbolisme des mythes, cet homme garde le contact avec les sources de la vie et transmue son expérience individuelle en acte spirituel. Bref, au moyen du symbole, l'homme obtient la révélation d'une dimension non connue dans l'expérience immédiate. Par le symbole, il accède au chiffre et peut décrypter le message du sacré. Pour Éliade, tout acte religieux implique une part de symbolisme et vise une réalité qu'il appelle « métaempirique ».

Le mythe

Dans l'œuvre d'Éliade, l'illustration la plus éclairante de sa triple démarche historique, phénoménologique et herméneutique réalisée sur la base des deux axes, le sacré et le symbole, nous semble être sa recherche sur le mythe[9]. La documentation lui vient par deux voies différentes. Il interroge d'abord les mythologies des peuples qui ont joué un rôle important dans l'histoire : Grèce, Égypte, Proche-Orient, Inde. L'analyse critique lui fait voir que ces mythologies ont été désarticulées et réinterprétées. Dès lors, ses préférences vont aux mythes vivants des sociétés primitives actuelles que nous connaissons par un dossier ethnographique très riche et fort bien établi. Le mythe étant lié à un comportement, la voie ethnographique permet de le saisir dans la vie des peuples et dans l'activité des hommes. Sur la base très ferme de cette recherche historique, Éliade pénètre au cœur du mythe. L'historien cède la place au phénoménologue qui découvre dans les mythes une histoire vraie, sacrée et exemplaire. Les mythes cosmogoniques révèlent une histoire sainte des peuples : histoire cohérente qui montre le drame de la création du monde et propose des modèles exemplaires pour toute la création. Les mythes d'origine racontent et justifient une situation nouvelle, inexistante aux origines : mythes généalogiques, mythes de guérisons et d'origine des médicaments, mythes des thérapeutiques primitives. Les mythes de renouvellement montrent une *renovatio mundi*, une re-création : mythes d'intronisation du roi, mythes du nouvel an, mythes des saisons, peintures rupestres, mythes de l'éternel retour. A ces mythes sont liés les rites d'initiation. Les mythes eschatologiques narrent un cataclysme du passé : déluge, écroulement de montagnes, tremblements de terre. Sur

20

ce canevas de destruction ils établissent les structures d'un monde nouveau. Ainsi, le mythe indien des âges du monde fonde la doctrine de la transmigration. Dans tous ces types que nous venons d'énumérer, l'échelle des valeurs est établie au moyen du mythe cosmogonique dont le thème central est l'origine paradisiaque.

Le phénoménologue s'efface pour laisser la place à l'herméneute chargé de décrypter le mythe afin d'en extraire le message. Le mythe cosmogonique contient un message très dense [10]. Il révèle un mystère sacré, celui de l'activité créatrice des Êtres divins : l'irruption du sacré fonde le monde. A partir de cette création, le mythe fixe des modèles que l'homme doit reproduire dans sa vie : c'est le message qui oriente l'activité sacrée de l'homme, l'imitation des modèles divins. Par la réactualisation ininterrompue des gestes divins exemplaires, l'homme doit maintenir le monde dans le sacré. Ainsi, le mythe cosmogonique révèle une histoire sacrée qui doit être exemplative et normative. Dès lors, le comportement mythique n'est pas un comportement puéril. Il est un mode d'être dans le monde débouchant sur l'imitation d'un modèle transhumain, sur la répétition d'un scénario exemplaire et sur la rupture du temps profane. Une étude pénétrante de l'archétype et du symbolisme du centre permet à Éliade de montrer clairement la référence de l'action humaine à un acte initial, à un archétype qui lui confère son efficacité. Sur cette doctrine de la référence à l'archétype, il greffe la valeur des rituels, les calendriers des fêtes, la valorisation du temps, la distinction en temps sacré et temps profane. Ainsi, le mythe confère à l'action humaine une expérience du sacré, une fonction d'éveil et de maintien de la conscience d'un autre monde, du monde divin. S'il connaît le chiffre du mythe, l'homme redevient contemporain de l'événement primordial et pour lui le monde devient transparent. Dès lors le mythe est un langage symbolique du sacré.

Au terme de cette triple analyse du mythe, Éliade estime que l'historien des religions doit refuser de suivre Freud et Jung qui ont voulu réduire le mythe à un processus de l'inconscient alors qu'il est un phénomène universel qui fonde une structure du réel, révèle l'existence et l'activité d'êtres surnaturels et devient normatif du comportement humain. Sur la base de cette recherche, Éliade montre aussi l'erreur d'optique de Bultmann qui voit dans l'horizon spirituel du christianisme primitif le prolongement de l'horizon des sociétés archaïques dominées par le mythe. Bultmann a situé le problème de la démythisation au niveau des doctrines alors qu'il se trouve au niveau des comportements. Son manque d'information sur la signification véritable du mythe l'a entraîné dans une impasse[11].

Herméneutique et méthode comparative

Au terme d'une brillante carrière scientifique, Mircea Éliade livre au public une *Histoire des croyances et des idées religieuses* dont le premier volume nous conduit *De l'âge de la pierre aux mystères d'Éleusis*[12]. En une vaste synthèse qui reprend les grandes lignes de son enseignement et de sa recherche, il présente les manifestations principales du comportement de l'homme religieux, depuis sa préhistoire jusqu'à l'épanouissement du culte de Dionysos. Tout en montrant l'unité fondamentale des phénomènes religieux, il souligne l'inépuisable nouveauté de leurs expressions. Un deuxième volume traite de la période allant du Bouddha au triomphe du christianisme. Le troisième volume, paru en 1983, va de Mahomet aux théologies athéistes modernes. Cette trilogie n'est pas une histoire des religions du type classique. L'originalité d'Éliade se trouve dans sa méthode et dans sa perspective. A l'intérieur d'une vaste documentation historique qu'il maîtrise parfaitement grâce aux travaux de ses collègues ou par ses propres recherches, Éliade introduit une optique nouvelle. Sur la base d'une typologie clairement dégagée, il présente une herméneutique fondée sur le sacré et saisie à travers le langage des symboles et des mythes. En s'efforçant de comprendre les situations existentielles exprimées par les documents religieux de l'humanité depuis la préhistoire jusqu'à nos jours, il essaie d'accéder à la compréhension de l'*homo religiosus*. Par l'exploration du comportement de cet homme, il montre que « le sacré est un élément de la structure de la conscience et non un stade dans l'histoire de cette conscience[13] ».

Il y a un siècle, Max Müller fondait l'histoire comparée des religions. Enthousiasmé par la découverte des Indo-Européens et persuadé que le langage est un témoin irréfutable, voire le seul qui vaille la peine d'être entendu — son *nomina sunt numina* est resté célèbre — sur la base de la philologie comparée, Müller construisait sa mythographie naturiste, pénétrait dans la pensée védique et tentait de faire une première interprétation de la religion aryenne archaïque.

Reprenant le vaste dossier indo-européen fortement retravaillé et complété, Georges Dumézil a essayé de l'étudier au moyen d'une méthode comparative génétique et intégrale. Par l'étude comparée des textes mythologiques, épiques, théologiques, historiques, des données linguistiques et archéologiques et des phénomènes sociaux, il a tenté d'obtenir dans le domaine indo-européen, et pour les faits religieux, ce que la linguistique comparée est parvenue à trouver pour ses faits à elle : une image précise d'un système préhistorique. Le résultat de la recherche dumézilienne est spectaculaire. C'est la découverte d'un héritage commun indo-européen dont nous retrouvons les traces à la fois dans la théologie, dans la mythologie, dans l'épopée et dans l'organisation sociale : la souveraineté et le sacré, la force et la défense, la fécondité et la richesse. A la théologie des trois fonctions répond l'idéologie tripartie de la société indo-européenne.

S'appuyant lui aussi sur le dossier indo-européen qu'il élargit rapidement aux grandes religions de l'Asie et à la pensée religieuse archaïque et ethnologique, Éliade établit d'abord, à force de patientes analyses, une morphologie et une typologie très riches et fondées sur le sacré et le symbole. A partir de cette base phénoménologique, il étend à tout le domaine de l'histoire des religions la méthode de comparaison génétique et intégrale. Dans le champ très vaste et fort hétérogène des hiérophanies, Éliade recherche les articulations fondamentales et les correspondances afin d'y découvrir non pas un héritage religieux commun mais l'archéologie du comportement, les structures de la pensée, la logique symbolique et l'univers mental de l'*homo religiosus*. Enfin, donnant à l'histoire comparée des religions une expansion audacieuse, Mircea Éliade esquisse la voie d'une herméneutique créatrice dans laquelle il n'hésite pas à voir une source vivante d'un nouvel humanisme.

JULIEN RIÈS.

NOTES

1. M. Éliade, *Le Sacré et le Profane*, Paris, 1965, p. 15.
2. M. Éliade, *La Nostalgie des origines*, Paris, 1971, p. 32. L'original a été publié en 1969 à Chicago sous le titre *The Quest*.
3. *La Nostalgie des origines*, p. 32, note 9.
4. M. Éliade, *Le Chamanisme*, Paris, 2ᵉ éd., 1968, p. 12.
5. *La Nostalgie des origines*, p. 19.
6. *La Nostalgie des origines*, p. 19.
7. M. Éliade, *Le Sacré et le Profane*, Paris, 1965, p. 171.
8. M. Éliade, *Traité d'histoire des religions*, Paris, 1974, p. 375.
9. M. Éliade, *Le Mythe de l'éternel retour*, Paris, 1949. *Images et symboles*, Paris, 1952. *Mythes, rêves et mystères*, Paris, 1957. *Naissances mystiques*, Paris, 1959. *Aspects du mythe*, Paris, 1963.
10. M. Éliade, *Prestige du mythe cosmogonique*, dans *Diogène*, nº 83, Paris, 1958, 3-17.
11. *Aspects du mythe*, pp. 207-219.
12. M. Éliade, *Histoire des croyances et des idées religieuses. 1. De l'âge de la pierre aux mystères d'Éleusis*, Paris, 1976.
13. *Histoire des croyances*, p. 7.

LE MESSAGE AVANT LA MORT

Georges Dumézil

Dans l'œuvre scientifique de notre ami, où le montreur s'efface soigneusement sous les marionnettes qu'il anime, un livre fait exception : le recueil de 1970, intitulé *De Zalmoxis à Gengis-Khan*. Le sous-titre est d'une entière neutralité : « Études comparatives sur les religions et le folklore de la Dacie et de l'Europe orientale ». Mais cette Europe orientale, c'est, avant tout, le peuple roumain avec ses deux principales composantes, les Géto-Daces et les Daco-Romains, Décébale et Trajan. Éliade, visiteur du monde, fait ici un pèlerinage à sa première source. Après avoir expliqué à tant de groupes humains, illustres ou modestes, voisins ou lointains, la dynamique de leurs fantasmes, constante sous la diversité de lieux et de temps, il fait halte devant huit problèmes de chez lui, pour rassembler les réflexions, plusieurs fois reprises et approfondies, qu'ils lui ont inspirées au cours de trente années d'aventures intellectuelles, et, ce faisant, il se penche sur une patrie que trente années d'épreuves et de séparation lui ont peut-être rendue plus proche, plus intelligible. De tout le recueil, l'essai qui manifeste cette piété lucide de la manière la plus émouvante est, à

25

mon sens, le dernier consacré à la *Mioritza*, à la ballade populaire où, depuis qu'il existe une intelligentsia roumaine, des esprits, souvent passionnés, ont cherché l'un des révélateurs de l'âme nationale. Roumain, poète et savant, Éliade épure la passion en admiration et, refusant les excès lyriques et les généralisations hâtives, avec une sérénité de philologue, nettoie ce petit joyau folklorique et le laisse briller de ses propres feux.

Comment me mêlerais-je à cette liturgie ? Mon hommage sera d'autre sorte. Puisque Éliade et moi partageons la même foi dans l'utilité de l'exploration comparative et le même goût des précisions, je lui soumettrai une petite extension que je donnerais volontiers au dossier de la *Mioritza* et, par-delà, à plusieurs enquêtes sur la religion des Gètes, des Daces et généralement des Thraces.

Je résume en quelques mots, d'après notre ami, le thème de la ballade. Trois bergers, deux de Valachie, un de Moldavie, font descendre leurs troupeaux en des lieux voisins. Jaloux, les deux Valaques ont décidé de tuer leur collègue. Il n'est pas sur ses gardes, mais sa « brebis chérie » a le don de voyance. Désolée, elle gémit sans cesse et ne broute plus. Il l'interroge, elle l'avertit :

> « ... Maître, ô maître mien !
> Garde auprès un chien,
> Le plus fort des nôtres,
> Car, sinon, les autres
> Te tueront d'un coup
> Entre chien et loup. »

Le berger prendra-t-il cette précaution ? Se défendra-t-il ? Nous n'en savons rien, car tout le reste, à vrai dire le sujet même de la ballade, ne contient que les recommandations qu'il fait à la brebis : Si je meurs, lui dit-il, voici comme tu prescriras qu'on me mette en terre..., comme tu placeras trois pipeaux à mon chevet... Mais ne parle pas du meurtre. Dis aux autres brebis inquiètes que j'ai épousé « reine sans seconde, promise du monde », et le berger imagine longuement les noces cosmiques que la messagère devra décrire : « A ces noces-là, un astre fila », la Lune, le Soleil tenaient sa couronne, les arbres étaient témoins, les monts prêtres, cierges les étoiles... Puis il se reprend :

> « Mais si tu vois, chère,
> Une vieille mère
> Courant, toute en pleurs
> Par ces champs de fleurs,
> Demandant sans cesse,
> Pâle de détresse :
> — Qui de vous a vu,
> Qui aurait connu
> Un fin pâtre, mince
> Comme un jeune prince ?

à cette mère, dis-lui, certes,

> Que j'ai épousé
> Reine sans seconde,
> Promise du monde (...)
> Mais, las, à ma mère
> Ne raconte guère
> Qu'à ces noces-là
> Un astre fila... »

Et le berger répète, dans les mêmes termes, toutes les naïves splendeurs qu'il a chargé la brebis de décrire aux autres, mais dont elle ne devra pas parler à cette vieille mère. Pourquoi ? Par respect ? Ou parce que la mère, plus clairvoyante, ne se laisserait pas abuser ? A nous de choisir : le poème s'achève avec les derniers mots de son fils.

Cette ballade m'en a rappelé une autre, qui se chante encore parmi les Tcherkesses du Caucase et de l'émigration et dont j'ai noté moi-même plusieurs variantes. La civilisation où elle s'est formée est bien différente : jusqu'aux grands malheurs du siècle dernier, les Tcherkesses constituaient non pas une nation, mais un ensemble difficilement pénétrable de clans féodaux, tout occupés de guerre, de chasse et de pillage. Aussi le héros du poème n'est-il pas un berger, mais un prince. Voici un résumé et quelques essais de traduction d'après la variante publiée par mon regretté maître et ami Koubé Chaban, dans ses *Adeghé Wérédezhkhér*, « Vieux chants tcherkesses », Damas, 1954, pp. 61-66 :

Le prince chepsoug Qwé*tch*'as, de la famille des Hat-*khe*, excelle à la chasse comme à la guerre. Un jour, il fait dresser sa tente dans une vallée et il tue tant de cerfs que le petit bouvier qui conduisait son attelage, assis sur la tête d'un bœuf, peut maintenant danser sur leurs poitrines :

> Oui, du gras de la chair des cerfs,
> La tente de Qwé*tch*'as ne manque pas.

La rumeur porte cette nouvelle aux oreilles de Dewey, le Prince Terrible, qui a déjà d'autres raisons d'être jaloux de Qwé*tch*'as. Il se met en route aussitôt avec une troupe de cavaliers. A l'aube, Qwé*tch*'as ne voit plus ses lévriers et, les yeux encore pleins de sommeil, part à leur recherche. Il les siffle. Dewey entend et comprend que « l'homme redoutable » n'est pas loin. Qwé*tch*'as monte sur un arbre et scrute le paysage. Bientôt, dans sa longue-vue, il aperçoit un point noir.

> « Cette noirceur que je vois,
> C'est beaucoup trop, ce me semble, pour un troupeau
> [sauvage,
> C'est beaucoup trop aussi pour être des hôtes,
> Et trop peu pour être une armée. »

Il appelle ses compagnons de chasse :

> « Si vous pouvez rester à mes côtés,
> Préparez vos balles et votre poudre !
> Si vous ne pouvez rester à mes côtés,

Allez au plus épais de la forêt ! »
— « Que nous ne pouvons rester à tes côtés,
Nous en sommes bien conscients, Qwétch'as ! »
Et ses mauvais compagnons
Retroussent leurs tuniques et s'enfuient...

Il leur crie :

« Si vous vous arrêtez tous un instant
Je vous chargerai, moi, d'une commission.
Si ma mère vous interroge,
Dites-lui : "Il revient en amenant cent moutons !"
Si mes sœurs vous interrogent,
— "Il revient avec une charge de soie !"
Si ma femme vous interroge,
— "Il est allé faire des achats à l'échelle des
                                                  [bateaux ! "
Si mon père vous interroge,
— "Les ennemis l'ont entouré d'un aboiement d'où l'on
                                                  [ne revient pas ! "
Si mes camarades d'âge vous interrogent,
Dites-leur : "Allez à l'endroit où volent en rond les
                                                  [oiseaux charognards ! " »

Cependant Dewey apparaît. Il défie Qwétch'as, qui
répond poliment, mais, poussé à bout, le tue. En mourant, Dewey dit à ses hommes de le venger et Qwétch'as
tombe à son tour, accablé sous le nombre.

Le thème commun aux deux poèmes est celui-ci : un
personnage, dans la campagne, hors de chez lui, apprend
ou comprend qu'il va être attaqué et sans doute tué par
des jaloux. Il donne en conséquence une double consi-
gne à un ou plusieurs compagnons : quand on s'en-
querra de son sort, qu'il ait deux sortes de réponses prê-
tes ; à l'usage commun, qu'il récite de belles histoires, de
bonnes nouvelles sans rapport avec ce qui va se passer ;
à une ou à quelques personnes nommément désignées,

qu'il ne mente pas, mais, plus ou moins clairement, fasse comprendre qu'il n'est plus de ce monde.

Les différences entre les deux traitements du thème s'expliquent, en partie au moins, par l'écart des genres littéraires et par les caractères propres aux milieux où sont nés, où ont prospéré les poèmes : ici, complainte pastorale aimée des paysans, là complainte épique goûtée des princes.

Cela est vrai de l'introduction, du cadre. Dans la *Mioritza*, le héros est un berger, l'événement a lieu au cours d'une transhumance, les meurtriers désignés sont d'autres bergers jaloux de la beauté d'un troupeau, et c'est une brebis voyante qui avertit son maître. Au Caucase le héros est un prince, l'événement a lieu au cours d'une chasse, les meurtriers attendus sont un autre prince, jaloux, et son escorte, et c'est le héros lui-même qui, au bout de sa lorgnette, découvre le danger.

Cela est vrai aussi pour l'organisation interne du thème. Le berger de la *Mioritza* ne détaille pas, ne classe pas divers genres de questionneurs : il ne pense qu'à ses brebis et ne leur destine qu'une seule réponse, fausse et glorieuse ; de la masse des hommes, il distingue seulement une personne, une femme, sa mère : celle-ci comprendra, sous l'allégorie du mariage, que son fils est passé dans un autre monde, mais la messagère ne cherchera pas à l'éblouir ni à la consoler par un flot de précisions merveilleuses. Pour Qwétch'as, les questionneurs seront de deux sortes : les femmes, dont il prévoit trois variétés, mère comprise, et qu'il faudra toutes réjouir par l'affirmation d'un succès et l'annonce de richesses ; les mâles — père et camarades d'âge — qui auront droit à la dure vérité.

Cela est vrai enfin du contenu des « mensonges » que le messager devra débiter à tous, sauf aux élus. Dans la ballade tcherkesse, ces inventions — butin, achats exotiques — relèvent toutes de la vie ordinaire, terrestre, aventureuse, des princes. Dans la ballade roumaine, le berger, qui vit seul avec son troupeau au cœur de la nature, développe, réalise peut-être en esprit le rêve cosmique de sa vie, qu'Éliade a magnifiquement commenté.

L'homologie a trop d'ampleur pour que les deux compositions soient fondamentalement indépendantes, et les différences sont trop considérables pour qu'on pense à un emprunt, à une transposition. Il s'agit plutôt d'un très vieux thème qui devait avoir déjà cours chez les peuples du Nord de la mer Noire, dans ce long *continuum* de Thraces, de Scythes et de Tcherkesses que les Grecs ont encore connu et qui n'a été rompu dans son milieu, puis ses deux parties refoulées vers l'Ouest et vers l'Est, que par la pression des envahisseurs venus du Nord. A l'Ouest, malgré la domination ottomane, malgré tant d'épreuves et de mutilations, la nation roumaine a sauvé, avec sa double culture, l'essentiel de son territoire. A l'Est, les derniers débris des Scythes et des Tcherkesses, déracinés, devenus « Caucasiens » parmi d'autres et de plus en plus pénétrés de pensée russe, maintiendront-ils ce qui leur reste de tradition ?

GEORGES DUMÉZIL.

ÉLIADE OU L'ANTHROPOLOGIE PROFONDE

Gilbert Durand

Les sciences de l'homme dites « sociales » ont un statut particulier, c'est une banalité de l'écrire en 1977 ; c'était une audace de le concevoir, il y a une trentaine d'années, à l'époque où Mircea Éliade nous donnait le *Traité d'histoire des religions*. L'on avait cru naïvement, dans la lancée du positivisme triomphant au XIXe siècle, que l'on pouvait rendre compte de l'objet humain par les mêmes méthodes que l'on appliquait à une physique élémentaire issue du mécanisme des siècles précédents et à une biologie balbutiante que l'expérimentalisme de Claude Bernard et la réussite d'un Pasteur devaient notoirement confirmer. L'anthropologie culturelle, née au siècle des triomphes coloniaux, héritait de cette ambiance une double et arrogante insuffisance. D'une part, elle insistait sur la « différence » — déjà ! — qui pouvait exister, dans une perspective évolutionniste admise comme un dogme, entre le civilisé et les primitifs, fussent-ils de « bons sauvages » ; forte de cette différenciation, elle la généralisait au sein d'une curiosité pour l'exotisme et l'archaïsme ; d'autre part, elle singularisait et unifiait « la civilisation » au profit d'une « pensée logique » totalitaire, celle de « l'adulte blanc et civilisé », breveté et baptisé, aboutissement progressiste et messianique de tous les tâtonnements pré-logiques. L'œuvre de Lucien Lévy-Bruhl, précédant les *Carnets*, résumait assez bien avant guerre cette double orientation de l'anthropologie, s'appuyant à la fois sur la « différence » et sur une hiérarchie évolutionniste secrètement ethnocentriste. Mais les mauvaises habitudes culturelles sont tenaces, et nous dénoncions, il y a à peine quinze ans, de tels errements aussi bien dans le structuralisme anthropologique mis à la mode par Claude Lévi-Strauss que dans la critique qu'en faisait Paul Ricœur au nom d'un privilège herméneutique qui serait l'apanage de l'Occident chrétien[1]. Derrière le jeu des différences formelles où se complaît le structuralisme, comme derrière le « kérygme » ricœurien, il n'est guère difficile de reconnaître d'une part l'ombre — sophistiquée certes — de l'atypicalité chère aux manipulations statistiques du néopositivisme, de l'autre la superbe colonialiste et missionnaire du fleuron civilisationnel éclos en Occident.

Aussi bien, pour sortir de l'impasse prolongée où se fourvoyait, il y a quelques décennies à peine, l'anthropologie culturelle, héritière tardive du positivisme, il fallait qu'un « poète » se penchât sur elle. Il était déjà évident que la psychologie n'avait pu prendre son essor original en Occident que du jour où les psychologues — Freud timidement d'abord, Jung nettement ensuite (n'oublions pas le rôle décisif de la poésie spittelerienne dans la réflexion jungienne) et enfin Charles Baudouin, ce psychologue-poète — avaient pris pour centre d'intérêt de leur étude la créativité (la « poésie ») mentale telle qu'elle apparaît dans le rêve, la rêverie, la sémantique de la vie quotidienne ; avec ces pionniers la psychologie remythologisait les banalités du réalisme quotidien. Il est piquant de remarquer que c'est du jour où les psychologues prirent la psyché — et non l'esthésiomètre, le chronomètre, le thermomètre, etc., ou ce fameux doigt qui montre la lune — que la psychologie put exister !

Ce recentrement copernicien de la psychologie au plus près de la « poétique » de l'âme, renforcé par la solide et profonde « lecture heureuse » d'un Bachelard, allait susciter un écho fécond au sein même de la réflexion de ceux qui ont pour vocation de se pencher sur l'œuvre poétique et littéraire. La « Nouvelle Critique », pour l'appeler par son nom consacré, emboîtait le pas aux réflexions de la psychologie analytique. Jung, Bandouin, Allendy, Ch. Mauron, Lafforgue, Gilberte Aigrisse entraînaient une Nouvelle Critique qui s'intéressait davantage à la thématique et aux procédures imagées qui suscitent le sens qu'au recensement historique des sources et des influences ; pour parler comme Éliade, une « histoire vraie », c'est-à-dire un récit où la véracité est vécue par l'âme, l'imagination, un mythe réévalué, se substituait alors à l'historicisme totalitaire et linéaire de la vieille critique positiviste.

Mais tandis que se formait autour du sémantisme de l'image cette conjuration des poètes, des critiques et des psychologues, il fallut attendre longtemps pour qu'un spécialiste des sciences de la culture — de l'anthropologie culturelle, comme l'on dit outre-Atlantique — puisse avoir le mot de passe et entrer dans la conjuration des Temps modernes, conjuration que ne pouvaient prévoir les prospectives du positivisme. Notre chance fut d'avoir, en la personne de Mircea Éliade, un « poète » — n'est-il pas l'un des grands romanciers roumains contemporains ? — féru d'érudition anthropologique.

C'est alors que le raccordement à la modernité de l'épistémologie des Sciences de l'homme peut se faire par l'anthropologie et à travers elle par la sociologie. Le mouvement par lequel Éliade reconnaît au mythe et à l'image un rôle anthropologique instauratif est contemporain dans le temps et connexe aux intentions par lesquelles Bachelard étonné constatait la « prégnance » et la coordination des images face à l'édifice conceptuel de la science positive. Lorsqu'il y a plus de vingt ans, nous lisions passionnément les écrits de l'écrivain anthropologue, nous nous sentions appelé par deux recommandations impératives. La première — et seul un écrivain de grand talent pouvait le découvrir — c'est que la pensée contemporaine si imbue de sa modernité, si enfermée dans le dogme des réalismes littéraires et des positivismes expérimentaux, devait s'ouvrir, sous peine de mort heuristique, aux mythes immémoriaux, aux grandes figures collectées par la mythologie comparée. A ce prix et à ce prix seulement, le fil unidimensionnel du récit réaliste se chargeait de l'épaisseur du sens tandis que réciproquement la littérature moderne, ses personnages, ses héros, éclairaient à leur tour les antiques mythologies. Comme l'écrit Éliade, le romancier, tout comme le récitant du mythe, opère une « sortie du temps... historique et personnel » et se trouve « plongé dans un temps fabuleux, transhistorique ». Nous retenions alors cette leçon paradoxale de l'historien des religions, c'est que tout « récit » *(historeîn)* humain, bien loin de lire les fatalités d'un temps historique objectif, est au contraire « lutte contre le temps, ... espoir de se délivrer du Temps mort, du Temps qui écrase et qui tue ». D'autre part, loin du morcellement prétentieux des différences socio-culturelles, le comparatisme de l'anthropologue prenait tout entier une configuration kérygmatique, les événements des mythes divers se regroupant archétypiquement grâce à l'intuition de l'écrivain créateur, du poète. Avec Éliade, et contrairement au kérygmatisme d'un Bultmann ou d'un Ricœur, l'on assiste à une sorte de catholicisation du kérygme ; parce que le kérygme, l'« avènement » en aucun cas, même en celui de l'incarnation chrétienne, ne peut être la signature d'un événement « objectif », sécrété par le « Temps Mort », comme dit Éliade, de l'« histoire » cosmique ou du devenir profane. Comme l'ont toujours bien vu les mystiques chrétiens — et je pense à Angelus Silesius — ce n'est pas l'historiographie de Jésus sous César Tibère qui est kérygme, mais bien l'*Imitatio Christi* qui fait que c'est seule l'« histoire » de l'âme qui décide de l'avènement. Car, là aussi, les plus « heureux » sont ceux qui croient sans avoir vu avec l'œil borgne de l'histoire profane. Aux yeux de cette dernière, la « Vie de Jésus » ne laisse presque pas de trace dans la chronique[2]. Étaient alors exorcisées la stérile différence qui, faute d'engagement existentiel, transforme trop souvent le structuralisme en un indifférent « *Glasperlenspiel* » et aussi la superbe d'un kérygme privilégié — qu'il soit laïc comme le positivisme ou religieux comme le prosélytisme missionnaire ou les deux à la fois comme la pastorale d'un Bultmann et déjà de Barth. Éliade, lui, a bien vu que « du fait même qu'il est une religion », le christianisme doit nécessairement maintenir en lui des comportements mythiques. Bien loin de se fonder sur un kérygme unique et privilégié, il ne doit sa force de caractère et d'expansion que parce qu'il s'appuie lui aussi, comme toute religion, sur un *semper et ubique* qui n'est autre que l'*illud tempus* (le « temps sacralisé », l'« Histoire Sainte ») dont tout récit mythique est le modèle. Grâce à Éliade, nous pouvons alors envisager — bien avant l'admirable plaidoyer de la « *pensée sauvage* » — que la « ressemblance » avait valeur heuristique dans les sciences de l'homme, au moins au même titre que la « différence ». Le comparatisme à l'érudition si vaste et si sûre de Mircea Éliade permettait bien d'entrevoir cette convergence indispensable à la compréhension de l'espace, par laquelle — selon un beau mot de Malraux — « Homère se joint à Mallarmé » ; ajoutons : par lequel « Jésus peut endosser la figure de Joseph, mais aussi d'Hermès ou d'Orphée ». De ces rassemblements anthropologiques naissaient de grandes figures, de grands scénarios mythiques, qui prenaient alors la dimension d'archétypes aussi probants que ceux que découvrait en même temps la tâtonnante et minutieuse investigation clinique du psychologue de Zurich, Carl Gustav Jung.

Il n'est pas inopportun ici de rapprocher le nom d'Éliade et celui de l'illustre fondateur de la psychologie des profondeurs. Faut-il évoquer d'abord la rencontre répétée de nos deux penseurs, dans le Cercle d'Eranos, à Ascona en Suisse ? Ce n'est pas le lieu ici d'insister sur le rôle capital — et discret sinon secret ! — que joua cette institution scientifique dans l'élaboration de la pensée constitutive de notre temps et de notre proche avenir scientifique ou éthique. Mais disons simplement que dans cet agréable creuset sur les bords du lac Majeur, des échanges féconds et prolongés purent avoir lieu entre Éliade, Jung, Scholem, Suzuki, Wilhelm, Tuci, Radin ou Corbin... C'est là que nous eûmes nous-même le privilège de rencontrer Mircea Éliade il y a une dizaine d'années. L'on peut dire que c'est dans ces rencontres d'Eranos que se forgèrent les prémisses de la véritable « philosophie nouvelle », c'est-à-dire que se redévoilèrent par-delà les mirages de notre temps, les piliers de la *philosophia perennis*. Et à côté de l'imaginaire jungien, de l'Imaginal cher à Henry Corbin, l'exaltation du mythe par Éliade y joua un rôle capital.

Mais le rapprochement entre Jung et Éliade n'est lui-même ni fortuit ni platement événementiel ; disons que s'y révèle une « synchronicité » sinon une Providence. De même que le procès jungien établissant les grandes polarités archétypiques du fonctionnement psychique, permet de déboucher sur une psychologie des profondeurs, c'est-à-dire une psychologie qui ne se bloque pas au simple réseau des connexions nerveuses et physiologiques et qui, également, ne s'arrête pas seulement aux pulsions biologiques non plus qu'aux censures et aux traumas de l'aventure personnelle, mais au contraire découvre à l'œuvre, au sein de la plus banale angoisse, du plus banal névrosé, la transcendance d'un inconscient collectif de notre condition et de notre espèce, sorte d'impératif catégorique concret où les archétypes monnayés par les grandes images archétypiques réconcilient philosophiquement la phénoménologie avec un noumène constitutif de la psyché de l'*homo sapiens* ; de même toute l'entreprise d'Éliade débouche sur une sorte de panthéon collectif de gestes rituels, de mythes, de héros, de situations mythiques coextensifs à l'espèce humaine tout entière. Déjà, l'étude minutieuse des divinités lieuses et des procédures, des interdits, des coutumes relatives aux liens, déjà la généralisation des mythes, des rites, des pratiques religieuses relatives au temps cyclique, aux rites de renouvellement ou d'origine dressent la carte et relèvent les terres et archipels d'une possible « anthropologie des profondeurs ». Aussi, quel dommage que nous n'ayons pu publier il y a quinze ans, cet « Atlas des mondes imaginaires » que Mircea Éliade avait préfacé avec tant de chaleur et de conviction ! C'est à Éliade que nous avions demandé d'introduire cet ouvrage collectif, parce que nous savions bien que le *Traité d'histoire des religions* convoquait les chercheurs à une tâche de relevés systématiques d'où pouvait émerger la carte de cette planète, mystérieuse encore peu de temps avant Freud, de cette noosphère véritable qui n'est certes pas à chercher dans les perspectives positivisantes de Teilhard de Chardin !

Comme Jung découvre la *terra incognita* des archétypes qui « animent » la psyché individuelle, l'œuvre d'Éliade, tome après tome, met au jour la terre si occultée par la démythologisation trop chère au positivisme — fût-il théologique comme celui de l'héritage barthien... — la terre des grandes constantes mythologiques qui règlent en fin de compte les intimations culturelles et les rapports sociaux. Et nous avons pressenti qu'il n'y avait qu'un pas entre les figures archétypales, telles que celles du Mandala, du Puer Aeternus ou du Vieux Roi, émergées de l'analyse jungienne, et celles issues des recensements de l'anthropologue : forgeron mythique, dieu lieur ou déesse de la végétation, voire « divinités assassinées ». Aussi est-il réconfortant de constater, en un temps — le nôtre — où des essais philosophiques bâclés tiennent lieu de références scientifiques, que le travail minutieux du clinicien et de l'érudit anthropologue débouche sur le corpus d'une identique vérité.

Éliade comme Jung est à la tête de cette lente mais sûre entreprise de remythologisation qu'exigent aussi bien la foi positive exsangue que la civilisation désorientée qu'elle a produite. L'un comme l'autre ont établi irréversiblement l'accomplissement d'un renversement de valeurs épuisées que pressentait Nietzsche aussi bien que les violentes contestations philosophiques de notre temps ou les craquements du matérialisme du côté de Francfort... Dans le chaos d'une pédagogie qui se défait parce qu'elle n'a pas moralement tenu les promesses épistémologiques si triomphantes de ses débuts, dans le fourmillement des innovations souvent scabreuses et qui mettent en péril l'espèce tout entière, Mircea Éliade est de ceux avec Jung, avec Dumézil, avec Corbin entre autres qui, calmement, minutieusement, en un mot scientifiquement, exhument la grande stature de l'*homo sapiens* (ou de l'*Adam Kadmon*, peu importe !) occultée par les idoles prométhéennes inavouées de la civilisation inhumaine issue de la machine. Certes, les matérialistes attardés ricanent encore devant cette résurgence anthropologique des « arrière-mondes » qu'ils taxent de philosophie « ventriloque » *(sic !)*. Nous pouvons répondre avec hauteur que cette « ventriloquie » vaut bien l'unidimensionalité lassante, in-sensée et stérile de certains pétomanes ès sciences sociales ! Mais notre propos, pas plus que celui de Jung ou d'Éliade, n'est pas et n'a jamais été de polémiquer : *verum index sui*. Laissons là encore les morts enterrer eux-mêmes leurs morts !

Aussi sommes-nous tranquillement sûrs que cette « orientation » de l'anthropologie sera suivie. Nous décrivions ailleurs les traits de ce Nouvel esprit anthropologique[3] ; déjà lui font écho — encore timidement certes — les regrets, les remords et les retours des « Nouveaux philosophes ». Nous savons déjà que Jung y a précipité la psychologie et qu'Éliade y a entraîné l'anthropologie culturelle ; reste à ceux qui, comme moi, se réclament, entre autres, de l'un et de l'autre, à prolonger ces voies. Grâce à la fracture de l'unidimensionnel — tant dénoncé par tant de tumultueux penseurs — que Jung comme Éliade ont effectivement réalisée, une méthodologie et une épistémologie « des profondeurs » s'inaugure dans la Science de l'Homme. Viennent à son secours les logiques nouvelles du contradictoriel et les mathématiques avancées du qualitatif. Comme mon maître Bachelard l'avait clamé, nous sommes bien à un grand tournant de la pensée scientifique, mais maintenant le virage est pris par l'anthropologie ; l'on cerne mieux qu'il y a trente ans

l'harmonie contra-punctique de cette « nouvelle philosophie », où se réalise, entre autres, la *conjunctio* de ces
opposés que sont méthode scientifique et poétique sinon
mystique. Viennent réconforter cette philosophie, les
logiques de Lupasco ou la mathématique de René Thom,
voire la linguistique de Chomsky. Plus modestement,
grâce à Jung et plus adéquatement encore grâce à Éliade,
une sociologie nouvelle est possible pour ceux qui,
comme moi, ont un champ d'application plus orienté par
la sociologie, et dans ce trop concis article, je voulais
seulement dire combien une « sociologie des profondeurs » doit être reconnaissante au romancier, au poète
et anthropologue roumain qui, par un labeur où se sont
conjuguées l'inspiration et l'érudition, en a ouvert les
voies.

GILBERT DURAND.

NOTES

1. *Cf.* notre article in *Eranos Jahrbuch*, 1964, XXXIII.
2. *Cf.* notre article « L'Univers du symbole », in *Le Symbole*, Université
des Sciences Humaines de Strasbourg, 1975.
3. *Cf.* notre livre, *Science de l'homme et tradition*, le « Nouvel Esprit
anthropologique », édition Tête de feuilles, Sirac, Paris, 1974.

HERMÉNEUTIQUE STRUCTURALE
ET PHILOSOPHIE

David Rasmussen

La vogue actuelle pour le structuralisme a été stimulée par un certain nombre de penseurs français qui ont commencé à appliquer la méthodologie de la linguistique structurale à leurs différents terrains d'étude. L'importance du structuralisme réside dans le fait qu'il est applicable, en tant que méthodologie, à une multitude de problèmes dans les sciences humaines. Le travail de Mircea Éliade représente un exemple particulier de démarche dans lequel le structuralisme peut être appliqué aux problèmes de la philosophie et de l'herméneutique.

Il semble que l'on ressente de plus en plus la possibilité et le devoir de prendre au sérieux le symbolisme des cultures archaïques et orientales. La question est de savoir comment ? C'est une chose de réhabiliter l'homme des autres cultures ou des cultures du passé. C'en est une autre de le comprendre. Dans le passé, le symbolisme archaïque ou oriental était considéré comme important en tant que repère dans le développement de la conscience moderne. Bien que certains donnent encore foi à cette interprétation, les hypothèses historico-évolutionnistes ont été supplantées par des interprétations qui veulent appréhender ce symbolisme comme une authentique dimension de la conscience humaine, sans souci de ses origines historiques. Si le symbolisme archaïque peut être considéré comme représentatif d'une dimension de la conscience, la question de l'interprétation est primordiale.

Je voudrais étudier ici ce problème de l'interprétation dans l'herméneutique développée par l'historien des religions et le phénoménologiste. Bien que Mircea Éliade n'ait jamais réclamé le statut de philosophe et qu'on ne l'en ait jamais gratifié, il considère son travail comme une étape préliminaire à la réflexion philosophique. Le principal problème d'interprétation est celui de la procédure depuis l'apparition d'un phénomène sacré (symbole, mythe, hiérophanie) et jusqu'à la compréhension de ce phénomène. Une fois la procédure herméneutique éclaircie, il sera possible de la suggérer comme méthode praticable pour une réflexion philosophique.

Il y a dans la pensée d'Éliade une opposition à la base de son herméneutique, à savoir son opposition contre le réductionnisme. La difficulté que présente sous toutes ses formes le réductionnisme, c'est sa tendance à donner une explication satisfaisante au phénomène étudié. La thèse est la suivante : si on peut réduire une modalité sacrée à des constatations d'ordres psychologique, sociologique et historique, son intention originelle est perdue. Cela veut simplement dire qu'une forme religieuse *doit* être interprétée comme telle, par des outils herméneutiques appropriés. L'interprétation psychologique d'une modalité religieuse peut être utile et même instructive, mais elle n'est jamais exhaustive. Prétendre qu'une interprétation psychologique est exhaustive revient nécessairement à du réductionnisme. D'autres formes d'interprétations donneront des conclusions similaires.

Éliade a clairement défini sa position par des références spécifiques aux positions réductionnistes. Durkheim a essayé en termes sociologiques.

« Pour Durkheim, la religion était la projection de l'expérience sociale... Il en conclut que le sacré (ou Dieu) et le groupe social sont une seule et même chose[1]. »

L'explication au moyen de la psychologie est aussi peu satisfaisante. « Pour Freud, la religion, comme la société humaine et la culture en général, a commencé par un meurtre primordial[2]. » C'est le totémisme, avec son explication psychique sous-jacente qui met en lumière le réductionnisme freudien. Sa méthode assume le fait qu'un phénomène sacré n'est vraiment compris qu'après sa réduction à un phénomène psychique. Éliade partage la revendication de Freud : la manifestation du sacré a une signification psychologique, mais il n'accepte pas que ce soit la seule. On peut affirmer la même chose du réductionnisme historique. Les exégèses historiques du phénomène religieux tendent à l'expliquer à la lumière des circonstances historiques qui l'ont fait apparaître, et non par le caractère intrinsèque du phénomène lui-même[3].

Cette tentative critique nous place au cœur du dilemme herméneutique. L'engagement dans une théorie, quelle qu'elle soit, ne restreint-il pas l'objet de l'interprétation ? Si l'interprète et l'objet interprété sont inclus dans un rapport intersubjectif, peut-on éviter le problème du réductionnisme, qui surgira presque inévitablement ? Moi-même, entre autres, je crois qu'il n'est pas possible d'échapper aux rapports « intersubjectifs » que toute position herméneutique présuppose. Jusque-là, les théories interprétatives psychologiques, sociologiques et historiques sont à égalité avec les modes d'interprétations philosophiques et religieux. A mon avis, la façon dont ces rapports intersubjectifs sont établis est cruciale. Dans la mesure où une théorie est imposée à l'objet de l'interprétation, on peut dire qu'elle est réductionniste. Par contre, si l'on peut dire qu'une théorie est le résultat de recherches, elle peut être considérée comme conséquentielle, ou dérivée de l'objet. Il est important de noter ici, qu'à l'opposé des théories réductionnistes, Éliade essaie d'établir une herméneutique comme conséquence de la rencontre avec le sacré.

De toute manière, dans l'herméneutique d'Éliade, cette position polémique originale a eu comme conséquence positive la doctrine de l'irréductibilité du sacré.

« Un phénomène religieux ne sera reconnu comme tel que s'il est appréhendé à son propre niveau, c'est-à-dire s'il est étudié comme une chose religieuse. Essayer d'appréhender l'essence d'un tel phénomène au moyen de la psychologie, de la physiologie, de la sociologie, de l'économie, de la linguistique, ou de toute autre étude, est une erreur ; on passe à côté de son seul et unique élément irréductible, l'élément du sacré[4]. »

En philosophie cela veut dire qu'on *doit* accorder au sacré un statut ontologique original. On peut dire que le sacré tel qu'il se manifeste au croyant contient ce statut original. Une interprétation qui ne fait pas avorter le sacré en imposant des normes externes étrangères à l'objet interprété, cette revendication initiale doit être prise sérieusement. La fonction de l'interprète sera de saisir et de recréer en imagination les conditions de l'apparition du sacré.

Dans cette perspective, il est impossible de recréer en imagination les conditions sociologiques requises pour la manifestation d'une forme sacrée. Impossible également dans une perspective psychologique. Le modèle que je trouve le plus attirant pour cette démarche herméneutique cruciale est celui qui a été emprunté au domaine propre de la phénoménologie. Essayer de comprendre le sacré comme une forme irréductible s'accompagne d'un essai technique pour capter son mode *intentionnel*. Une forme sacrée (une pierre taillée en forme de phallus ou une perle vénérée comme modalité de la sexualité) présente des exemples éclatants du problème qui nous occupe. La tentation évidente pour l'Occidental sophistiqué, qui n'a jamais admis de tels objets dans son panthéon spirituel, est de les comprendre comme un mode ordinaire de manifestation ou en tant qu'objets naturels. On perd leur signification, ou en termes husserliens, on ne réussit pas à découvrir leur véritable intentionalité.

Le second principe herméneutique d'Éliade, la dialectique du sacré et du profane, est introduit précisément pour capter cette caractéristique intentionnelle de la modalité sacrée.

« Le sacré est qualitativement différent du profane ; il peut cependant se manifester de toutes les manières possibles et en n'importe quel lieu du monde profane, car il a le pouvoir de changer en paradoxe tout objet naturel par le biais d'une hiérophanie ; celui-ci cesse d'exister en tant qu'objet naturel, bien qu'il soit inchangé en apparence[5]. »

Il s'ensuit que les méthodes de compréhension ordinaires ne nous donneront pas la signification du sacré, car le sacré ne se manifeste pas d'une manière ordinaire. Le symbole cosmique ne se révèle pas par des formes ordinaires. Le sacré se révèle dans les pierres, la terre, le ciel, les gens, et dans presque toutes les formes imaginables. Ainsi la modalité de la manifestation est complexe. Et c'est principalement cette complexité que le principe dialectique souhaiterait appréhender. Le sacré est dans et à travers le profane : « Entre d'innombrables pierres, une pierre devient sacrée et ainsi devient instantanément saturée de vie[6]. » Le sacré est donc perçu dans le contexte des choses ordinaires et profanes qui sont détournées de leur rôle par la révélation, à travers elles, du sacré. Il semblerait ainsi que la doctrine de l'irréductibilité du sacré, développée par Éliade, mène à une tentative pour recréer par l'imagination les conditions de l'apparition du sacré. Cette démarche est possible si l'on admet que la complexité de l'apparition du sacré est dialectique. Cette complexité reconnue, il reste à découvrir le mode intentionnel particulier de cette manifestation du phénomène sacré.

Cette approche herméneutique peut être clarifiée par la position contre laquelle elle est dirigée.

« A l'époque de Max Müller et de Tylor, les chercheurs parlaient de cultes naturalistes et de fétichisme quand ils voulaient rendre compte de l'adoration des primitifs pour des objets naturels. Mais la vénération d'objets cosmiques n'est pas du *fétichisme*. Ce n'est pas une vénération pour l'arbre, la source ou la pierre en tant que tels, mais pour le sacré qui se manifeste à travers eux[7]. »

Mettre sur pied une problématique susceptible de faire percevoir convenablement le sacré est une chose, passer du stade de la perception à celui de la compréhension en est une autre. Je considère comme la principale réussite herméneutique d'Éliade le passage de la reconnaissance initiale du sacré, dans sa complexité dialectique et sa modalité intentionnelle particulière, à une compréhension de sa signification. Le problème est épistémologique, la solution structurale.

La thèse de l'irréductibilité du sacré et la dialectique du sacré et du profane établissent les conditions nécessaires à l'apparition du sacré. Elles ne donnent aucunement la signification d'un phénomène sacré. Il est tout à fait possible que ni le chercheur ni le croyant ne perçoivent le sens d'un phénomène particulier.

« Quand une sorcière brûle une figurine de cire contenant une mèche des cheveux de sa victime, elle n'a pas à l'esprit la théorie tout entière sous-jacente à ce fragment de magie[8]. »

La question se pose de savoir comment arriver à la théorie explicative du phénomène. Éliade propose de résoudre ce problème herméneutique plus ardu en soulevant deux remarques. Tout d'abord il suggère que toute manifestation d'un phénomène sacré tend vers un archétype.

« Il n'y a pas de forme religieuse qui n'essaie pas de se rapprocher le plus possible du véritable archétype, en d'autres termes de se débarrasser de ses additifs et résidus *historiques*[9]. »

Pour Éliade, on peut considérer l'archétype comme la structure initiale du sacré. La distinction doit être faite avec l'archétype tel que Jung l'entend, qui est l'inconscient collectif. En second lieu, Éliade suggère qu'un phénomène d'un type ou d'une structure donnée tendra vers sa systématisation. Il dit, en parlant des hiérophanies de la végétation :

« On doit indiquer en premier lieu que toutes ces hiérophanies révèlent l'existence de tout un système de références cohérent, une théorie de la signification sacrée de la végétation, les hiérophanies les plus hermétiques comme les autres[10]. »

La structure fonctionne alors à deux niveaux. Au premier niveau, on distingue un archétype initial qui apparaît clairement à travers le phénomène sacré. Au second niveau, cette structure initiale tend vers un contexte élargi d'associations structurales. D'où la thèse selon laquelle un archétype spécifique peut être compris, non pas pour lui-même, c'est-à-dire dans sa manifestation particulière, concrète et historique, mais plutôt quand le système des associations tout entier est découvert ou, dans le meilleur des cas, reconstruit.

Le problème initial du discernement de la structure est morphologique. Il est nécessaire de séparer les phénomènes qui sont similaires par leur structure, de ceux qui ne le sont pas. C'est un travail de classification morphologique. Dans son étude sur le symbolisme cosmique, Éliade parvient à distinguer un certain nombre de types morphologiques : le ciel et le symbolisme du dieu céleste, le soleil et le culte solaire, la lune, l'eau, les pierres, la terre, la femme, la végétation, l'agriculture et la fertilité, et le symbolisme de l'espace et du temps.

Pour réaliser cette classification morphologique, on doit se garder de ce que l'on pourrait appeler une méthode historique. La transition d'un des éléments d'un type morphologique à un autre n'est pas historique. On n'entend pas par là déprécier la portée historique d'un phénomène donné, mais on affirme nettement le rapport non historique qui existe entre les hiérophanies car elles ne suivent pas un ordre historique déterminé. L'analyse et la classification morphologique n'ont pas de conséquences sur l'édification d'une histoire de la conscience religieuse.

« Un traité des phénomènes religieux qui partirait des plus simples jusqu'aux plus complexes, ne me semble pas requis. Cela signifierait une sorte de traité qui, commençant par les hypothèses les plus élémentaires (les

« manas », l'insolite, etc.), se poursuivant par le totémisme, le fétichisme, le culte de la nature et des esprits puis par les dieux et les démons, en arriverait finalement à l'idée monothéiste de Dieu. Une telle démarche serait tout à fait arbitraire, car elle présupposerait une évolution du phénomène religieux, du plus élémentaire au plus complexe, pure hypothèse qu'on ne peut étayer d'aucune preuve : il resterait encore à trouver quelque part une religion toute simple, ne comprenant que les hiérophanies les plus élémentaires[11]. »

En effet, la classification des phénomènes religieux sur la base d'une hypothèse historico-évolutionniste du développement du sentiment religieux, est une déformation de ce qui semble être les faits de l'apparition du sacré. Par là Éliade rejoint la position de Claude Lévi-Strauss qui veut bannir toute distinction, quelle qu'elle soit, entre la pensée primitive et la pensée moderne. En ce qui concerne Éliade, la morphologie est destinée à remplacer l'hypothèse historico-évolutionniste comme méthode herméneutique ; la signification de l'approche morphologique est ainsi d'offrir une solution alternative aux problèmes d'intelligibilité que présentent les phénomènes sacrés.

Nous évoquions plus haut le problème le plus significatif de la méthode herméneutique d'Éliade, le passage de l'apparition initiale du sacré à l'acceptation de son sens. On peut réaliser dès lors que la solution à ce problème est fondamentalement structurale et non pas historique. En toute honnêteté, le caractère distinctif de toute manifestation du sacré, son mode spécifiquement intentionnel ne nous permet pas de replacer ces phénomènes dans un schéma historico-évolutionniste. L'alternative herméneutique que représente l'analyse morphologique suggère qu'on en perçoive le sens en fonction de l'association des modalités du sacré. Pour Éliade, c'est un travail de reconstruction par l'imagination qui est à la base de la compréhension, mais une reconstruction qui s'appuie sur les principes du structuralisme.

L'analogie qui clarifie le mieux une herméneutique

fondée sur le structuralisme, est donnée par la linguistique structurale. Dans son *Cours de linguistique générale*[12], Ferdinand de Saussure a développé la notion de division de l'étude du langage entre la dynamique historique et les relations structurales internes. Saussure donna à ces sphères d'études séparées les noms de linguistique diachronique et de linguistique synchronique. On pouvait étudier le langage soit en fonction de ses rapports structuraux internes, soit par son développement dynamique dans l'histoire. La linguistique diachronique était centrée sur la transformation et le développement historique à l'intérieur du langage, alors que la linguistique synchronique concevait le langage comme un système global d'interrelations. Éliade a préféré le modèle structural (synchronique). Plutôt que de considérer un symbole ou un mythe comme représentatif d'une étape de l'évolution de la conscience humaine, Éliade a posé la question structurale qui concerne la place tenue par un phénomène religieux au sein d'un système synchronique global. Cela conduit à l'idée fondamentale que les phénomènes religieux tendent à s'ériger en système. Cette tendance est le mode intentionnel de toute manifestation spécifique du sacré. D'après ce postulat, une analyse morphologique est nécessaire et par conséquent c'est la transition de l'apparition à la compréhension.

« Une seule chose importe en histoire des religions : c'est le fait que l'immersion de l'homme ou d'un continent, ainsi que la signification cosmique et eschatologique de ces immersions existent dans les mythes et dans les rituels ; c'est le fait que tous ces mythes et ces rituels s'agencent ou, en d'autres termes, s'érigent en un système symbolique qui leur est, en un sens, préexistant[13]. »

On a cru parfois que le structuralisme ne tenait pas compte de la conscience et de la subjectivité. Toutefois, en ce qui concerne Éliade, le structuralisme est le serviteur de la phénoménologie. C'est en découvrant l'intentionnalité d'une modalité du sacré, faisant par là acte de reconstruction imaginative au sein de la conscience, que survient la compréhension. Éliade marque de son empreinte personnelle ce processus phénoménologique. Ce n'est pas en reconstituant un phénomène spécifique que surgit la compréhension, mais plutôt par la réintégration du phénomène à l'intérieur de son système d'associations. On pourrait fort bien appeler cette approche herméneutique la « réintégration eidétique ». Discerner la structure d'un phénomène pourrait être analogue à une analyse eidétique. Une fois découverte la structure intentionnelle, celle-ci est réintégrée correctement dans son système d'associations grâce à la morphologie et au structuralisme. Cette réintégration a pour effet la compréhension du phénomène.

Les tentatives herméneutiques d'Éliade pour saisir le mode intentionnel du sacré qui se manifeste à travers le profane, par l'analyse morphologique et la réintégration eidétique, sont fondées sur la reconnaissance préalable de la validité autonome du sacré en tant que forme irréductible. Il est à noter que la tâche majeure de l'herméneutique, la réintégration, est précisément à l'opposé du réductionnisme contre lequel elle a été fondée.

La conclusion que l'on doit tirer de cette argumentation, est que l'herméneutique ainsi conçue assume le fait que le sacré n'est qu'un élément de la conscience et non un moment de l'histoire de la conscience. Le structuralisme, tel que l'emploie Éliade, effectue une révision presque radicale quand on compare l'herméneutique aux précédentes tentatives d'appréhension du sacré. Dans un sens, l'hypothèse historico-évolutionniste incline le philosophe à se détourner de toute considération sérieuse concernant le sacré. Lucien Lévy-Bruhl illustre ce problème dans la conclusion de son livre *La Mentalité primitive*, quand il essaie d'établir une distinction fondamentale entre la mentalité archaïque et la mentalité européenne moderne :

« En résumé, notre mentalité (celle de l'Europe moderne) est *conceptuelle* avant tout, et la mentalité primitive ne l'est guère. Il est donc extrêmement difficile, sinon impossible, pour un Européen, quand bien même il s'y efforcerait et même s'il connaissait la langue des autochtones, de penser comme eux, bien qu'il parle comme eux[14]. »

Voici ce dont il s'agit :

« L'Européen utilise presque inconsciemment les concepts abstraits et son langage facilite tellement les processus logiques élémentaires, qu'ils lui viennent sans effort. Pour les primitifs, la pensée comme le langage ont une nature presque exclusivement concrète[15]. »

Les conséquences philosophiques de cette approche démontrent que l'expérience archaïque constitue une donnée intéressante de l'histoire de la connaissance, mais seulement en tant qu'arrière-plan significatif pour la connaissance théorique moderne. Des philosophes comme Ernst Cassirer et Suzanne Langer, qui se sont intéressés aux mythes et au symbolisme, ont eu accès à des matériaux d'une extrême richesse pour étayer leurs thèses sur l'émergence historique de l'homme dans l'âge moderne, et cela leur a permis de prendre au sérieux l'expérience archaïque. Ils ne lui ont accordée qu'une importance relative car ils avaient choisi de l'évaluer sur le même plan que leurs hypothèses sur l'homme moderne.

La question qui se pose alors est la suivante : pourra-t-on jamais prendre au sérieux cette expérience si on se base sur le postulat historico-évolutionniste ? Il y a des raisons de penser que c'est impossible. En effet, si on a préalablement admis la supériorité hypothétique d'une connaissance théorique, il s'ensuit que les mythes et les symboles de l'expérience archaïque porteront toujours les stigmates d'une imagination inférieure.

Comme nous l'avons vu, une analyse approfondie des caractéristiques fondamentales des modalités religieuses n'autorise pas un tel jugement. Claude Lévi-Strauss fait brillamment l'exposé des faits qui rendent caduque cette distinction :

« Généralement, les tentatives pour expliquer les prétendues différences entre les mentalités soi-disant primitives et la pensée scientifique se sont appuyées sur des différences qualitatives entre les processus opératoires de l'esprit dans les deux cas, tout en assurant que les entités étudiées restent plus ou moins les mêmes. Si notre interprétation est correcte, elle nous mène vers une tout autre conclusion, à savoir que la logique de la pensée mythique est aussi rigoureuse que celle de la science moderne et qu'il ne s'agit pas d'une différence qualitative entre les processus intellectuels, mais d'une différence de nature des choses auxquelles ils s'appliquent[16]. »

L'herméneutique d'Éliade porte un jugement identique. De même qu'on ne déprécie pas une œuvre d'art parce qu'elle est le fruit d'une époque antérieure, on ne peut pas sous-estimer la valeur d'un mythe ou d'un symbolisme provenant de l'histoire ancienne. De plus, le mythe et le symbolisme, en ce qui concerne leurs objectifs, font preuve d'autant de rigueur dans leur logique que les fruits de la pensée moderne.

Il semble que les structuralistes n'aient découvert aucune raison valable de sous-estimer les expériences archaïques et orientales dans le domaine du sacré. De la même façon, on a des raisons de considérer les expériences religieuses comme tout aussi valables, quelle que soit l'époque historique ou la région culturelle où elles se produisent. Comme nous le démontre Éliade, l'herméneutique du sacré ne peut se justifier sur la base de l'apparition de l'anthropologie, car l'évolution du sacré ne suit pas un ordre historique. Mieux encore, on peut prendre en compte l'expérience du sacré en corrélation avec les efforts de l'homme pour accéder à un monde compréhensible. Donc, c'est à l'herméneutique structurale qu'incombe la tâche de retrouver les données intentionnelles des modalités du sacré. Dans ce sens, une herméneutique structurale s'intéresse aux champs de la conscience et de la signification. Celle-ci nous donne alors la possibilité d'une approche philosophique sérieuse du sacré.

Le postulat selon lequel le sacré représente une dimension unique de l'expérience humaine est en corrélation avec la théorie de l'irréductibilité. Sous-estimer la qualité unique de cette expérience, c'est refuser de la comprendre. En la reconnaissant, on admet qu'elle fait partie de la quête de l'homme pour trouver le sens de toutes choses. L'expérience du sacré, ainsi conçue, présente une analogie avec ce que les phénoménologistes ont appelé une façon d'être dans le monde, et que l'on peut comprendre comme une sorte d'auto-constitution. Une étude du sacré élargira la compréhension philosophique de cette recherche de la signification.

Éliade a décrit ce cas d'une façon assez théâtrale :

« A.N. Whitehead a dit que l'histoire de la philosophie occidentale n'est rien d'autre qu'une série de références à Platon. Il paraît douteux que la pensée occidentale puisse se maintenir dans ce *splendide isolement*[17]. »

Voici les arguments de ce commentaire critique :

« Les fruits de l'effort de compréhension des modes de pensée étrangers à la tradition rationaliste occidentale, c'est-à-dire l'effort de déchiffrer le sens des mythes et des symboles, seront un enrichissement considérable de la connaissance[18]. »

La création d'une herméneutique qui admet la valeur de la manifestation du sacré sans jugement de valeur négatif jette les bases de cette ouverture.

Une étude philosophique sérieuse du sacré nécessite non seulement des fondements justifiables, mais aussi un contexte d'interprétation. Nous suggérions plus haut que le matériau initial de l'herméneutique était l'hiérophanie, c'est-à-dire une manifestation du sacré. Les modalités nécessaires à l'apparition de l'hiérophanie sont le symbole et le mythe. Ceux-ci établissent le contexte de l'herméneutique comme composants fondamentaux d'un langage religieux primaire. Donc, le contexte favorable à l'interprétation du sacré réside dans le langage, en l'occurrence celui du symbole et du mythe. Un tel langage représente le fondement de l'analyse philosophique. Ainsi conçu, ce langage premier jette les prémices de la réflexion philosophique.

Un langage particulier requiert une herméneutique particulière. Dans la mesure où le langage du symbole et du mythe constitue un genre spécifique de discours, une herméneutique doit être conçue spécialement pour le comprendre. Comme nous l'avons vu, la principale difficulté de l'interprétation est d'essayer de construire une herméneutique capable d'éviter les raccourcis trompeurs. Il est probable qu'on puisse appliquer l'herméneutique structurale à l'interprétation philosophique si celle-ci s'engage sur la même voie. Cependant, si on introduit les exigences fondamentales de l'herméneutique structurale dans l'interprétation philosophique, il faut les considérer, pour cette dernière, comme des analogies.

Tout d'abord, l'affirmation que le sacré est irréductible conduit à penser que la modalité du sacré, le symbole et le mythe, établit les prémices à la réflexion philosophique. L'interprétation philosophique trouve son caractère spécifique non pas en essayant de contourner la modalité du sacré, mais à travers la réflexion de cette forme première. Par ailleurs, l'engagement à ce principe de base requiert le passage herméneutique ou interprétatif de l'apparence à la signification, ou de la sensibilité à la compréhension, sur la base de principes structuraux et morphologiques. En dernier lieu, si l'on veut éviter les problèmes engendrés par une distinction entre la pensée logique et la pensée prélogique, le travail de la reconstruction par l'imagination devra succéder à la réintégration eidétique.

On doit ajouter à ces trois étapes, qui sont fondamentalement la reproduction de celles d'Éliade, un quatrième processus spécifique à la philosophie. L'interprétation philosophique concerne non seulement la compréhension du langage du symbole et du mythe, mais aussi la possibilité d'une vérification. Celle-ci s'opère en précisant les références des énoncés symboliques et mythiques. On peut définir ce travail en se référant au concept de l'herméneutique structurale. Une fois posées les bases critiques et constructives de l'herméneutique structurale, les références des énoncés symboliques et mythiques ne sont pas uniquement culturelles ou historiques, car aucune culture particulière, ni aucune théorie linéaire, n'est capable d'expliquer leur sens. Comme l'herméneutique structurale a pour objectif de saisir leur sens en tant qu'aspect de la structure de la conscience, il en découle que la référence ultime du langage religieux est anthropologique, au sens où l'utilisation du symbole et du mythe représente une dimension unique de la conscience. Donc, la tâche finale du philosophe sera de replacer ce langage dans le contexte de l'anthropologie philosophique.

Nous avons tracé les grandes lignes de l'herméneutique structurale d'Éliade, et nous avons vu l'ouverture qu'elle représente pour l'interprétation philosophique. Pour certains, la légitimité de cette entreprise peut être encore douteuse. Nous nous considérons comme des hommes modernes, vivants dans l'histoire et faisant la distinction entre le mythe et l'histoire. Je ne conteste pas le bien-fondé de cette distinction, mais il n'y a aucune raison de lui donner une interprétation négative. C'est précisément à cause d'elle que nous sommes en mesure de comprendre, peut-être pour la première fois, la fonction positive du mythe et du symbole comme dimension particulière de la conscience. Nous pouvons donc affirmer qu'une telle recherche contribue de façon positive à la compréhension de notre propre époque. Éliade suggère que la confrontation avec les mythes et les symboles des cultures archaïques et non occidentales sont susceptibles de « promouvoir un renouveau du champ philosophique, comme l'avait fait, un demi-siècle plus tôt, la découverte des arts exotiques et primitifs dans l'art européen [19] ». Tel sera peut-être le résultat final des recherches dans le domaine de l'herméneutique structurale.

DAVID RASMUSSEN.
Traduit de l'anglais
par Ileana Tacou.

NOTES

1. Mircea Éliade, « The History of Religions in Retrospect : 1912-1962 », *The Journal of Bible and Religion*, XXXI (n° 2, avril 1963), p. 99.

2. *Ibid.*, p. 101.

3. *Ibid.*, p. 105.

4. Mircea Éliade, *Traité d'histoire des religions*, Payot.

5. *Ibid.*

6. Mircea Éliade, *Le Mythe de l'éternel retour*, Gallimard.

7. Mircea Éliade, « The Quest of the Origins of Religion », revue *History of Religion*, IV, été 1964. *La Nostalgie des origines*, Gallimard, 1971.

8. *Ibid.*, n° 4.

9. *Ibid.*, n° 4.

10. *Ibid.*, n° 4.

11. *Ibid.*, n° 4.

12. Ferdinand de Saussure, *Cours de linguistique générale*, Payot, 1977.

13. Mircea Éliade, « The Quest of the Origins of Religion », revue *History of Religion*, n° 4.

14. Lucien Lévy-Bruhl, *La Mentalité primitive*, Paris, 1922.

15. *Ibid.*, n° 14.

16. Claude Lévi-Strauss, *L'Anthropologie structurale*.

17. Mircea Éliade, *Méphistophélès et l'androgyne*, Gallimard, 1952.

18 et 19. *Ibid.*, n° 17.

HIÉROPHANIE, SYMBOLE ET EXPÉRIENCES

Stephen J. Reno

On sait que Mircea Éliade définit la démarche propre de l'histoire des religions comme une recherche uniquement préoccupée par les symboles religieux, c'est-à-dire par les symboles qui se trouvent engagés à la fois dans l'expérience intime de l'*homo religiosus* et dans la conception que celui-ci se fait du cosmos. Ainsi, en tant qu'historien des religions, Éliade s'est-il toujours employé à approcher les symboles religieux d'un point de vue que l'on peut tenir pour entièrement non réductionniste. Tout en admettant l'influence des facteurs culturels et d'environnement dans la formulation des symboles religieux, c'est à partir du phénomène religieux lui-même que Mircea Éliade s'efforce donc de discerner les structures de base des différents types d'expérience et d'expression religieuse. Disons, avec ses propres mots, qu'il s'est toujours appliqué à étudier « les conceptions de l'être et de la réalité que l'on peut déchiffrer à partir du comportement religieux de l'homme des sociétés primitives[1] ».

Il est pourtant nécessaire de relever que, d'entrée de jeu, une double constatation négative rend particulièrement difficile l'attaque critique sur l'essentiel, et jusqu'au départ même de la présente recherche : en effet, s'il y a, d'une part, la relative minceur des études analytiques consacrées à la méthode d'approche utilisée, par Éliade, dans ses études du symbolisme religieux, à cela répond, d'autre part, l'absence flagrante de tout exposé systématique, de la part de Mircea Éliade lui-même, concernant le sens dans lequel il entend et dans lequel il utilise, dans la marche de ses travaux, le concept même de symbole religieux, alors que celui-ci apparaît, d'évidence, comme le concept fondamental de sa recherche. A part son essai, intitulé *Remarques méthodologiques sur l'étude du symbolisme religieux*, qui comporte un exposé, assez succinct, sur la structure des symboles et la morphologie du sacré, il n'existe, en fait, aucun texte qui dise explicitement la manière dont Mircea Éliade interprète et conçoit lui-même l'élément de base de ses recherches sur l'histoire des religions, à savoir le symbole religieux dans son devenir permanent, dans ses réévaluations successives. Encore une fois : c'est le devenir du symbole religieux, sa permanente mise en réévaluation qui constitue, pour nous, l'élément fondamental des analyses consacrées par Mircea Éliade à l'histoire des religions conçue comme un ensemble. Aussi va-t-on tenter d'interpeller, nous-mêmes, ici, les différents usages qui, à ce propos, se dégagent des écrits de Mircea Éliade, pour les intégrer, ensuite, et si possible, dans un concept unitaire.

Compte tenu du fait que toute l'œuvre d'Éliade tend à instaurer, ainsi, une sorte de dialectique de la réévaluation permanente du symbole religieux, notre tentative d'explicitation sera donc la suivante : ayant, en premier lieu, passé en revue les différentes manières dont Éliade, lui, ait eu à approcher, dans ses travaux, la morphologie du sacré et la structure des symboles, nous nous évertuerons, ensuite, à identifier nous-mêmes, sur la base du matériel ainsi acquis, ou tout au moins inventorié, les quelques positions essentielles que l'on peut envisager de prendre dans la perspective d'une tentative de « réévaluation » du symbole religieux, de l'hiérophanie, et, cela

60

fait, de montrer quelle est, de ces positions, celle qu'Éliade s'est trouvé amené à adopter lui-même dans ses travaux.

Cette manière quelque peu nouvelle de s'orienter dans l'œuvre en action d'Éliade sera appelée, au cours du présent essai, du nom de « vision progressive » des hiérophanies. Plus encore : la vision progressive des hiérophanies constitue, pour nous, le propre même de la manière dont Éliade conçoit, au moins implicitement, la dialectique active du phénomène religieux et sa structure ultime. Une tentative y sera également faite pour montrer que le point de vue d'Éliade sur les hiérophanies suit un développement intérieur d'ordre ascensionnel, hiérarchique, allant donc du plus élémentaire (une pierre, un arbre) vers le plus élaboré (par exemple, le mystère de l'Incarnation de Jésus-Christ). Tout en montrant alors qu'Éliade cède à cette vision pour des raisons essentiellement théologiques, nous serons à même d'identifier, à partir du choix de fait, du choix explicite de cette vision, un certain nombre d'implications méthodologiques appartenant en propre à l'histoire, ou à la phénoménologie des religions.

En fait, Éliade considère la religion du monde archaïque comme impliquant, toujours, une métaphysique fondamentale[2]. Cela se caractérise par la conception d'une réalité transcendantale, tenue pour « sacrée », réalité qui se manifeste dans le monde profane, dans le monde de l'expérience de chaque jour, par l'intermédiaire des symboles, des chiffres et des archétypes, et reconnaît le propre de l'homme archaïque — de l'homme en proie au désir ontologique originaire — dans sa pétition existentielle de s'accomplir, authentiquement et légitimement, à travers sa participation rituelle au sacré, conçu, en l'occurrence, comme la vérité la plus profonde de la réalité.

C'est pour décrire l'acte par lequel et dans lequel le sacré vient à se manifester qu'Éliade utilisera donc le terme de « hiérophanie[2] ». « Chaque fois que j'en viens à considérer quelque chose comme une hiérophanie, c'est que quelque chose aura été appelé à exprimer une des modalités propres du sacré[4]. » Et, ajoute-t-il, « ... c'est la rupture naissante dans l'espace qui permet au monde de se constituer, parce que, à travers celle-ci, à travers l'hiérophanie, apparaît et se donne à voir le point immuable, l'axe central de toute orientation à venir. Quand le sacré se manifeste dans une hiérophanie appropriée, il s'agit non seulement d'une fracture de la continuité inférieure de l'espace : la révélation s'y fait, aussi, d'une réalité entièrement différente, d'une réalité absolue et, de par cela même, opposée à la non-réalité de l'espace environnant dans toute son immensité[5]. »

En ce qui concerne la structure intime de l'hiérophanie, Éliade soutient que celle-ci se définit, chaque fois, à travers le choix même qui l'engage à se manifester, ou, mieux, est appelé à la « reconnaître ». L'hiérophanie élémentaire est ainsi basée sur le fait même d'un choix qui, de par lui-même, représente déjà et engage le sacré. « Ce qui se trouve choisi passe pour être puissant, efficace, terrible ou fertile même si le choix en question ne se signale par rien d'autre que le seul fait de sa nouveauté, de l'étrangeté ou de la marginalité de son état. Ce qui est ainsi choisi et tenu pour être, de par ce choix même, porteur d'hiérophanie, ou de kratophanie, devient le plus souvent dangereux, interdit ou exclu[6]. » Autrement dit, les objets hiérophaniques sont vénérés non parce qu'ils sont ce qu'ils sont (pierre, arbre), mais parce qu'ils incarnent (révèlent) quelque chose d'autre qu'eux-mêmes. Par la vertu de sa mise en hiérophanie, l'objet choisi devient autre, et comme séparé de tout ce qui l'entoure. Il cesse en quelque sorte d'être lui-même. Il devient, à partir de l'instant où il acquiert une « dimension de sacralité », distinct de son identité profane, distinct de son identité immédiate et visible[7].

Aussi la structure de l'hiérophanie est-elle basée sur une dialectique du sacré. Suivant cette conception, le sacré se manifestera, toujours, à travers la réalité immédiate d'un quelconque objet profane, mais la manifestation ainsi conçue ne saurait en aucun cas être ni même se prétendre complète. Le sacré ne se révèle jamais totalement, ni le profane ne se laisse transformer entièrement en sacré. Le profane ne devient jamais le sacré. Ce point est extrêmement significatif. L'objet, au mieux, dénonce l'hiérophanie, ou l'indique. « Le sacré s'exprime à travers autre chose que lui-même ; il apparaît dans des objets, dans des symboles ou des mythes ; mais jamais entièrement, et jamais non plus directement. »

Cependant, parce que la reconnaissance d'un objet comme porteur d'hiérophanie est basée sur le fait qu'il soit appelé à manifester une certaine modalité du sacré, et malgré le fait que cet objet ne saurait donc représenter le sacré que d'une manière inadéquate et partielle, celui-ci, l'objet relevé par le choix, se doit de subir, pour tenir le rôle qui lui est assigné, une opération de « réévaluation ». « Ces manifestations élémentaires ne sont jamais ''closes'', ni monovalentes. Elles peuvent changer, se développer, en venir à être réévaluées si ce n'est dans leur contenu religieux, tout au moins dans leur forme et dans leurs fonctions [8]. » Séparé de son environnement, l'objet hiérophanique est déclaré sacré de par l'acte même de cette séparation. Suivant la perspective religieuse totale à l'intérieur de laquelle la hiérophanie vient ainsi à se faire, la valeur particulière concédée à l'objet lui-même aura donc eu, elle aussi, à changer [9].

Cela dit, deux écueils essentiels émergeraient, selon Éliade, dans la marche du processus de réévaluation. Il y a, d'une part, ce qu'il identifie et tient pour de l'idolâtrie, et, face à celui-ci, face à l'idolâtrie, ce qui, en principe, devrait constituer sa condamnation la plus inconditionnée [10]. Si l'on s'en tient à la première de ces attitudes, à l'idolâtrie, on se trouve, en effet, devant la tentation de reconnaître que la pluralité des hiérophanies se justifie de par la nature même de la dialectique du sacré et de ses manifestations, de ses insertions dans l'histoire. Par contre, en suivant la deuxième, on rejette la multiplicité des hiérophanies pour insister sur la supériorité et sur l'unicité d'une seule, généralement la dernière en date. « L'idolâtrie, en même temps que sa condamnation, sont des attitudes qui se présentent presque naturellement devant toute conscience confrontée avec le phénomène de l'hiérophanie[11]. » Néanmoins, des justifications existent aussi bien pour l'une que pour l'autre de ces deux attitudes, des justifications se dégageant de la nature même de l'expérience religieuse et, surtout, de sa mise en situation dans l'histoire.

Si, dans cette optique, l'on commence par considérer le problème, ou plutôt l'attitude impliquant une condamnation de l'idolâtrie, on constate que par la vertu d'une nouvelle révélation, d'un choix nouveau, d'une nouvelle hiérophanie, l'hiérophanie antérieure peut avoir épuisé, et perdre, son sens original. Bien qu'elle ait pu avoir eu à manifester, à un moment donné, une certaine modalité du sacré, une hiérophanie antérieure peut devenir, face à l'avènement d'une nouvelle hiérophanie, l'obstacle qui en entrave la montée, l'écorce morte qui en empêche les développements et l'affirmation actuelle. L'hiérophanie antérieure devient une barrière dans la mesure précisément où, face à l'actuelle, elle représente une révélation déjà moins complète, moins universelle du sacré. Les croyants considèrent l'hiérophanie la plus récente comme étant plus réelle, plus adéquate et plus compatible avec le devenir d'une perspective religieuse d'ensemble. Enfin, d'un point de vue historique, il est certain que l'hiérophanie la plus ancienne représente un choix fait à un stade antérieur de la même tradition religieuse. « La nouvelle hiérophanie détient, dans leur vie, une puissance de révélation plus "complète", plus consistante par rapport à leurs disponibilités spirituelles et culturelles actuelles. Aussi ne peuvent-ils reconnaître aucune valeur religieuse licite aux hiérophanies acceptées lors des états antérieurs de leur développement religieux en cours[12]. » Pour illustrer sa thèse, Éliade cite le culte primitif du couple divin de Ba'al et de Belit, dont la puissance et la pratique étaient violemment contestées par les Juifs. La toute-puissance de Jahveh représentait une conception de la divinité réputée plus haute, et plus pure. Révélant une modalité, une profession du sacré plus universelle que la précédente, celle-ci en vint à lui être préférée[13]. La condamnation de l'idolâtrie se trouve ainsi justifiée, affirme Éliade, par le fait même de l'adoption d'une perspective religieuse totale. Mais la position identifiée comme étant celle de l'idolâtrie n'en trouvera pas moins une dialectique d'insertion, et sa propre justification théologique. « Cette position, qui consiste à présenter et à réévaluer sans cesse les anciennes hiérophanies, est soutenue par la dialectique même du sacré, celui-ci étant susceptible de se manifester non pas directement, mais toujours à travers quelque chose[14]. » L'idolâtrie reconnaît et utilise implicitement la dialectique du sacré, dont nous avons déjà vu quel est le principe fondamental : toute hiérophanie est incomplète, ou inadéquate, parce que le sacré ne saurait s'y manifester que d'une manière partielle. Cependant, tant qu'elle sera le fait d'une révélation vivante, toute hiérophanie sera tenue pour réelle. « La dialectique de l'hiérophanie implique un choix plus ou moins clair. Une chose devient sacrée tant qu'elle incarne (ou révèle) quelque chose d'autre qu'elle-même. Mais le sacré n'apparaît jamais entièrement, ni directement[15]. » L'idolâtrie se donne pour l'attitude qui reconnaît la réalité de l'hiérophanie tout comme elle reconnaît une progression incessante des hiérophanies, allant de la moins adéquate vers la plus adéquate, de la moins complète vers celle qui marque la limite d'une hiérophanie totale.

La dialectique du sacré — le concept affirmant que le sacré se révèle, toujours, dans quelque chose d'autre que lui-même, et jamais entièrement — fait émerger, aussi, ce qu'Éliade appelle, lui, le *paradoxe de l'incarnation*. « ... C'est bien cette communion paradoxale du sacré et du profane, de l'être et du non-être, de l'absolu et du relatif, de ce qui est éternel et de ce qui est fait pour changer, que toute hiérophanie, et même la plus élémentaire, est appelée à révéler[16]. » Toute hiérophanie clame ce paradoxe. Or, d'un autre point de vue, le fait même que le sacré se révèle, quoique partiellement, dans un certain nombre d'objets, manifeste la situation paradoxale d'un sacré qui, en lui-même non déterminé et réputé sans limites, doit se révéler (dans une hiérophanie) comme déterminé, et comme subissant, de par cela même, une certaine limitation de lui-même. C'est ce paradoxe de l'incarnation qu'Éliade appelle le *mysterium tremendum*. « Le grand mystère consiste dans le fait que le sacré vienne à se manifester, et qu'il se soit manifesté ; parce que, se rendant manifeste, le sacré se limite, et s'"'historicise" de lui-même[17]. »

Aussi Éliade avance-t-il que le mystère du paradoxe de l'incarnation doit être considéré essentiellement sous l'angle d'une approche théologique. Autrement dit, dans la lumière de l'interrogation théologique fondamentale concernant la manière dont il serait possible que l'on prenne en main et que l'on s'approprie la dialectique intérieure de l'hiérophanie non pas en ordre dispersé, mais suivant un ordre d'ensemble et proposant une structure générale et unitaire. Éliade rappelle la réponse spécifique de la Théologie Scolastique à ce sujet — dialectique de la manifestation du nécessaire dans le contingent — tout en soutenant, de son côté, que c'est bien là, dans cette réponse, et dans cette réponse précisément que doit résider l'issue cardinale de toute interrogation, de toute entreprise authentiquement religieuse. Il n'en reste pas moins que l'option d'ordre théologique assumée, en cette occurrence décisive, par Éliade, n'est pas tellement universelle, et cela dans la mesure même où celle-ci comporte, de toute évidence, une orientation résolument chrétienne. A ce sujet, Éliade écrit : « ... on pourrait même dire que toutes les hiérophanies ne sont que des simples préfigurations du miracle de l'Incarnation, que toute hiérophanie est une tentative avortée de révéler le mystère de la communion active de Dieu avec la nature humaine[18]. » La perspective essentiellement chrétienne d'Éliade devient, dans les lignes suivantes, bien plus prononcée encore : « En dernière analyse, l'étude de la matière des hiérophanies primitives dans la lumière de la théologie chrétienne ne témoigne donc pas d'une attitude outrée, tendancieuse ou absurde : Dieu est libre de se manifester sous n'importe quelle forme, fût-ce celle d'une pierre, ou d'un arbre. Ce qui, et si l'on en enlève, pour un moment, le mot « Dieu », peut se dire, en toute clarté, de la manière suivante : le sacré peut être saisi sous toute sorte de formes, même les plus apparemment étrangères à sa nature. En fait, ce qui est paradoxal, ce qui se situe au-delà de tout entendement, ce n'est pas que le sacré puisse se manifester dans des pierres, dans des arbres, mais qu'il puisse en venir à se manifester tout court, qu'il puisse donc se rendre lui-même relatif, sujet à des limites[19]. »

Ayant ainsi eu recours à une explication d'orientation ouvertement chrétienne, Éliade assume une attitude définie, précise, envers les hiérophanies, annonce et fait sienne, implicitement, ce que nous appelions, ci-dessus, une « vision progressive » du problème de la manifestation du sacré. Et c'est bien ce qui semble se dégager des textes déjà cités, car, si toutes les hiérophanies apparaissent comme étant, surtout, des « tentatives avortées » de manifester ce qui, en fait, s'est trouvé comme entièrement révélé dans l'Incarnation de Jésus-Christ, Éliade sous-entend que celles-ci pourraient se trouver mobilisées sur une sorte d'échelle progressive, appelées à se faire valoir suivant une sorte d'arrangement hiérarchique par rapport à la « grande révélation », par rapport à cette révélation finale et totale qu'est censée être l'« Incarnation de Jésus-Christ ». Ce sera donc en écrivant ce qui suit[20] qu'Éliade parviendra à formuler, à ce sujet, et d'une manière tout à fait explicite, son point de vue le plus intime :

« On peut tenter de revendiquer l'ensemble des hiérophanies qui précèdent le miracle de l'Incarnation conçu à la lumière de l'enseignement chrétien si on peut prouver, ou tout au moins montrer l'importance de celui-ci en tant que préfiguration sérielle de l'Incarnation. Par conséquent, loin de considérer les chemins et les objets des religions primitives comme des témoignages d'errement et de dégénérescence de la conscience religieuse d'une humanité tombée dans le péché, on pourrait y intercepter autant de tentatives désespérées de préfigurer le mystère de l'Incarnation. Considérées dans leur ensemble, toutes les religions de l'humanité — s'exprimant à travers la dialectique de la hiérophanie — n'eussent été, de ce point de vue, qu'une seule et même attente du Christ. »

Quand il s'arrête sur le paradoxe de l'Incarnation — lequel paradoxe, répétons-le, prétend que le sacré vient à se manifester de lui-même, et entièrement — Éliade ne fait qu'emprunter un argument de la Théologie Scolastique, argument qu'il utilise en retour pour valider sa vision progressive des hiérophanies. Aussi, dans une perspective chrétienne, Éliade se tient-il encore sur des positions relativement assez orthodoxes quand, pour étayer sa propre démarche, il en vient à citer la classique assertion d'Ockham : « *Est articulus fidei quod Deus assumpsit naturam humanam. Non includit contradictionem, Deus assumere naturam asinam. Pari ratione potest assumere lapidum aut lignum*[21]. » Mais là, quoi qu'on en dise, où il risque d'apparaître comme bien moins régulier du point de vue de la doctrine chrétienne, c'est quand Éliade ne cite et Ockham et les scolastiques que dans le seul but de justifier la dimension progressive de sa vision des hiérophanies. En effet, les deux sources citées lui servent, avant tout, à revendiquer, pour le sacré, la liberté de se manifester sous n'importe quelle forme, alors que, pour la théologie chrétienne, cette liberté de manifestation — mise à découvert dans l'Incarnation — ne saurait être, de toutes façons, qu'une prémisse annonçant quelque chose de bien plus haut encore, c'est-à-dire le fait que Dieu s'est incarné lui-même dans la personne de Jésus-Christ. Or, théologiquement parlant, la notion de l'omnipotence de Dieu est une spéculation *post factum*. Mais cela se doit d'être établi, en l'occurrence, parce que le fait de l'incarnation de Dieu dans la personne de Jésus-Christ reste du domaine de la révélation. Ainsi que l'observait déjà Ockham, « est articulus fidei quod Deus assumpsit naturam humanam ». Quand bien même l'appel fait par Éliade à la théologie chrétienne pour obtenir une réponse au paradoxe de l'incarnation aboutirait donc à l'obtention d'une concession d'ordre spécifiquement religieux à l'égard de la liberté du sacré de se manifester sous des formes diverses, cela ne suffirait toujours pas pour expliquer l'essence même de ce paradoxe, et bien moins encore pour soutenir la mise en série des hiérophanies en vue d'une intelligence progressive de leur avènement historique et de leur nature même. Ce qui revient à dire que non seulement Éliade ne parvient pas à viser la nature exacte de la structure de l'hiérophanie — ce qui, s'il envisageait de le faire, le porterait éventuellement vers une doctrine de la participation, ou de l'analogie — mais qu'il n'entreprend même pas de s'expliquer en profondeur sur la raison d'être de cette vision progressive des hiérophanies dont il fait pourtant le soubassement de l'ensemble de ses recherches. L'explication qu'il fournit à ce sujet n'est elle-même qu'une approche d'ordre spécifiquement religieux des conditions de la naissance d'une hiérophanie, et qui, à vrai dire, n'explique en rien — ni en termes de doctrine chrétienne, ni en aucuns autres termes — l'affirmation de base selon laquelle il y aurait à compter fondamentalement avec une hiérarchie active, avec une hiérarchie générale et comme sérielle des hiérophanies.

Il n'empêche que nous devons quand même essayer de chercher si, tout en nous appuyant, pour cela, sur les travaux d'Éliade, mais en quelque sorte comme à la place d'Éliade, la possibilité n'existerait encore de formuler un principe méthodologique par lequel les hiérophanies puissent être effectivement différenciées et agencées entre elles suivant la spirale d'une série ascendante, vierge de toute récupération et de toute appellation théologiques. Cela posé, nous nous aventurons à prétendre que, même si ce principe méthodologique ne se trouve jamais présenté, par Éliade, d'une manière explicite et claire, il peut être, néanmoins, dégagé, extrait dialectiquement de ses écrits, où il se trouve implicitement compris en profondeur.

Ce principe méthodologique sous-entendu est, croyons-nous, celui du *degré d'incarnation* qui apparaît et se met en état d'agir, s'affirme et se dévoile chaque fois que l'on sort au-devant du paradoxe de l'incarnation.

Ainsi que l'observait Éliade, toute hiérophanie, même la plus élémentaire, révèle la communion fondamentale du sacré et du profane, de l'absolu et du relatif. A partir de quoi, le plus grand mystère réside, pour Éliade, dans le problème posé par l'état de la mise en relation du sacré et du profane. Dans chaque hiérophanie — et plus particulièrement dans l'acte même de se *donner à voir* — le sacré subit un conditionnement radical ou, ainsi qu'Éliade en vient à le décrire fréquemment, doit accepter de s'inscrire dans un processus d'« historicisation ». Or, dans le spectre général des hiérophanies, l'hiérophanie de la pierre, celle de l'arbre, représentent un degré moindre de conditionnement du sacré. Alors que la structure essentielle de l'acte hiérophanique reste la même dans toutes ses occurrences (de la pierre à Jésus-Christ), les objets primitifs apparaissent comme étant, génériquement, plus transparents à la montée du sacré, plus aptes à véhiculer sa révélation de fait et à le limiter moins, à moins le contraindre et à moins lui porter atteinte. La part d'individuation imputable à la pierre, ou à l'arbre, reste de toute évidence moins importante que celle que doit imposer, par exemple, l'individuation de Jésus de Nazareth. En serrant encore plus le problème, disons que plus les qualités d'individuation de l'objet hiérophanique seront grandes, plus grande sera la mise sous condition du sacré. Éliade semble accepter ce distinguo méthodologique alors qu'il écrit ceci[22] :

« Les formes et le sens de la manifestation du sacré varient d'un peuple à l'autre, d'une civilisation à l'autre. Mais ce qui ne manquera jamais de s'y laisser surprendre, c'est le fait paradoxal — c'est-à-dire incompréhensible — de prétendre que c'est le sacré lui-même qui se manifeste, et qui, de cette façon, se donne lui-même des limites et cesse d'être absolu. C'est là que vient se situer l'instruction décisive de l'intelligence que l'on peut avoir du caractère spécifique de l'expérience religieuse : en effet, si l'on admet que toutes les manifestations du sacré sont équivalentes, en ce sens que la plus humble des hiérophanies et la plus terrible des théophanies représentent la même structure et doivent être expliquées par la même dialectique du sacré, nous sommes également tenus de comprendre qu'il n'y a jamais de vraie solution de continuité dans la vie religieuse de l'humanité. Un exemple : l'hiérophanie que l'on peut attribuer à une pierre, comparée à la théophanie suprême, à l'Incarnation. Le grand mystère en jeu consiste dans le fait même que le sacré soit rendu manifeste, ou qu'il se soit rendu manifeste en s'imposant lui-même des limites et en acceptant une condition historique, en s'historicisant. Nous sommes prêts à nous étonner de l'immensité de la limitation du sacré exigée quand il en vient à prendre de lui-même l'apparence d'une pierre, et prompts aussi à oublier que Dieu lui-même s'est donné pour principe qu'il lui vienne des limites, et qu'Il s'historicise en s'incarnant en Jésus-Christ. Tel est, permettez-moi de le répéter, le grand mystère, le *mysterium tremendum* : le fait que le sacré accepte de s'autolimiter. Jésus-Christ parlait l'araméen, il n'a pas parlé le sanskrit, ni le chinois. Il a accepté des limites dans sa vie, et de la part de l'histoire. Tout en continuant d'être Dieu, il n'avait plus la toute-puissance ; tout comme nous, ou comme, sur un autre plan, quand, manifesté dans une pierre, dans un arbre, le sacré s'autolimite en devenant *quelque chose*. Il y a, bien sûr, d'immenses différences entre les hiérophanies, qui, par ailleurs, peuvent être tenues, aussi, pour innombrables ; mais ce que l'on ne doit jamais perdre de vue, c'est le fait que leur structure est toujours la même, et que la dialectique de leur manifestation, elle non plus, ne changera jamais. »

Ce texte, croyons-nous, voudrait surtout montrer que, même si toutes les hiérophanies comportent une même structure et se trouvent portées par la même dialectique du sacré, des différences existent et s'affirment de l'une à l'autre, immenses. Il y a donc là, fondamentalement, une différence dont nous avons déjà voulu laisser entendre qu'elle était basée sur le degré de conditionnement adopté par le sacré dans une hiérophanie donnée, et c'est précisément cette différence qui autorisera Éliade à parler de l'Incarnation de Jésus comme de l'« hiérophanie totale », ainsi qu'il le fait, par exemple, quand il écrit[23] :

« Dieu ne se contente plus d'intervenir dans le cours de l'histoire, comme pour le judaïsme. Il est incarné par un être humain, de manière à ce qu'il adopte lui-même une existence historique conditionnée. Selon les apparences, Jésus de Nazareth n'est en rien différent de ses contemporains vivant en Palestine. En surface, la divinité est complètement dissimulée dans l'histoire, et comme absorbée par elle. Rien dans le physique, dans la psychologie ou dans la « culture » de Jésus ne reflète la moindre lueur du Père. Jésus mange, digère, souffre de la soif et de la chaleur ainsi que tout autre Juif de la Palestine. Mais, en réalité, l'« événement historique » constaté par l'existence de Jésus est une *hiérophanie totale*. Ce que celle-ci dévoile et affirme, c'est quelque chose comme un suprême effort pour sauver, héroïquement, l'*événement historique en lui-même*, et le sauver en le dotant de l'être le plus grand. »

C'est que, suivant l'intuition majeure de J.J. Alitzer[24], l'Incarnation de Jésus reste pour Éliade l'accomplissement final de l'ancien symbole de la *coincidentia oppositorum*, et cela dans la mesure où, à travers celui-ci, transparaît en force la communion active de la plus radicale des expressions du sacré et du profane, la synthèse dialectique d'un sacré et d'un profane également extrêmes, également ultimes.

STEPHEN J. RENO.
Professeur d'histoire des religions,
Université de Leicester.

Le présent essai constitue la version française d'une communication faite par Stephen J. Reno aux Rencontres de l'Académie américaine de religion, qui ont eu lieu du 30 avril au 1er mai 1970, à l'université de Santa Barbara, Californie. Stephen J. Reno enseigne la phénoménologie et l'histoire des religions à l'université de Leicester. Le titre original de sa communication est *Eliade's Progressional View of Hierophanies.*

1. Mircea Éliade, *Cosmos and History, The Myth of the Eternal Return*, New York, Harper and Row, édition Harper Torchbooks, 1959, p. 3.

2. Mircea Éliade : « Si l'on se donne la peine de vouloir pénétrer le sens le plus profondément authentique d'un mythe, d'un symbole archaïque, on ne peut pas ne pas se rendre compte que celui-ci représente la prise de conscience d'une certaine situation dans le cosmos et que, par conséquent, il implique une position métaphysique. » *Cosmos and History*, p. 3. Voir, aussi, Mircea Éliade, *Images and Symbols, Studies in Religious Symbolism*, New York, Sheed and Ward, 1961, p. 11.

3. Mircea Éliade, *Sacred and Profane : The Nature of Religion*, New York, Harper and Row, édition Harper Torchbooks, 1961, p. 11.

4. Mircea Éliade, *Patterns in Comparative Religion*, Cleveland, World Publishing Company, 1963, p. 10. La version originale est parue à Paris, chez Payot, en 1964, sous le titre *Traité d'histoire des religions*. Par la suite, cet ouvrage sera cité, ici, sous l'abréviation *Patterns.*

5. Mircea Éliade, *Sacred and Profane*, p. 21. Pour des précisions supplémentaires concernant l'hiérophanie, voir *op. cit.*, pp. 12, 14, 26, 28, 36, 63-64, 117, 155-158 ; et, aussi, *Patterns*, pp. 23-33, 446-448.

6. Mircea Éliade, *Patterns*, pp. 23-24.

7. Mircea Éliade, *Patterns*, p. 26. Voir, aussi, *Myths, Dreams and Mysteries*, New York, Harper and Row, édition Harper Torchbooks, 1961, pp. 12-13.

8. Mircea Éliade, *Patterns*, p. 25.

9. Il est intéressant de noter que, dans son travail sur la dialectique de la conscience mythique, Ernst Cassirer traite le phénomène de la « réévaluation » dans la lumière de la « haute sagesse » religieuse. « A partir du moment, dit-il, où la fonction religieuse, ayant découvert le monde de l'intériorité pure, s'éloigne du monde de l'existence extérieure, naturelle, celle-ci perd son âme et se retrouve dégradée au niveau des *choses mortes.* » Et ensuite : « Le monde extérieur dans son ensemble et ses images sensibles doivent alors se faire amputer de toute puissance de représentation propre, parce que cela seulement rend possible le nouvel approfondissement de la subjectivité pure, qui, désormais ne saurait plus être exprimée par aucune figure matérielle. » *The Philosophy of Symbolic Forms*, vol. II, « Mythical Thought », IVe partie, « The Dialectic of Mythical Consciousness », New Haven, Yale University Press, 1966, p. 241.

10. L'emploi du terme « idolâtrie » est, ici, plutôt malheureux, parce qu'il traîne avec lui certaines résonances plus ou moins péjoratives. Cependant, tel qu'il se trouve utilisé par Éliade, il comporte, surtout,

une valeur technique. Éliade dit « idolâtrie » pour décrire « l'attitude qui consiste, dans un certain sens, à préserver, et aussi à réévaluer, constamment, les hiérophanies antérieures ». *Patterns*, p. 26. Et aussi : « ... cette généreuse vision qui considère idoles, fétiches et signes matériels comme une série d'incarnations paradoxales de la divinité », *op. cit.*, p. 27.

11. Mircea Éliade, *Patterns*, p. 26.

12. Mircea Éliade, *Patterns*, p. 25.

13. Mircea Éliade, *Patterns*, pp. 3-4, pour le fond du problème.

14. Mircea Éliade, *Patterns*, p. 26.

15. Mircea Éliade, *Patterns*, pp. 13, 26.

16. Mircea Éliade, *Patterns*, p. 29. Au même endroit il observe, aussi, que « ... cette communion du sacré et du profane produit une sorte de fracture en profondeur à travers les divers niveaux de l'existence. Cela se trouve, implicitement, dans toute hiérophanie, parce que chaque hiérophanie montre, rend manifeste la coexistence contradictoire du sacré et du profane, de l'esprit et de la matière, de l'éternel et du non-éternel. »

17. Mircea Éliade, *Myths, Dreams and Mysteries*, p. 125.

18. Mircea Éliade, *Patterns*, pp. 29-30.

19. Mircea Éliade, *Patterns*, pp. 29-30.

20. Mircea Éliade, *Patterns*, p. 30. Ailleurs, il écrit aussi : « Entre la plus élémentaire des hiérophanies — par exemple, la manifestation du sacré dans n'importe quel objet, pierre, arbre — et l'hiérophanie suprême, qui est celle de l'incarnation de Dieu en Jésus-Christ, il n'y a pas de solution de continuité réelle. » *Myths, Dreams and Mysteries*, p. 124. Pour certaines expressions additionnelles de cette vision « progressive » des hiérophanies, voir *op. cit.*, p. 125, ainsi que *The Sacred and the Profane*, p. 11, et *Patterns*, pp. 23, 26, 30, 448, 463.

21. Mircea Éliade, *Patterns*, p. 29.

22. Mircea Éliade, *Myths, Dreams and Mysteries*, pp. 125-126.

23. Mircea Éliade, *Images and Symbols*, pp. 169-170.

24. Thomas J.J. Alitzer, *Mircea Eliade and his Dialectic of the Sacred*, Philadelphie, The Westminster Press, 1963, p. 83.

L'ANALYSE PHÉNOMÉNOLOGIQUE
DE L'EXPÉRIENCE RELIGIEUSE

Douglas Allen

On doit pouvoir faire la distinction entre l'apport de critères qui différencient les phénomènes religieux des non religieux, et l'apport de critères qui permettent d'expliquer le sens d'un phénomène religieux. On trouve cette même distinction dans la formulation des critères qui permettent d'une part de discerner une œuvre d'art et d'autre part d'en comprendre le sens.

Suivant cette distinction, la méthodologie de Mircea Éliade présente, à mon sens, deux idées clefs : la dialectique du sacré et du profane[1], et le caractère dominant du symbolisme ou des structures symboliques. Dans son interprétation de la dialectique du sacré, Éliade parvient à différencier les phénomènes religieux ; son interprétation du symbolisme forme le cadre théorique selon lequel il va pouvoir saisir le sens de la plupart de ces manifestations sacrées. Ses conceptions sur le symbolisme constituent le fondement phénoménologique pour son herméneutique structurale ; la dialectique du sacré, jointe à son analyse du symbolisme, mène au « sens » irréductiblement religieux qui ressort de son approche.

Dans cette étude, nous nous concentrerons sur la première de ces idées clefs, celle par laquelle Éliade tente de fournir les critères qui caractérisent les phénomènes religieux. Dans l'intérêt de l'analyse, nous dégagerons plusieurs principes de sa méthodologie. Une telle approche peut suggérer l'existence d'un ordre temporel dans l'herméneutique d'Éliade ; il insiste tout d'abord sur l'irréductibilité du sacré, qui implique l'*époché* phénoménologique et une disposition à prendre part à l'expérience de l'*homo religiosus* ; puis il essaie de recréer par l'imagination les conditions de la manifestation sacrée et il en saisit l'intentionnalité selon la dialectique du sacré ; enfin, il tente de comprendre le sens selon une herméneutique structurale fondée sur son interprétation du symbolisme religieux.

Il est indispensable d'admettre que cette interprétation suggérant l'existence d'un ordre temporel dans la méthodologie de Mircea Éliade n'est pas satisfaisante ; par exemple, lorsqu'il insiste sur la suspension de sa propre interprétation, ne voyant que ce que les données révèlent. Mais bien sûr, le plus consciencieux des phénoménologues ne peut pas uniquement « utiliser » ou « évoquer » l'*époché*. L'*époché* phénoménologique impliquera une méthode précise d'autocritique, un examen intersubjectif, des variations naturelles aussi bien que « libres ». En conséquence, nous ne pourrions vraiment comprendre la nature de l'*époché* phénoménologique d'Éliade avant d'avoir élucidé les autres principes méthodologiques et le cadre herméneutique selon lequel on peut suspendre ses propres jugements normatifs, saisir le sens des expériences de l'*homo religiosus*, etc.

En bref, nous ne pouvons trop souligner que les principes herméneutiques suivants, ainsi que les principes structuralistes non éclaircis dans cette étude, opèrent ensemble dans la méthodologie d'Éliade. Toute illusion d'ordre temporel est la conséquence regrettable du besoin d'exposition analytique.

D'après Éliade, l'historien des religions[2] « utilise une méthode empirique d'approche » et commence par assembler des documents religieux pour lesquels une interprétation est nécessaire[3]. A la différence de Müller, Tylor, Frazer, et d'autres chercheurs antérieurs, le savant moderne se rend compte qu'il travaille « exclusivement sur des documents historiques[4] ». Éliade va donc au départ utiliser les données historiques, expression des expériences religieuses de l'humanité. Il tente, à travers cette approche phénoménologique, de déchiffrer ces données, de décrire et d'interpréter les phénomènes religieux qui constituent le *Lebenswelt* de l'*homo religiosus*.

Comme nous l'avons dit, Mircea Éliade recueille des documents religieux nécessitant une interprétation, tente de décrire les phénomènes religieux, etc. Mais comment peut-on savoir quels documents recueillir, quels phénomènes décrire et interpréter ? Pour répondre à ces questions et à d'autres du même genre, il faut présenter plusieurs principes méthodologiques d'après lesquels Éliade peut distinguer les manifestations religieuses.

L'irréductibilité du sacré

Le postulat méthodologique de l'irréductibilité du sacré[5] semble se dégager de la critique que fait Éliade des prises de positions réductionnistes antérieures. En fait, cet antiréductionnisme m'apparaît comme la principale raison de son rejet des approches passées. Il n'est pas nécessaire d'indiquer les détails de sa critique[6], et nous n'en présenterons que quelques points saillants. Habituellement, les premiers ethnologues et philologues, utilisant certaines normes préétablies (rationalistes, positivistes, etc.), adaptaient à tout prix leurs données en des schémas à progression unilinéaire. Ils ne s'attardaient pas à chercher quelle signification pouvait avoir une religion pour son adepte. Les éléments d'appréciation issus du triomphe de l'esprit scientifique moderne étaient inclus dans la description elle-même.

Au XXe siècle, la sociologie, avec Durkheim, et la psychologie, avec Freud, ont révélé de nouvelles dimensions du sacré ; car elles adaptent le sens du religieux à leur analyse sociologique ou psychologique. D'une manière semblable, Éliade reconnaît volontiers sa dette envers le diffusionisme et le fonctionnalisme mais le fait de pratiquer la diffusion ou de déterminer la fonction d'un phénomène religieux n'en tarit pas le sens.

La critique d'Éliade aboutit à l'énoncé suivant de la théorie antiréductionniste dont il se réclame souvent : l'historien des religions doit tenter de saisir les phénomènes religieux *sur leur propre terrain de référence*, comme un fait religieux[7]. Réduire notre interprétation à quelque autre terrain de référence, c'est négliger leur totale intentionnalité. « Essayer de saisir l'essence d'un tel phénomène par la physiologie, la psychologie, la sociologie, l'économie, la linguistique, l'art ou toute autre étude procède d'une démarche erronée ; il y manque le seul et irréductible élément — l'élément du sacré[8]. » Voici le point de vue de Rudolf Otto, Wach, van der Leeuw, et de bien d'autres : l'historien des religions doit respecter le caractère fondamentalement irréductible de l'expérience religieuse.

Et inlassablement Éliade manifeste son antiréductionnisme par le principe suivant : *le référent crée le phénomène*. Il cite souvent la question ironique d'Henri Poincaré : « Un naturaliste qui n'aurait étudié l'éléphant qu'au microscope pourrait-il estimer avoir une connaissance suffisante de l'animal ? Le microscope révèle la structure et le mécanisme des cellules qui sont semblables en tous points dans tous les organismes multicellulaires, mais est-il seulement cela ? A l'échelle microscopique nous pouvons hésiter à répondre. Au niveau de la vision humaine, qui a au moins l'avantage de présenter l'éléphant comme un phénomène zoologique, la réponse ne permet aucun doute[9]. »

On peut considérer que le postulat méthodologique d'Éliade quant à l'irréductibilité du sacré procède de sa vision du rôle de l'historien des religions. Une telle affirmation trouve sa justification dans la méthode même du phénoménologue qui, du moins à ses débuts, consiste à poursuivre une expérience et à tenter de la comprendre en s'identifiant à la personne qui l'a vécue. A la différence des précédents chercheurs, qui adaptaient leurs propres références normatives à leurs données, Éliade veut sans les altérer, traiter ses phénomènes en tant que phénomènes, pour bien voir ce que leurs données révèlent. Ainsi elles permettent de découvrir que certaines personnes ont eu des expériences considérées par elles comme religieuses. De cette façon, le phénoménologue doit d'abord respecter l'intentionnalité originelle exprimée par ses données ; il doit essayer de comprendre de tels phénomènes comme un fait religieux.

En bref, le principe méthodologique d'irréductibilité consiste véritablement à insister sur l'existence d'une *épochè* phénoménologique. Rappelons que l'*épochè* phénoménologique de Husserl s'opposait au réductionnisme. Par la « mise entre parenthèses » ou la suspension des interprétations que nous donnons normalement aux phénomènes, le phénoménologue essaie d'examiner les phénomènes « seulement comme des phénomènes », d'en découvrir et d'en éclaircir le sens quel qu'il soit[10].

S'il existe certains modes irréductibles par lesquels les expériences religieuses et leurs expressions sont données, alors « notre méthode d'entendement doit se plier à la donnée du mode[11] ». L'*homo religiosus* éprouve le sacré comme *sui generis*. Si nous cherchons à prendre part aux phénomènes religieux vécus par autrui et à les comprendre avec bienveillance, notre référence doit être comparable à celle de l'autre. En conséquence, Éliade insiste sur l'importance d'un référent religieux irréductible afin d'avoir une connaissance convenable des phénomènes religieux irréductibles.

Pour éclaircir l'éminente signification de ce principe herméneutique, considérons la question suivante : comment devons-nous interpréter l'étrange imitation que fait le chaman des cris d'animaux ? Ce phénomène a été couramment expliqué comme une manifestation d'une « possession » pathologique, preuve éclatante de l'aberration mentale du chaman. Cependant, supposons que nous fassions abstraction de nos jugements normatifs et que nous essayions d'abord de comprendre la signification religieuse d'une telle expérience pour autrui[12] ; dans un tel contexte, la relation amicale qui lie le chaman aux animaux et sa connaissance de leur langage révèlent selon Éliade un syndrome « paradisial ». Communication et amitié pour les animaux sont des moyens de retrouver en partie l'état « paradisial » de l'homme originel ; cette félicité et cette spontanéité existaient *in illo tempore* avant la « chute » et sont maintenant inaccessibles à l'homme profane. A partir de là, Éliade entrevoit que cet « étrange comportement » fait « à présent partie d'une idéologie cohérente, ayant une grande valeur ». Selon cette idéologie, « cet ardent désir de Paradis », Éliade est à même d'expliquer de nombreux phénomènes chamaniques et d'établir un rapport entre l'expérience extatique du chaman et d'autres phénomènes religieux tout au long de l'histoire de l'humanité[13].

Éliade a insisté sur l'irréductibilité du sacré, mais n'a pas défini l'infrastructure herméneutique nécessaire à la perception des manifestations irréductibles. Il doit maintenant recréer par l'imagination les conditions des manifestations du sacré ; et ce faisant il semble suivre une approche phénoménologique en se concentrant sur l'*intentionnalité* de ses données.

En présumant l'irréductibilité du sacré, nous avons admis qu'il fallait prendre part à la vie de l'*homo religiosus*, et essayer de comprendre avec bienveillance les expériences vécues par autrui. Stephan Strasser observe que « par cette authentique attitude phénoménologique, le monde ne nous apparaît plus comme un ensemble de données objectives mais une "configuration intentionnelle" *(Sinngebilde)* qui apparaît et prend tout son sens dans le courant d'un mouvement d'orientation existentiel[14] ».

Quand Éliade étudie ses données, elles révèlent en effet une certaine intentionnalité. Il va essayer de recréer par l'imagination les conditions nécessaires à la « configu-

ration intentionnelle », expression de l'orientation existentielle spécifique de l'*homo religiosus*. « La tentative
d'appréhension du sacré en tant que forme irréductible
s'accompagne d'un essai technique pour en saisir le
mode *intentionnel*... Et c'est précisément pour capter
cette caractéristique intentionnelle du sacré qu'est introduit le second principe herméneutique d'Éliade, la dialectique du sacré et du profane[15]. »

La religion et le sacré

Afin de mieux comprendre la structure de la dialectique du sacré, nous éluciderons d'abord comment Éliade
conçoit la religion et le sacré. Pour lui, l'accent « dans le
titre *Histoire des religions* ne devrait pas être mis sur le
mot *histoire* mais sur le mot *religion*. Car si l'*histoire* (de
l'histoire des techniques à celle de la pensée humaine)
peut être envisagée de diverses manières, il n'y a qu'une
façon par contre d'aborder la *religion*, c'est-à-dire de traiter de faits religieux. Avant d'écrire l'histoire d'un fait
quelconque, on doit d'abord en avoir une compréhension convenable dans sa forme et dans son contenu[16]. »
Alors jaillit une question évidente : qu'est-ce que la religion ? Bien sûr, C.J. Bleeker a noté cette importante
question comme la première « contribution à la clarification des questions religieuses actuelles » que l'histoire
des religions peut poser[17].

Après Roger Caillois, Éliade affirme d'abord que « toutes les définitions du phénomène religieux données jusqu'à présent ont un point commun : chacune démontre
à sa manière que le sacré et la vie religieuse s'opposent
au profane et au temporel ». Caillois admet que cette
distinction sacré-profane ne suffit pas toujours pour définir le phénomène religieux mais une telle opposition est
implicite dans chaque définition de la religion[18]. « Cette
dichotomie sacré-profane est par excellence la constante
de la vie religieuse de l'homme[19]. »

D'après Éliade, la religion « n'implique pas nécessairement la croyance en Dieu, divinités ou esprits, mais se rapporte à l'expérience du sacré ». Le sacré et le profane sont « deux manières d'être dans le monde, deux états existentiels assumés par l'homme dans le courant de l'histoire[20] ». La caractéristique essentielle de la religion qui la distingue du profane réside dans le fait qu'elle est absorbée par le sacré. On peut décrire le sacré comme l'expérience de la « puissance » (van der Leeuw), du « totalement autre » (Otto), de la « réalité finale » (Wach). Dans d'autres contextes religieux, il devient « réalité absolue », « être », « éternité », « divin », « métaculturel et transhistorique », « transhumain et transterrestre », « source de vie et de fécondité[21] ».

Tous ces concepts nous permettent de mieux comprendre le rapport qui existe entre la religion et le sacré. A travers l'interprétation qu'il donne des expériences de « lumière mystique », Éliade semble appréhender qu'une expérience est religieuse quand elle projette l'homme hors de son univers terrestre ou de sa situation historique, et le transporte dans un univers entièrement différent par sa qualité, un monde transcendant et sain. « Le yoga préserve "une valeur religieuse" car il réagit contre ce qui est "normal", "mondain", finalement contre les "tendances naturelles", car il donne le désir d'"inconditionné", de "liberté", de "puissance" — en un mot d'une des innombrables modalités du sacré. » Le nombre infini d'expressions de *coincidentia oppositorum* révèle bien l'existence d'expériences religieuses, car on peut les interpréter comme la recherche de l'homme pour transcender sa condition « naturelle » ou « humaine » sur la terre, en dépassant ces « oppositions » et atteignant par là un état d'être « total[22] ».

Par ces définitions du sacré, Éliade semble signifier que la religion revêt toujours un aspect *transcendantal*. Il exprime cette transcendance par des appellations telles que « félicité et puissance absolues », « transhistorique et transterrestre », etc. Mais Éliade entend par là définir une structure universelle de la religion : vouloir la restreindre à une description particulière ou lui donner un con-

tenu, c'est la relativiser. Tous ces termes sont trop spécifiques. Dans sa caractérisation universelle de la religion
selon cette structure transcendante, Éliade n'exclut pas
les définitions proposées par Leeuw, Otto, Wach, et
d'autres encore.

On se rend bien compte que tout ceci est insuffisant
pour définir la religion. Innombrables sont les exemples
où l'individu non religieux, tel que le savant exposant sa
conception de l'espace, nous soumet un aspect purement
descriptif et temporel de la transcendance.

Pour l'*homo religiosus*, différencier l'aspect religieux
de la transcendance n'est possible qu'à partir de son fondement normatif spécifique. Cela le devient dans notre
manière d'aborder la structure de l'« évaluation et du
choix », dans la dialectique du sacré. Notons ici simplement que la religion suppose une cassure radicale avec
tout ce qui est lié au séculier ou au profane. Elle conduit
alors l'homme « au-delà » du monde relatif, historique,
« naturel » de l'expérience « ordinaire ». Bien sûr, Éliade
va même jusqu'à affirmer que la « principale fonction de
la religion » est de susciter l'« aspiration » pour un
monde « surhumain » aux valeurs « transcendantes [23] ».

Dans un passage souvent cité, tiré de son livre *Le Sacré
et le Profane*, Éliade met en opposition la religion et
l'attitude de l'homme non religieux :

« L'homme non religieux rejette le transcendant,
accepte la relativité de la "réalité", et il lui arrive parfois
de douter du sens de l'existence... L'homme moderne
non religieux assume une nouvelle condition existentielle : il se considère dans sa solitude, sujet et agent de
l'histoire et il refuse de recourir à la transcendance.
Autrement dit, il n'accepte pour l'humanité aucun autre
modèle le sortant de sa condition humaine telle qu'on
peut l'observer tout au long de l'histoire. L'homme *se fait
lui-même*, et ne peut y arriver vraiment que s'il se désacralise, lui et le monde qui l'entoure. Le sacré est l'obstacle essentiel à sa liberté. Il ne deviendra lui-même
qu'une fois totalement démystifié. Il ne sera vraiment
libéré qu'après avoir tué le dernier dieu [24]. »

Les derniers savants qui soutiennent des positions métaphysiques au sujet de la transcendance ne doivent pas dérouter Éliade. Il ne veut pas dire que « la valeur des phénomènes religieux ne peut être saisie qu'à condition d'avoir à l'esprit que la religion est en fait une réalisation de la vérité transcendante[25] ». A cet endroit, son approche empirique est nettement descriptive. Ses documents religieux révèlent la dichotomie sacré-profane et la tentative de l'*homo religiosus* pour vivre le sacré en transcendant le profane.

La dialectique du sacré

Pour replacer le mode intentionnel des manifestations religieuses dans son contexte, il nous faut bien préciser la structure dialectique du sacré. Notre analyse présentera trois parties : la séparation de l'objet hiérophanique et la distinction sacré-profane ; l'évaluation et le choix implicite dans cette dialectique.

I. *La séparation et la distinction*

Selon Éliade, l'homme qui vit l'expérience religieuse croit en quelque chose venant d'ailleurs, qui se manifeste à lui. Ce « quelque chose » venant d'ailleurs, c'est le sacré ; la forme qu'il prend, c'est le profane. « Nous appellerons l'acte par lequel le sacré se manifeste *hiérophanie*, mot pratique car il ne nécessite pas d'explications supplémentaires ; il ne signifie rien d'autre qui ne soit implicite dans son étymologie, à savoir, que la chose sacrée se manifeste, se révèle à nous. On peut dire que l'histoire des religions (de la plus élémentaire à la plus élaborée) est constituée de grandes hiérophanies, manifestations des réalités sacrées[26]. »

Ce sont justement les hiérophanies qui intéressent l'*homo religiosus*. Ces manifestations du sacré ne se révèlent jamais discrètement, mais toujours à travers un fait naturel, historique, tout à fait profane. Le profane n'a de sens pour l'*homo religiosus* que dans la mesure où il est révélateur du sacré.

Le processus de sacralisation entraîne une « radicale séparation ontologique » entre le fait qui révèle le sacré et tout le reste. Une pierre se singularise par sa taille, par sa forme ou par son origine céleste, parce qu'elle recouvre un mort ou bien désigne l'emplacement où fut signé un traité de paix, parce qu'elle représente une théophanie, ou bien est une image du « centre ». Un sorcier se singularise parce que les dieux ou les esprits l'ont élu, à cause de son hérédité, de divers défauts physiques (une infirmité, un choc nerveux, etc.), d'un accident ou d'un événement exceptionnel (éclair, apparition, rêve, etc.) [27].

L'important réside dans le fait qu'il existe toujours autre chose, autrement ; ce qui se singularise est « choisi » parce qu'il manifeste le sacré. Si l'on remarque plus un rocher qu'un autre, cela n'est pas dû uniquement à ses dimensions naturelles impressionnantes, mais plutôt parce que son apparence imposante révèle le transcendant : une permanence, une puissance, un état absolu qui le différencie du caractère éphémère de l'existence humaine. Si l'on remarque le sorcier, c'est que cet accident ou cet événement insolite qu'il a vécu est le « signe » de quelque chose de transcendant : il est un « spécialiste du sacré » ; il a le pouvoir de transcender l'humain, le profane, pour entrer en contact avec le sacré et s'en servir.

L'historien des religions a souvent du mal à reconnaître les hiérophanies. Nous sommes tentés de ne voir que des objets naturels là où nos ancêtres voyaient des hiérophanies. Éliade a observé que « pour le primitif, la nature n'est jamais vraiment "naturelle" ». Que le ciel puisse évoquer l'idée de transcendance ou d'infinité est plausible, mais qu'un simple geste, une activité physiologique normale, un paysage lugubre manifestent le sacré semble incompréhensible. Malgré tout nous devons rester sensibles au fait que tout phénomène est en puissance hiérophanique.

« Nous devons nous faire à l'idée de déceler des hiérophanies partout, dans chaque aspect de notre vie psychologique, économique, spirituelle et sociale. Bien sûr, nous ne pouvons pas avoir la certitude que *quelque chose* (objet, mouvement, fonction psychologique, être ou même jeu) n'a pas été quelque part transformé en hiérophanie à un moment quelconque de l'histoire. C'est une autre question que de savoir *pourquoi* cette chose précise est devenue une hiérophanie, ou pourquoi à un moment donné elle a cessé de l'être. Mais il est bien certain que ce que l'homme a manié, senti, pénétré, ou aimé, *peut* devenir un jour une hiérophanie[28]. »

Nous remarquons là que la doctrine d'Éliade sur les hiérophanies défie les interprétations naturalistes des phénomènes religieux. Parce que nous penchons à ne voir que des objets naturels là où l'*homo religiosus* perçoit des hiérophanies, nous sommes tentés d'expliquer la dialectique du sacré comme un mode « naturel » de manifestation. Mais le faire serait négliger de saisir la véritable intentionnalité de la manifestation sacrée.

Nous devons maintenant étudier la relation qui existe entre le sacré et le profane telle qu'elle apparaît dans la dialectique des hiérophanies. Ce rapport dialectique fut la source de bien des confusions et fausses interprétations.

II. *Le rapport paradoxal*

Thomas J.J. Altizer trouve dans l'idée que « le sacré est l'opposé du profane » « le principe fondamental » d'Éliade et la clef pour interpréter sa méthode phénoménologique. Cette opposition veut dire que le sacré et le profane sont réciproquement uniques ou logiquement contradictoires. Dans ce « principe fondamental », Altizer voit la clef de la démarche d'Éliade selon « une dialectique négative » : « Un moment particulier ne peut être à la fois sacré et profane. » La compréhension d'un mythe religieux, par exemple, n'est possible « qu'à condition de rejeter le langage profane ». « On parvient au sens du sacré en inversant la réalité créée par le choix profane de l'homme moderne. » En bref, l'observation du sacré n'est possible qu'après avoir nié le profane et vice versa[29].

Malheureusement cette interprétation anéantit la complexité dialectique du mode religieux de la manifestation et conduit à une trop grande simplification et à une déformation de la méthode phénoménologique d'Éliade[30].

Dans le processus de sacralisation, les données religieuses d'Éliade révèlent que le sacré et le profane coexistent en un rapport paradoxal. Ce processus correspond à l'intention de la hiérophanie, intention qui constitue la structure et le fondement de cette hiérophanie. Quelques exemples d'Éliade vont éclaircir ce point.

« Rappelons-nous la dialectique du sacré : un quelconque objet peut devenir paradoxalement une hiérophanie, un réceptacle du sacré, tout en faisant encore partie de son propre environnement cosmique », « ... et la dialectique de la hiérophanie : un objet devient *sacré* tout en restant ce qu'il est. » La dialectique du sacré consiste dans le fait que « le sacré s'exprime à travers autre chose que lui-même », que « dans tous les cas il se manifeste sous une forme limitée et concrète ». C'est « ce paradoxe de l'incarnation qui rend l'existence des hiérophanies convenable[31] ». « En fait, cette simultanéité paradoxale du sacré et du profane, de l'être et du non-être, de l'absolu et du relatif, de l'éternel et du devenir, apparaît dans chaque hiérophanie, même la plus élémentaire... chaque hiérophanie montre, rend manifeste la coexistence d'essences contradictoires : sacré et profane, esprit et matière, éternel et non-éternel, et ainsi de suite. Que la dialectique des hiérophanies, de la manifestation du sacré sous une forme matérielle, soit un objet même pour une théologie aussi complexe que celle du Moyen Age, semble démontrer qu'il s'agit bien là *du* problème fondamental de toute religion... En fait, le paradoxal, ce qui nous échappe, ne réside pas dans le fait que le sacré puisse se manifester dans les pierres et les arbres, mais qu'il prenne forme et devienne de cette façon limité et relatif[32]. »

Nous saisissons ainsi la coexistence paradoxale révélée par la dialectique du sacré et du profane. Paradoxale car une chose ordinaire, limitée, historique, tout en restant naturelle, peut simultanément manifester le non-limité, le non-historique, le non-naturel. Paradoxale car le transcendant, le totalement autre, l'infini, le transhistorique prend une forme limitée, relative, bornée, historique.

III. *L'évaluation et le choix*

Nos données religieuses ne révèlent pas uniquement la distinction entre le sacré et le profane, comme nous l'avons vu dans le rapport paradoxal qui coexiste en toute hiérophanie. La dialectique des hiérophanies nous expose que l'*homo religiosus* est nécessairement entraîné dans une « crise existentielle » : lorsqu'il expérimente une hiérophanie, il est amené à évaluer les deux états et à faire un choix. Charles H. Long décrit de la manière suivante comment il conçoit l'évaluation : « Le monde n'existe pour l'homme que dans la limitation ou la restriction de son environnement ; ce qui constitue par le fait même une attitude critique. L'homme donne à ce monde un sens bien déterminé, mais le principe directeur qui le guide lui apparaît comme extérieur à sa vie quotidienne[33]. »

En vivant la dialectique de la hiérophanie, l'*homo religiosus* se trouve confronté à une « crise existentielle » ; bien sûr il remet en question sa propre existence. Il prend conscience des notions de distinction, de différenciation, de valeur, et même de signification, ceci est lié à la dichotomie sacré-profane telle qu'elle est révélée dans sa coexistence paradoxale[34]. Cet état d'esprit est plus significatif, « totalement autre », et « puissant », fondamental, chargé de sens, paradigmatique et normatif dans l'appréciation et l'existence.

Éliade expose couramment le choix et l'évaluation de l'homme « d'une manière négative ». La dialectique des hiérophanies fait vivement ressortir la primauté de l'existence quotidienne et naturelle de l'homme. Après la « rupture » entre le sacré et le profane, l'homme considère le quotidien comme une « chute ». Il se sent éloigné de ce qu'il apprécie comme étant « fondamental » et

« vrai ». Il aspire à transcender sa façon de vivre « naturelle » et « historique » et à vivre toujours dans le sacré.

Voici ce qui semble être le résultat de cette discussion : la dialectique des hiérophanies met vivement en évidence le profane ; l'*homo religiosus* « choisit » le sacré et rejette la médiocrité de sa vie quotidienne. En même temps, grâce à cette évaluation et à ce choix, l'homme est amené à juger sainement, à agir et s'exprimer d'une manière créative. La valeur religieuse « positive » que l'homme exprime par l'évaluation « négative » qu'il donne au profane, apparaît, je suppose, dans l'intentionnalité envers une communication significative avec le sacré, et envers une action religieuse qui maintenant constitue une structure dans la conscience de l'*homo religiosus*.

Il serait bon de faire ici une petite digression pour éclaircir une des principales sources de malentendu dans l'interprétation phénoménologique d'Éliade : la plupart des interprètes ne font pas l'effort de comprendre Mircea Éliade à partir de ses propres bases. Prenons un exemple déjà cité : l'*homo religiosus* voit dans son existence normale une « chute ».

Nombreux sont les interprètes qui ont vu dans la « chute » l'idée maîtresse de la doctrine personnelle d'Éliade. C'est seulement à cause de sa « doctrine théologique » qu'Éliade considère la sécularisation moderne comme une « chute ». Éliade est un « romantique » qui croit que l'histoire est une « chute » et qui « insiste sur la réalité de l'état de l'homme avant la chute[35] ».

Le problème de ces interprétations réside dans le fait qu'Altizer et Hamilton ne prennent pas assez au sérieux Éliade sur son propre terrain. C'est en théologiens qu'ils critiquent la position théologique d'Éliade sur la « chute ». Mais Éliade prétend être un historien des religions ; il ne soutient pas que Mircea Éliade lui-même est engagé par ces opinions sur la « chute », mais que c'est l'*homo religiosus* qui a entretenu de telles croyances.

Pour ne donner qu'un exemple, Éliade remarque que

les « mythes paradisiaques » parlent tous de « l'époque paradisiaque » où l'homme primordial vivait dans la liberté, l'immortalité, la communication facile avec les dieux, etc. Il perdit malheureusement tout cela à cause de la « chute », fait majeur qui causa la rupture entre le sacré et le profane. Les mythes aident l'*homo religiosus* à comprendre son existence actuelle « après la chute » et expriment sa nostalgie pour ce Paradis « avant la chute [36] ». Si l'histoire est une « chute » pour l'*homo religiosus*, c'est que l'existence historique est considérée comme étant séparée et inférieure à la primauté « transhistorique » (absolu, éternel, transcendant) du sacré.

IV. *Sommaire*

Nous pouvons maintenant résumer la structure du processus de sacralisation qui apparaît dans la dialectique des hiérophanies :

1. La séparation de l'objet hiérophanique et la distinction entre le sacré et le profane existent toujours. Suite à notre analyse, rappelons que la religion est là où la dichotomie sacré-profane a été établie, et que le sacré laisse toujours pressentir la transcendance.

2. Cette dichotomie s'expérimente selon une certaine tension dialectique : le sacré et le profane existent au sein d'une même relation paradoxale. Le paradoxe réside dans le fait que le sacré qui par nature est transcendant (totalement autre, fondamental, infini, transhistorique, etc.) se limite de lui-même en s'incarnant dans le profane (relatif, limité, historique, naturel, etc.). Ou bien, nous pouvons exprimer cette coexistence paradoxale de la manière suivante : ce qui est profane (limité, naturel, etc.), tout en restant à l'état naturel, manifeste simultanément ce qui est sacré (infini, transcendant, etc.).

3. L'*homo religiosus* ne distingue pas seulement le sacré du profane ; distinction qui se révèle à lui à travers leur coexistence paradoxale dans chaque hiérophanie. Une évaluation et un choix sont inhérents à la dialectique du sacré. De l'expérience du sacré émane le puissant, le fondamental, l'absolu, le significatif, le paradigmatique,

le normatif. L'homme se réfère au sacré pour définir sa condition dans le monde et envisager les possibilités à venir de son existence.

Difficulté méthodologique

La tentative d'Éliade de re-créer la structure universelle du processus de sacralisation semble lui créer une certaine difficulté méthodologique, qui illustre ce qui paraît être la critique la plus fréquente faite à son approche phénoménologique. Cette critique unanime soutient généralement qu'au cours de l'étude d'une manifestation religieuse spécifique, Éliade en arrive à formuler ses structures universelles à l'aide de généralisations tout à fait subjectives et dénuées de discernement ; il « déduit » ainsi de ses données spécifiquement religieuses toutes sortes de structures, de significations universelles et « sophistiquées ».

La plupart de ces critiques méthodologiques me paraissent sous-entendre chez Éliade une forme de méthode d'approche par inférence inductive, ressemblant assez en cela aux propositions « classiques » de John Stuart Mill et d'autres philosophes. Les critiques invoquent qu'il n'est pas possible de reprendre le processus inductif d'Éliade : il leur paraît impensable d'établir des généralisations à partir d'exemples particuliers adaptés aux structures universelles et « profondes » de l'expérience religieuse qu'il pose.

Comment Éliade parvient-il à définir cette structure universelle de l'expérience religieuse révélée par son analyse de la dialectique du sacré ? Au début de *Patterns in Comparative Religion*, il nous dit qu'il évitera de donner « une quelconque définition du phénomène religieux ». Il examinera seulement ses données dans le but de voir « en quoi leurs manifestations sont essentiellement religieuses et ce qu'elles révèlent[37] ». Il semble qu'ensuite Éliade ait étudié un bon nombre de manifestations religieuses et ait découvert des points

91

communs entre chaque phénomène particulier : une dichotomie sacré-profane, une pré-disposition à la transcendance, etc.

Une caractérisation de l'expérience religieuse atteinte de cette manière serait ouverte à la modification ; la conception éliadienne de la religion est susceptible de modifications liées à la nature des documents qu'il étudiera par la suite. Il devrait pouvoir présenter dans ses déductions finales différents degrés de probabilité.

Mais Éliade a attribué à ces structures universelles de l'expérience religieuse une signification de *nécessité*, comme si elles avaient *a priori* un statut synthétique. Ses déductions finales sont censées être subordonnées à la nature des documents qu'il a étudiés mais elles ne sont pas susceptibles de falsification : il serait impossible à l'avenir d'étudier un fait religieux qui ne présenterait pas une de ces structures[38]. Éliade ne doit pouvoir attribuer à ces structures un statut universel et nécessaire que si elles sont atteintes par un processus inductif de généralisation.

Le phénoménologue des religions ne conçoit pas, selon nous, ces structures fondamentales en employant une méthode « classique » inductive de généralisation. Une telle méthode ne peut s'adapter au statut qu'il lui attribue dans ses conclusions.

Nous pensons que si Éliade peut formuler des structures universelles religieuses, comme celle du sacré et du profane, de l'espace et du temps sacrés, de l'ascension, de l'initiation, etc., il peut concevoir de telles significations par une procédure semblable à la méthode générale phénoménologique pour en pénétrer le sens. Le statut des structures éliadiennes, qui sont subordonnées aux données étudiées empiriquement, quoique universel et non susceptible de changer, paraît identique au statut de l'« essence » phénoménologique dans l'idée que se font la plupart des philosophes phénoménologues. A notre avis, Éliade pourrait effectivement saisir les structures religieuses par induction, mais il s'agirait d'une sorte d'induction s'accompagnant d'une variation éidétique, et ressemblant quelque peu au *Wesenchau* phénoménologique. Continuer dans cette voie nous amènerait bien au-delà des limites de cette étude et demanderait l'explication de bien d'autres concepts en rapport et avec la phénoménologie de la religion chez Éliade, et avec la phénoménologie philosophique.

Douglas Allen.

NOTES

1. Les termes de « la dialectique du sacré », « la dialectique du sacré et du profane », « la dialectique des hiérophanies » seront tour à tour employés.

2. Nous entendons par « histoire des religions » la discipline de *Religionswissenschaft* dans sa totalité comprenant des « branches » telles que l'histoire, la psychologie, la sociologie, et la phénoménologie de la religion (voir Joachim Wach, *Sociology of Religion* (Chicago, University of Chicago, Phoenix Books, 1964, pp. 1-2). C'est dans ce contexte que nous considérons Éliade comme un historien des religions, et plus spécifiquement un phénoménologue de la religion.

3. Mircea Éliade, « Methodological Remarks on the Study of Religious Symbolism », dans *History of Religions : Essays in Methodology*, ed. Mircea Éliade and Joseph M. Kitagawa (Chicago, University of Chicago Press, 1966), p. 88. Voir Éliade, *The Myth of the Eternal Return*, trad. Willard R. Trask (New York, Pantheon Books, 1954), pp. 5-6 ; et *Patterns in Comparative Religion*, trad. Rosemary Sheed (New York, Meridian Books, 1966), pp. XIV-XVI.

4. Éliade, « The Quest for the "Origins" of Religion », *History of Religions*, VI, nº 1 (1964), p. 169. Cet article est reproduit avec de légères modifications dans *The Quest : History and Meaning in Religion* (Chicago, University Press, 1969), pp. 37-53 (*cf. Patterns*, pp. 2-3).

5. Une fois cette étude terminée, je suis tombé sur l'article de David Rasmussen, « Mircea Éliade : Structural Hermeneutics and Philosophy », *Philosophy Today*, 12, nº 2/4 (1968), pp. 138-146. Cet excellent travail m'a amené à réviser l'agencement de ma présentation à plusieurs reprises. Je me suis plus spécifiquement conformé à la priorité que donne Rasmussen à l'« irréductibilité du sacré » comme étant le premier principe herméneutique d'Éliade.

6. Éliade formule plusieurs de ces critiques dans « The History of Religions in Retrospect : 1912-1962 », *Journal of Bible and Religion*, 21, nº 2 (1963), pp. 98-109. Cet article est développé dans *The Quest*, pp. 12-36.

7. Par exemple, voir Éliade, *Myths, Dreams and Mysteries*, trad. Philip Mairet (New York, Harper & Bros., 1960), p. 13 ; et « History of Religions and a New Humanitarism », *History of Religions*, I, n° 1 (1961). Avec quelques éléments supplémentaires, cet article est reproduit dans *The Quest*, pp. I-II.

8. *Patterns*, p. XIII.

9. Éliade, « Comparative Religion : Its Past and Future », dans *Knowledge and the Future of Man*, éd. Walter J. Ong, S.J. (New York, Holt, Rinehart Winston, 1968), p. 251 (*cf. Patterns*, p. XIII ; et *Myths, Dreams and Mysteries*, p. 131).

10. Nathaniel Lawrence and Daniel O'Connor, « The Primary Phenomenon : Human Existence », *Readings in Existencial Phenomenology*, ed. Nathaniel Lawrence and Daniel O'Connor (Englewood Cliffs, N.J., Prentice-Hall, Inc., 1967), p. 7 (« Préface »).

11. Charles H. Long, « The Meaning of Religion in the Contemporary Study of the History of Religions », *Criterion*, 2, n° 2 (1963), p. 25 (*cf.* Joachim Wach, *The Comparative Study of Religions* (New York, Columbia University Press, 1961), p. 15).

12. Éliade continue à nier que le chamanisme puisse être assimilé à une sorte d'état psychopathologique : « On ne devient chaman que si l'on peut interpréter sa crise pathologique comme étant une expérience religieuse et arriver à s'en guérir » ; « la pratique même du chamanisme apporte toujours une guérison, un contrôle, un équilibre » ; l'initiation chamanique comprend « une instruction théorique et pratique trop compliquée pour être saisie par un névrosé » ; etc. (voir son *Shamanism : Archaic Techniques of Ecstasy*, trad. Willard R. Trask (New York, Pantheon Books, 1964), pp. 14, 23-32 ; *From Primitives to Zen* (New York, Harper & Row, 1967), pp. 423-424 ; « Recent Works on Shamanism : A Review Article », *History of Religions*, I, n° 1 (1961), p. 155).

13. Éliade, « The Yearning for Paradise in Primitive Tradition », *Daedalus*, 88 (1959), pp. 258, 261-266.

14. Stephan Strasser, *The Soul in Metaphysical and Empirical Psychology* (Pittsburgh, Duquesne University Press, 1962), p. 3.

15. Rasmussen, p. 140.

16. Éliade, *Images and Symbols*, trad. Philip Mairet (New York, Sheed & Ward, 1961), p. 29.

17. C.J. Bleeker, « The Future of the History of Religions », *Numen*, 7, fasc. 3 (1960), p. 232.

18. *Patterns*, p. 1 ; Éliade, *The Sacred and the Profane*, trad. Willard R. Trask (New York, Harper Torchbooks, 1961), p. 10 ; Roger Caillois, *Man and the Sacred*, trad. Meyer Barash (Glencoe, Free Press, 1959), pp. 13, 19.

19. Éliade, « Structure and Changes in the History of Religion », trad. Kathryn Atwater, dans *City Invisible*, éd. Carl Kraeling (Chicago, University of Chicago Press, 1960), p. 353. Winston L. King a écrit dans son *Introduction to Religion : A Phenomenological Approach* (New York, Harper & Row, 1968), p. 32 : « Dans la langue classique, ce qui n'est pas sacré est profane ; mais de nos jours "profane" évoque davantage l'idée

d'antisacré que simplement celle de non-sacré. » Bien qu'il faille nous méfier de cette signification donnée au mot « profane », nous continuerons à utiliser ce terme car il apparaît tout au long de l'œuvre d'Éliade.

20. « Preface », dans *The Quest*, p. I ; et *The Sacred and the Profane*, p. 14.

21. Par exemple, voir Éliade, *Rites and Symbols of Initiation*, trad. Willard R. Trask (New York, Harper Torchbooks, 1965), p. 130 ; *Yoga : Immortality and Freedom*, trad. Willard R. Trask (New York, Pantheon Books, 1958), p. 165 ; *The Sacred and the Profane*, p. 28.

22. Éliade, *Mephistopheles and the Androgyne*, trad. J.M. Cohen (New York, Sheed & Ward, 1965), pp. 76, 78-124 ; *Yoga*, p. 96.

23. Dans « Structure and Changes in the History of Religion », dans *City Invisible*, p. 366, Éliade formule que « la principale fonction de la religion est de maintenir une "ouverture" vers un monde surhumain, le monde des valeurs axiomatiques et spirituelles ».

24. *The Sacred and the Profane*, pp. 202-203.

25. Bleeker, n° 17, ci-dessus, p. 227. Sa prise de position normative fut rejetée dans un exposé du professeur Werblowsky, avec lequel Éliade et beaucoup d'autres historiens des religions avaient l'intention de s'associer (voir Annemarie Schimmel, « Summary of Discussion », *Numen*, 7, fasc. 3 (December 1960), p. 237).

26. *Myths, Dreams and Mysteries*, p. 124 (*cf. Patterns*, pp. 7 *sq.*). Nous avons bien sûr déjà présenté en partie une analyse de la distinction sacré-profane dans notre discussion concernant la conception qu'a Éliade de la religion et du sacré.

27. *Patterns*, pp. 216-238 ; *The Myth of the Eternal Return*, p. 4 ; *Shamanism*, pp. 31-32 et *passim*.

28. *Patterns*, pp. II, 38. A plusieurs reprises, Éliade a soutenu que c'est notre mode de pensée judéo-chrétien qui nous incite, nous (modernes, séculiers, occidentaux, scientifiques), à ne voir que des objets naturels là où les religions « archaïques » voyaient des hiérophanies. La « religiosité cosmique » des religions passées était critiquée : un rocher n'était jamais *qu'*un rocher et ne devait pas être adoré. « Vidée de sa valeur et de sa signification religieuse, la nature pouvait *par excellence* devenir l'« objet » d'une investigation scientifique. » (« The Sacred and the Modern Artist », *Criterion*, 4, n° 2 (printemps 1965), p. 23.

29. Thomas J.J. Altizer, *Mircea Éliade and the Dialectic of the Sacred* (Philadelphia, Westminster Press, 1963), pp. 34, 39, 45, 65, et *passim*.

30. Une fois ce paragraphe terminé, j'ai trouvé par hasard une critique semblable de l'interprétation que donne Altizer du rapport sacré-profane présenté par Éliade, dans Mac Linscott Ricketts, « Mircea Éliade and Death of God », *Religion in Life*, 36 (printemps 1967), pp. 43-48.

31. *Images and Symbols*, pp. 84, 178 ; *Patterns*, p. 26.

32. *Patterns*, pp. 29-30.

33. Charles H. Long, *Alpha : The Myths of Creation* (New York, George Braziller, Inc., 1963), pp. 10-11.

34. Éliade, *Myth and Reality*, trad. Willard R. Trask (New York, Harper & Row, 1963), p. 139 ; et G. Richard Welbon, « Some Remarks on the

Work of Mircea Éliade », *Acta philosophica et theologica*, 2 (1964), p. 479.

35. Voir Kenneth Hamilton, « *Homo Religiosus* and Historical Faith », *The Journal of Bible and Religion*, 33, n° 3 (juillet 1965), pp. 212, 214-216 ; et Altizer, *Mircea Éliade and the Dialectic of the Sacred*, pp. 84, 86, 88, 161. La discussion suivante pourrait également s'appliquer aux idées d'Éliade : du « point de vue chrétien », il serait possible de dire que l'areligiosité moderne est l'équivalent d'une nouvelle ou deuxième « chute ».

36. *Myths, Dreams, and Mysteries*, pp. 59 *sq.*

37. *Patterns*, pp. XVI, XIV.

38. Nous pouvons simplement noter que ceci est la source de la principale critique que fait Altizer d'Éliade. Pour Altizer, la religiosité moderne se définit par son refus même de la transcendance. Il prétend que l'analyse faite par Éliade sur l'expérience religieuse rend justice à la religion archaïque et non à la religion moderne. Cependant Éliade estime que de telles expériences modernes ne sont pas religieuses ou bien qu'elles ont une aura religieuse car elles révèlent une structure transcendante qui n'est pas vécue au niveau du conscient. Éliade dans la plupart de ses analyses s'emploie à déchiffrer la structure transcendante exprimée dans les mythes, les rites, les idéologies, les nostalgies, les rêves, les fantaisies, et toutes les expériences inconscientes ou imaginaires de l'homme moderne.

SPIRITUALITÉ
ET
RÉGÉNÉRATION

RÉPÉTITION ET RENAISSANCE

Maurice de Gandillac

Un historien des symboles et des archétypes qui n'a jamais cessé de découvrir dans les objets de son savoir une authentique « dimension existentielle » aurait quelque raison de s'indigner devant la floraison des « occultistes » de pacotille, naïfs ou charlatans. On admirera sur quel ton gentiment ironique, le 25 juillet 1950, Éliade note sa rencontre avec une « grande initiée » parisienne qui s'assurait, cette saison-là, de substantielles rentes en révélant de prétendus « secrets égyptiens » à un quarteron de jobards (*Fragments d'un Journal*, traduits du roumain par Luc Badesco, Paris, 1973, pp. 122-123). Et cette dérisoire contrefaçon ne l'empêchera aucunement, quelques jours plus tard, de redire sa ferme conviction que, si l'homme moderne reprend contact avec le « symbolisme anthropocosmique » commun à tant de mythes, il accédera à un « mode d'être » — tout ensemble « authentique » et « majeur » — qui le protégera du « nihilisme historiciste » et, sans l'« expulser de l'Histoire », lui en fera connaître le « véritable sens » : celui d'une « épiphanie » de la « condition humaine », très hardiment qualifiée de « glorieuse » (28 juillet 1950, p. 124). Même optimisme encore le 15 mai 1963 : réfléchissant sur son destin personnel, il se félicite qu'en lui interdisant jadis de s'« intégrer » à l'« Inde spirituelle » des attitudes « irresponsables » l'aient ainsi ramené à sa vocation roumaine jusqu'au jour où l'exil devait lui permettre de penser et d'écrire dans une perspective réellement « universelle » (p. 425).

Mais qu'une semaine passe et voici que sa conversation avec Teilhard montre les limites d'une confiance qui n'eut jamais rien de béat. D'abord sensible aux convergences, Éliade précise vite combien son « optimisme fondamental » — nourri de cette « liturgie cosmique » que signifie encore le « christianisme paysan de l'Europe orientale » — ressemble peu à l'assurance théologico-scientifique du jésuite paléontologiste. Pour Teilhard, en effet, toute la « cosmogenèse » est un unique mouvement ascensionnel de la matière à la vie, puis à la pensée, singulière d'abord, ensuite collective ; orientée globalement vers le point *omega*, comment n'exclurait-elle point l'hypothèse que jamais une bombe atomique détruise cet « *opus magnum* dans lequel est impliqué un Christ cosmique » (p. 426)[1] ? La certitude d'Éliade se lie à une tout autre « présence du transcendant dans l'expérience humaine », celle que lui révèle une longue réflexion jugée encore, plus de dix ans après le *Traité d'histoire des religions* (Paris, 1949), moins provincialement européocentrique que les messages — au reste pour partie consonants — de Marx, de Nietzsche et de Freud, car elle implique, au moins virtuelle, la communication directe avec « un chasseur du paléolithique, un yogin ou un chaman, un paysan de l'Indonésie, les Africains, etc. » (5 déc. 1959, p. 315, et 3 janvier 1963, p. 414).

Dès lors guère n'importe que quelquefois Éliade s'impatiente de « perdre son temps » à « écrire des broutilles » (7 sept. 1959, p. 295) au lieu du grand livre dont il rêve — mais des études partielles, reprenant de mille façons les autres thèmes, les complétant à mesure, les nuançant et approfondissant, ne valent-elles pas mieux qu'une thèse monumentale qui prématurément se serait voulue exhaustive ? Encore que par moments « asphyxié » par la masse documentaire, il sait que cette « descente aux enfers » lui permet seule d'approcher le « vrai sens » des rites et des mythes (18 février 1960, p. 325).

Sans doute, certains jours, il se sent « triste » et « déprimé » en prévoyant que bientôt « notre monde » — celui de l'Occident — sera submergé. Et cependant, trois ans après avoir envisagé comme possible le suicide collectif que préfigurait, disait-il, le génocide hitlérien, mais lié maintenant aux progrès de la technique, à ce désir de « faire de l'Histoire » qu'il considère comme typiquement judéo-chrétien (27 novembre 1961, pp. 379-380), Éliade se déclare assuré que, de toute manière, doit naître « un autre monde, tout aussi créateur » (27 juillet 1964, p. 461). C'est qu'en effet à l'image d'un temps qui, selon une seule dimension, s'écoulerait sans retour vers une fin heureuse ou vers un cataclysme, l'historien des religions oppose toute une variété de « gestes » par lesquels se « réactualisent » les représentations mythiques du fait originaire ou des fondations ancestrales (16 juillet 1966, p. 527)[2].

En s'appuyant certes sur l'ensemble de son œuvre scientifique, mais par référence également à des expériences littéraires et artistiques, comme celles d'un Proust (janvier 1962, p. 390)[3], d'un Ionesco (15 novembre 1962, à propos d'une scène du *Piéton de l'air*, étonnamment consonante avec le *Livre tibétain de la mort*, p. 410), d'un Chagall (créateur d'une faune chargée de mystère où se discerne un vrai « syndrome messianique », p. 423), Éliade souligne que « Bouddha, Zarathoustra, les prophètes juifs sont nos contemporains » — ce qui ne veut simplement dire, comme l'indique la note du 9 mai 1965 (p. 502), que les « problèmes posés par eux sont encore les nôtres », mais, semble-t-il, à un niveau de signification bien plus obvie — nombre de textes le suggèrent, notamment les pages 176 et suivantes de *Forgerons et Alchimistes*, Paris, 1956 — que toute véritable « transmutation » (non pas exclusivement le « grand œuvre ») implique à la fois la « maîtrise » du temps et, d'une certaine manière, son « abolition ».

Eckhart évoque souvent, dans ses Sermons, le *nunc* extatique, cet instant de la pure présence[4] où, d'un seul coup, dans une âme vidée de ce qui n'est que « sien », la part « incréée » non seulement rejoint — selon le vœu de Plotin mourant — « le divin dans le tout », mais totalement s'unit à ce que Silesius appellera « l'océan incréé de la Déité pure » *(Pèlerin chérubique*, I, 3). Or il faut bien noter que la *metanoia* eckhartienne, à la fois dépouillement et « percée » *(Durchbruch)*[5], ne peut exclure la lente et douloureuse patience sans laquelle jamais le bois ne deviendrait feu[6] ; et même une fois, renversant l'exégèse commune d'une célèbre parole évangélique, à l'oraison recueillie de la sœur cadette, Eckhart préfère l'activité ménagère de l'aînée, symbole de l'âme bien formée qui, dans le labeur quotidien, touche pour ainsi dire à la « périphérie » de l'éternité[7]. Ce qui rejoint la vision d'un Nâgârjuna et de diverses écoles tantristes pour qui le temps, à sa manière, est également une manifestation du fond (ou du « vide ») originaire, en sorte qu'il est possible, sous certaines conditions, de vivre, et même d'œuvrer, dans la durée sans perdre le contact avec l'éternité *(Images et Symboles*, pp. 118-119).

Certes, pour assurer ce contact, bien plutôt que des tâches profanes — volontiers magnifiées dans l'école mystique germano-flamande, par réaction contre un certain pharisaïsme de l'establishment monastique — Éliade évoque surtout ces rituels liturgiques qui impliquent — à la limite — une véritable « rupture de niveau » et — selon telle image indienne toute proche de notre « porte étroite » — un périlleux passage sur la « lame du rasoir » *(ibid.*, p. 108). Mais ici comme là on retrouve une coïncidence d'opposés, une temporalité qui s'instantanéise pour rejoindre l'éternel. Et encore que Eckart mette l'accent sur l'expérience individuelle de déification, non sur la festivité collective et sur l'événement historico-mythique comme tel, il n'élimine aucunement la référence foncière aux moments privilégiés d'instauration et de restauration ; car le « dépouillement » suivi de la « percée » s'identifie pour lui à la double effusion de la Déité comme processus trinitaire *(bullitio)* et — simultanément — comme acte créateur *(ebullitio)*[8] ; et pour les mystiques de l'école eckhartienne la « naissance » du Verbe au fond de toute âme « vierge » (et par là même féconde) signifie chaque fois un authentique Noël[9].

Ainsi reparaît, dans un autre contexte, l'idée d'une présence toujours pareille à soi et neuve indéfiniment : celle des moments « sacrés » que Mircea Éliade décrit sous de multiples aspects : retour à l'unité primordiale par le sacrifice brahmanique *(Méphistophélès*, p. 119), divinisation des cargos américains qui, aux Nouvelles-Hébrides, annoncent le retour à l'innocence paradisiaque *(ibid.,* pp. 155 *sq.*), pureté de Perceval qui, par la simplicité naïve de son interrogation, arrache à sa décrépitude tout le royaume du Roi-Pêcheur *(Images et Symboles,* p. 70), complexe maïeutique de la forge *(Forgerons,* pp. 45 *sq.*), rituels de puberté, retour au ventre labyrinthique de la mère-sorcière *(Naissances mystiques,* p. 143)[10], lui-même identifié à quelque « centre du monde » *(Éternel Retour,* p. 31 et *passim*), etc.

Même là où — sous l'influence des prophètes juifs *(cf. Éternel Retour,* pp. 154 *sq.*), en tout cas dans les monothéismes liés à la tradition biblique — se trouve valorisée la linéarité d'un vecteur entre deux points limites, les étapes signifiantes d'un devenir considéré en principe comme irréversible, grâce à la série bien ordonnée des fêtes liturgiques, mais aussi à travers des actes individuels de repentir, de vœu, d'action de grâces, d'union mystique, revivent périodiquement ou sporadiquement, à des degrés divers d'intensité (ou, il s'agit d'un avenir espéré, d'une ultime parousie, se voient en quelque manière préfigurées en des cérémonies triomphalistes).

Hérité d'une antique « sagesse », le sentiment tragique de l'« irréparable » fuite du temps (tel que l'avait transmis, par exemple, une célèbre Ode d'Horace, testament d'une romanité en voie de désacralisation)[11] rendait plus

103

opportun que pour les Églises de la tradition, orientales ou occidentales[12], les moments religieux essentiels prissent dans leur remémoration, consistance de véritables sacrements (tantôt uniques, tantôt indéfiniment réitérables), eux-mêmes assortis de « sacramentaux » chargés de « déprofaniser » la vie publique et privée des hommes : bénédictions de terres, de troupeaux, de maisons, de navires, sacres royaux et couronnements d'empereurs, etc. De son côté l'eschatologie implique une marche laborieuse vers un état final[13] et donne ainsi à la durée un autre caractère que celui du simple écoulement (même ponctué d'actes commémoratifs ou anticipateurs). Dimension de l'épreuve pour la liberté, elle est aussi le lieu de l'espérance et de la crainte. Mais disons plus : à moins de reléguer la transcendance dans le quasi-néant d'un « inconnaissable » à la Spencer, se peutil que l'éternité même — qu'on la situe imaginairement dans un « avant » et un « après » de la succession des âges ou qu'on la pose comme contiguë au temps à la façon d'un point qui touche à la sphère en mouvement — demeure totalement incompatible avec le devenir ?

A l'interrogation qui fut d'abord la sienne et que saint Augustin juge maintenant risible, il répond assurément que « les années de Dieu sont un seul aujourd'hui » (*Conf.*, I, 16) ; il ajoute, non sans quelque apparente contradiction : « Où n'était aucun temps, il n'y avait point d'alors[14]. » Proposant tour à tour diverses exégèses des premiers versets de la *Genèse*, il ne renonce jamais au principe selon lequel ce qui est effectivement succession pour la créature demeure en Dieu pure simultanéité (*De genesi ad litteram*, IV, 55). Du néoplatonisme l'évêque d'Hippone a pourtant hérité le motif stoïcien de la « raison séminale », lequel suggère que d'abord les choses soient pensées et voulues en Dieu, puis projetées dans une sorte de potentialité active (dont témoignent peutêtre les premiers jours de la création, que ne pouvait encore ponctuer le mouvement d'aucun « luminaire » céleste) avant de se développer dans une durée historique selon une Providence qui n'exclut ni la liberté des peuples et des individus ni, depuis le péché, la nécessaire intervention de la grâce.

Liée à la « distension » de l'âme, ce qui signifie assurément, dans la ligne de Plotin (*Ennéades*, III, 7, 11), dispersion, inattention, dissémination et dissimilitude, la temporalité n'est pas moins « attente » du futur et, à chacun de ses moments, grâce au recueillement, possible « extension » vers l'éternel (*ad superiora, Conf.*, XI, pp. 23 *sq.*). Mais surtout elle est aussi « mémoire »[15] et il est significatif que ce terme polysémique soit celui même qui peut conduire au mystère trinitaire. Car l'âme à sa façon est, comme Dieu même, une pensée (*mens* ou *memoria*) qui s'exprime dans un savoir de soi, et de la relation entre les deux surgit l'amour ou le vouloir (*De Trinitate*, IX, X, XIV)[16]. Mais c'est dire que le Dieu chrétien — avec ses aspects personnels et sa relation au monde — ne peut s'identifier à cet Un plotinien qui ne se laisse même pas définir, à la façon du premier moteur d'Aristote, comme pensée de la pensée.

D'autre part, même pour qui admet une création dans le temps — ce qu'un Thomas d'Aquin considère comme pure vérité de foi, car pour lui la raison ne peut conclure définitivement ni dans le sens de la finitude ni en faveur de la thèse éterniste (*Contra Gentiles*, II, 31-38) — l'immortalité des anges et des âmes humaines, impliquant une forme singulière de durée appelée *aevum* par les scolastiques, paraît exclure toute véritable abolition de l'Histoire ; car les nouvelles terres et les cieux nouveaux prédits par les apocalypses n'auraient guère de signification si, après un ultime Jugement, tout se figeait dans une horrible absence ou dans une définitive fruition. Qu'est-ce qu'un supplice qui ne serait marqué de vaines espérances et de fausses rémissions ? Et qu'est-ce aussi qu'une béatitude qui ne connaîtrait aucun progrès[17] ? On comprend pourquoi Grégoire de Nysse suppose une « épectase », mouvement sans fin vers une perfection infinie, de mieux en mieux approchée (ce qui suggère, en sens inverse, un analogue asymptotisme de l'infernal). Mais on est loin alors de cette « Histoire » dont le Seigneur biblique est le fondateur et l'orienteur ; d'une certaine façon, en effet, dans l'approximation de l'infini divin comme dans son permanent refus, tout semble donné virtuellement, sans place pour une quelconque liberté.

Dans cette perspective la subsistance, voire la croissance sans retour du négatif implique un dualisme qui, d'une certaine manière, dépasse celui des manichéens[18]. Aussi certains chrétiens ont préféré, comme Origène, imaginer une série indéfinie d'éons terminés chaque fois en « apocatastase », ou retour intégral à l'unité. A ce thème bien connu (et multiforme) Éliade consacre tout un recueil d'études. Il semble qu'en Grèce ce soit tardivement et sous l'influence des astronomes d'Asie[19] qu'on a lié le retour éternel à l'hypothèse d'astres faits d'un éther incorruptible, circulant à jamais (et depuis toujours) sur d'immuables orbites. Aristote fera place à une zone « sublunaire » de partielle contingence, où les recommencements cycliques restent approximatifs (mais plus d'un de ses successeurs concevra une action, à tout le moins « inclinante », des sphères célestes sur le monde inférieur des générations et des corruptions). L'ancien stoïcisme soumettra le cosmos entier à de périodiques conflagrations entre lesquelles se dérouleraient les mêmes successions d'événements.

En l'absence d'un véritable souvenir des cycles antérieurs[20], il semble que pareilles visions philosophiques n'aient guère de signification « existentielle » pour le destin de l'homme singulier ; au reste, ce que le Portique appelle l'accord du sage avec le monde (et avec lui-même) se définit le plus souvent sans explicite référence à l'éternel retour. Plus chargés de sens sont les rythmes de tension et de détente qui marquent toute durée humaine. Essentiels dans le stoïcisme, on les retrouve dans le *Zarathoustra* de Nietzsche, dont le héros convalescent moque ses bêtes rabâcheuses, vraies « orgues de Barbarie », de prendre trop à la lettre l'image du cercle[21]. Et il se peut, en effet, comme le suggère Klossowski[22], que l'énigme renvoie ici à un commandement intérieur, extatiquement reçu dans une intensité vitale extrême. Injonction adressée non certes aux « superflus », aux « beaucoup trop nombreux », mais à celui, trop rare, qui du surhomme ose préparer la demeure : « Agis comme si tu devais revivre d'innombrables fois, et veuille revivre d'innombrables fois ! » Ainsi l'amour de l'Éternité — la seule maîtresse à qui l'alter ego de Nietzsche désire faire des enfants — porterait lui-même une infinie puissance de dépassement. Et le prophète non plus ne peut agir dans l'Histoire — toute la construction du poème le fait bien voir — que par une alternance (non systématisable) de temps forts et de temps faibles, une longue et patiente quête des « signes », la saisie — très souvent douloureuse, parfois béatifiante — de ces précieux instants où « à la liberté vient une sagesse d'oiseau[23] ».

On oppose volontiers deux perspectives en apparence irréductibles : l'image d'un flux temporel qui serait une décadence sans retour (les quatre âges d'Hésiode, les matériaux de plus en plus fragiles de la statue rêvée par Nabuchodonosor, les quatre yuga indiens débouchant, au terme de chaque cycle, sur l'âge sombre de Kali et la « grande dissolution » — *Éternel Retour*, pp. 168 *sq.* — ou encore, se référant ici à une vraie fin de l'Histoire, les sept branches iraniennes de l'arbre cosmique et le dernier Jugement (*ibid.*, pp. 186 *sq.*) — en sens inverse, la représentation d'une croissance progressive de l'âge enfantin à la maturité : Bible hébraïque conçue comme graduelle pédagogie du peuple élu jusqu'au temps messianique, ou bien, pour le christianisme et pour l'islam, comme annonce partielle d'une ultime révélation, suite joachimite de trois règnes, l'Esprit devant succéder au Père et au Fils, versions laïcisées de l'utopie millénariste sous mille formes : tâche infinie de Lessing, philanthropie humanitaire, croyance dans les miracles de la science et de la technique, etc.

Il semble pourtant que ces extrapolations globales (où s'expriment en contrepoint, et parfois se concilient dans une structure plus complexe, l'espoir et la désillusion) laissent place en fait (tout aussi bien que la dualité du cercle et de la droite) à un foisonnement d'expériences qui, sous des figures variées, concernent en dernière analyse une sorte de « régénération » du temps telle que la vivent, à de certains moments, individus et groupes sociaux, comme des participations, brèves ou plus durables, à une source féconde, conçue — en droit ou par mode de grâce — comme éternellement présente, même si l'humanité ne peut boire à cette fontaine que de manière intermittente, ainsi que le suggère le mythe du *Politique* platonicien, parce qu'il advient aux dieux-pasteurs d'abandonner périodiquement leurs troupeaux d'hommes, les condamnant alors à vivre un temps inversé, celui de Zeus, promis au vieillissement et sous la menace de sombrer, à moins d'un coup de barre salvateur, dans l'immense océan de la dissimilitude — au lieu qu'à l'âge de Cronos[24] les êtres ne cessent de rajeunir, de retourner vers leur première matrice (272 e — 273 e).

Dans la tradition alchimique — que ses meilleurs spécialistes prescrivent d'interpréter symboliquement[25] — pour passer de la *nigredo* à la *rubedo*, la matière elle-même doit subir la « torture », puis traverser la « mort » avant de connaître la « résurrection » (*Forgerons*, pp. 152 sq.). Sans doute l'événement, d'une certaine manière, s'intemporalise en archétype ; les rites cependant visent à régénérer la durée tout aussi bien que l'étendue, soit qu'il s'agisse d'exclure le chaos, de fixer le vrai centre, ou l'axe, du monde pour ressaisir le mode originaire de la temporalité, ou de réanimer le feu, de chasser le bouc émissaire, d'ouvrir à nouveau les vannes célestes pour un déluge purificateur (*Éternel Retour*, pp. 26, 40, 85 sq.). Sous des formes variées on discerne toujours la référence à quelque innocence merveilleuse : alors que les Indiens d'Amérique crurent voir débarquer des caravelles espagnoles de très antiques dieux appartenant à leur passé mythique, Colomb s'imaginait revenu au paradis biblique avec ses quatre fleuves ; plus au nord bientôt les réfugiés puritains d'Angleterre et d'Écosse penseraient trouver une autre terre de Canaan (*La Nostalgie des origines*, Paris, 1971, pp. 85 sq.).

Cette « utopie » que naguère encore les Guaranis, en de longues migrations, cherchaient sur les côtes brésiliennes ou au-delà des mers, comme la « terre sans mal » où l'on échappe à toute mort (*ibid.*, pp. 203 *sq.*) [26], n'est-ce pas également — mais cette fois comme une sorte d'« uchronie », liée cependant au thème des cycles et des palingénésies, fondamental pour le nom même de *rinascimento* — ce qu'à Florence, Ficin et ses amis espéraient découvrir, pour ainsi dire en vrac, dans l'égyptianisme hellénisé du Pseudo-Trismégiste, dans des oracles prétendus chaldaïques, chez Pythagore maître de Platon et de Plotin, mais aussi dans une (tardive) Kabbale prise pour quelque gnose première remontant à Hénoch, sinon à l'Adam prélapsaire ? Et il se pourrait bien que ce fût aussi, dans une perspective à prétention démystifiante, non cette révélation mais plutôt ce traumatisme originaire que vise à désenfouir de l'inconscient, tel un nouveau chaman, l'analyste freudien (*ibid.*, pp. 85 *sq.*).

Aucun des actes régénérateurs ne va sans épreuves ni lutte, et néanmoins il semble que presque jamais le pur « dualisme » ne domine. Entre les principes adverses, parfois symbolisés par deux jumeaux divins (*ibid.*, p. 283) [27], il y a toujours complémentarité, très souvent alternance et quelquefois synthèse. Pour que triomphe le bien on sait le rôle des photothéophanies, des buissons ardents et des colonnes de feu, des aurores boréales et des étoiles annonciatrices (*Méphistophélès*, pp. 34 *sq.*), mais essentielles aussi sont les images de l'arbre et de la pyramide ou de l'obélisque (pris à tort pour un symbole phallique), celles de la corde également (discréditée par quelques célèbres tours d'illusion chers aux fakirs) et de cette chaîne d'or homérique où s'accrochent les dieux, que Platon assimile au rayon même d'un Soleil intelligible et le Pseudo-Denys à la prière (*ibid.*, pp. 225 *sq.*). A travers tous ces signes il s'agit toujours d'adapter le microcosme au macrocosme, par la domination du corps (quelquefois par l'exaltation même des sens et la frénésie érotique, depuis les Carpocratiens, et bien d'autres avant, jusqu'à Georges Bataille et ses émules), par la discipline respiratoire qui vise à retrouver le rythme de l'univers, voire d'abolir — à la limite — la conscience vécue de la durée (*Images*, pp. 114 *sq.*).

Jusque dans notre civilisation qui se voudrait rationaliste — et où les religions elles-mêmes raturent comme elles peuvent le mystère — les palingénésies restent à l'horizon de tout effort durable, fût-ce sous la forme dérisoire des slogans de tribune : nouvelle société et lendemains qui chantent. Témoins ces cultes de la personnalité sans cesse reviviscents, avec les colossales effigies de Staline, de Mao, voire de quelque président paranoïaque du tiers monde ou d'un médiocre politicien occidental, avec tous les gros plans de la télévision, les cortèges, les danses faussement folkloriques et les grotesques gesticulations des majorettes, plus encore la divinisation des héros chevelus du show business, et tant de mythes modernes que très lucidement un Denis de Rougemont, un Edgard Morin ont su décrire et dénoncer comme des rejetons dégénérés et de pauvres avatars[28].

C'est que l'homme d'aujourd'hui réduit, en général, les gestes recréateurs à de simples répétitions « naturelles » ; il lui est commode d'attendre que « la roue tourne » et qu'en fin de compte (comme disait, à la « belle époque », le boulevardier Alfred Capus) « tout s'arrange ». Trop rares sont ceux qui entendent courir des « risques » et veulent « faire de l'Histoire » en « se faisant eux-mêmes » (selon une formule qui fut l'adaptation existentialiste d'un aphorisme nietzschéen). A ceux-là, qu'il traite sans trop de sympathie, Éliade, porte-parole des « anciennes civilisations », répond qu'ou bien l'Histoire se fait sans nous ou bien elle n'est l'œuvre que d'un petit nombre d'individus qui décident pour les autres (*Éternel Retour*, pp. 229-231), sans doute au nom de la race, de la classe, de la science, de la tradition, de la révolution, ou selon le bon plaisir de leur génie, non sans avoir consulté peut-être leur astrologue ou leur ordinateur (les deux n'en faisant qu'un dans le cas de l'astroflash).

On l'a vu en relisant son journal, Éliade refuse de désespérer, même d'un temps qu'il n'aime guère. Il semble néanmoins que ce qu'il nomme l'« historicisme » (c'est un peu sa bête noire) ne sera « sauvé » que par un retour à cette dimension de « foi » qui d'un sacrifice rituel (celui du premier-né) fit, en la personne d'Abraham, le signe de la parfaite docilité au vouloir insondable d'un Dieu qui donne et qui reprend, dans une tout autre perspective, par conséquent, que celle des « circulations d'énergies cosmiques » qui d'elles-mêmes, sans libre décision ni promesse, exigeaient que fût versé le sang nouveau (*ibid.*, pp. 162 *sq.*).

Osera-t-on objecter que cet engagement paradoxal, au-delà de la loi et de l'éthique, implique un « tout ou rien » (à la façon de Chestov ou de Kierkegaard) qui ne sera jamais imparti qu'à une infime minorité de chevaliers de la foi ? A un niveau plus humble, la simple répétition de petits actes d'amour, de confiance, d'espoir, produisent, eux aussi, des effets accumulatifs de régénération, qui pourraient bien rejoindre, en deçà des moments héroïques et des grands sacrifices, cette utopie « concrète » et « militante » qu'annonce depuis un demi-siècle le philosophe Ernst Bloch, marxiste nourri de prophétisme juif et d'exigences humanistes[29]. Ces attitudes sans éclat s'accompagnent par instants d'une joie qui rejoint l'éternel, tout bonnement d'abord parce qu'elle donne — comme disait (à peu près) Malebranche — la force d'aller plus loin. Le très banal symbole pourrait être, chaque automne, lorsque sèchent les feuilles mortes, l'immédiat gonflement, au bout de chaque rameau de hêtre ou de lilas, du bourgeon insolent qui, sous la glace même, comme le blé en herbe que va recouvrir la neige, annonce des renouveaux possibles et toujours menacés.

MAURICE DE GANDILLAC.

NOTES

1. Quelques années plus tôt, au cours d'un débat animé chez Marcel Moré, nous avions nous-mêmes entendu Teilhard célébrer comme le

signe d'une nouvelle noosphère, triomphe de la pensée collective et de l'ordinateur, la découverte et l'usage de la fission atomique. Ce qui avait fait réagir plus d'un auditeur, notamment Nicolas Berdiaeff et Gabriel Marcel.

2. A l'occasion d'un Congrès des sociétés de philosophie de langue française (septembre 1966), celui où nous eûmes la joie d'entendre Éliade exposer et commenter un mythe indonésien et un mythe australien. — Sur les deux *primordia* (geste instaurateur d'un dieu-démiurge, souvent relégué ensuite dans une transcendance proche de l'oisiveté, ensuite fondation par un héros ancestral, singulier ou collectif), *cf.* entre beaucoup de textes concordants, *Le Mythe de l'éternel retour*, Paris, 1949, pp. 192 *sq.*, *Images et Symboles*, Paris, 1952, pp. 108-114, *Naissances mystiques*, Paris, 1959, p. 83.

3. Sur J. Joyce et T.S. Eliot, *cf. Éternel Retour*, p. 225.

4. *Predigt 10 (In diebus suis)*, Eckharts Deutsche Werke, I, Stuttgart, 1958, p. 171 : « Dieu crée le monde et toutes choses en un instant présent [*in einem gegenwertigen nû*]. En l'âme qui se tient en cet instant présent le Père engendre son Fils unique et, dans ce même engendrement, elle est en Dieu réengendrée ». Cf. *Predigt 66 (Euge, serve bone)*, III, 1976, pp. 113 et 119 : du don total que fit Jésus à la Samaritaine, l'homme le plus grossier peut être bénéficiaire avant même que Eckhart ait achevé son sermon.

5. *Predigt 52 (Beati pauperes spiritu)*, II, 1971, p. 505 : « En la percée où je me veux tenir vide *(ledic)* du vouloir de Dieu et de ses œuvres et de Dieu même [entendons : du Dieu de la théologie affirmative, saisi de manière inadéquate et dans sa relation au créé], je suis au-dessus de toute créature. [...] En ceci je reçois de n'être qu'un avec Dieu ; là je suis ce que je fus, et ne diminue ni n'augmente, car là je suis une immobile cause, de toutes choses motrice. »

6. *Göttliche Tröstung*, Deutsche Werke, V, pp. 33-34 : « Ne s'apaisent, ne se taisent ni jamais ne se suffisent feu et bois, à aucun degré de chaleur, d'ardeur et de similitude, jusqu'à ce que le feu s'engendre lui-même dans le bois et lui donne sa propre nature, voire son essence, en sorte que tout soit devenu un seul feu, en égale appropriation, sans différence, ni plus ni moins. Mais avant qu'il en soit ainsi il y a toujours fumée, résistance, craquement et combat. »

7. *Predigt 86*, III, p. 481. Dans ce texte — que Pierre Petit avait traduit (sur la défectueuse édition Pfeiffer), *Sermons et Traités*, Paris, 1942, pp. 244 *sq.*, et dont nous avons donné une nouvelle version commentée, *Nouveau Commerce*, cahier 3, Paris, 1964, pp. 41-57 — que Marie ait choisi la meilleure part *(optima*, non *melior)* signifie qu'elle débute, ne sachant encore, comme Marthe le fait, unir l'action et la contemplation.

8. *Sermo 49*, 3, Lateinische Werke, IV, Stuttgart, 1956, p. 428 (*cf.* Vladimir Lossky, *Théologie négative et Connaissance de Dieu chez Maître Eckhart*, Paris, 1960, pp. 107 *sq.*, et notre contribution aux actes du colloque de Strasbourg en mai 1961, « La dialectique de maître Eckhart », in *La Mystique rhénane*, Paris, 1964, pp. 75 *sq.*), — *Predigt 1*, Deutsche

Werke, I, p. 32, *Predigt 22*, pp. 381-382 (où Eckhart précise sa double réponse : « Oui et Non » à la question : « Êtes-vous l'unique Fils, éternellement engendré en Dieu ? », etc.

9. *Cf.* en particulier le symbolisme des trois messes de Noël (éternel engendrement du Verbe, naissance temporelle de Jésus, naissance de l'Image en toute âme pure) d'après Tauler, *Predigt 1* (Vetter, Berlin, 1910, pp. 7-10).

10. Le thème de la *vagina dentata*, assimilée à la tête de Méduse, fut curieusement glosé par Bernard Pautrat à Cerisy, en juillet 1972, à propos du retour éternel comme présence-absence dans l'œuvre de Nietzsche (*Nietzsche aujourd'hui ? I : Intensités*, Paris, 1973, pp. 9-30).

11. En sens inverse la rénovation d'Auguste, avec Virgile comme porte-parole, se situera sous le signe mythique de la *pax œterna*, de l'*imperium sine fine* (*Éternel Retour*, pp. 201 *sq.*). Lié parfois à quelque *memento mori* clairement parénétique (non dans la seule littérature édifiante, mais aussi chez des poètes évoquant, comme Rutebeuf ou Villon, leurs amis disparus ou les neiges d'antan), le lieu commun de la *vita brevis* (appliqué aux empires et aux civilisations comme aux individus) et du *fugit irreparabile tempus* sert le plus souvent d'excuse à un épicurisme qui ne fut jamais celui d'Épicure, celui du *carpe diem* (notamment dans une tradition poétique française qui va de « Mignonne, allons voir » jusqu'à « Si tu t'imagines, fillette »).

12. L'islam, qui (comme le judaïsme depuis la destruction du Temple) n'a ni clergé, ni sacrements, satisfait à ce besoin par ses fêtes et ses jeûnes, ses prières bien rythmées et ses aumônes périodiques. Sans exclure tout rituel et toute commémoration, le christianisme de la Réforme, suivi jusqu'à un certain point par tout un secteur actuel du catholicisme, envisage plutôt le lien du temporel au spirituel dans une intériorisation personnalisante de la religiosité et en même temps dans une socialisation laïcisée de l'eschatologie.

13. De façon analogue le « savoir absolu » chez Hegel et la référence marxiste à une transparence finale et réciproque de l'homme et de la nature valorisent le temps qui mène à ce terme, à travers le labeur du négatif, mais le risque est le « livre mort » (*cf.* les réflexions de Kojève (*Introduction à la lecture de Hegel*, Paris, 1947) et un arrêt de l'Histoire. *Cf. Éternel Retour*, p. 220 : « Le militant marxiste de notre temps, dans le drame provoqué par la pression de l'histoire, déchiffre un mal nécessaire, le prodrome du triomphe prochain qui va mettre fin à jamais à tout "mal" historique ».

14. Par exemple, *Conf.*, XI, 10. Même paradoxe à la fin de XI, 13, où Augustin juxtapose un parfait, un présent (lui-même lié à une préposition d'antécédence et finalement un imparfait : *omnia tempora tu fecisti et ante omnia tempora tu es, nec tempore non erat tempus*).

15. La « mémoire » pour Augustin est d'abord conscience de soi, présence à soi (*interior mentis memoria qua sui meminit*, *De Trinitate*, XIV, 10), mais elle est proche aussi de la réminiscence platonicienne (une fois exclue la préexistence éternelle des âmes) et de ce que Malebranche nommera vision en Dieu (*Ep*, VII, 2, *De Trinitate*, XI, 24).

16. A cette dialectique se lie la *processio ab utroque* ajoutée plus tard en Occident au credo de Nicée, et si fortement récusée par les Églises d'Orient.

17. Les supplices infernaux que décrit Dante sont — comme le rocher de Sisyphe, le vautour de Prométhée, le tonneau des Danaïdes — de perpétuelles réitérations, alternances de leurres et de désillusions. Au Paradis, sa hiérarchie des « cieux » peut suggérer l'image d'une graduelle ascension (symbolisée par la substitution de saint Bernard à Béatrice pour les dernières étapes du voyage imaginaire), mais le poète demeure fidèle au dogme d'une définitive fixation des sorts. Reste le Purgatoire, avec la progression de ses épreuves, mais là encore unilinéaires et irréversibles, et que l'Église latine situe en deçà du Jugement Dernier.

18. Eux qu'on accuse de substantifier le mal, ils admettent cependant qu'une fois que les hommes auront appris à ne plus procréer, au terme d'épreuves culminant dans un incendie de la terre pendant 1 468 ans, le résidu matériel ayant été réduit en boule et enfoui sous une pierre, lumière et ténèbres coexisteront en paix, sans risque que recommence ce « mélange » qui fut la source de tout le mal (*cf.* H.C. Puech, *Le Manichéisme*, Paris, 1949, p. 84).

19. *Cf.*, sur les visions grecques antérieures, celles d'Homère et de l'Hésiode des *Travaux et les Jours*, Pierre Vidal-Naquet, « Temps des dieux et Temps des hommes », *Revue d'histoire des religions*, tome 157, Paris, 1960.

20. Sinon à travers de brèves illusions paramnésiques qui ont pu favoriser la croyance en une parfaite réitération des singuliers ; une objection du même genre vaut *mutatis mutandis* contre les formes de métempsycose (ou métensomatose) qui supposent une (inconsciente) continuité entre les vies successives.

21. *Also sprach Zarathustra*, III, « Vom Gesicht und Rätsel » et « Der Genesende », Nietzsches Werke, VI, 1, Berlin, 1968, pp. 193 *sq.* et 269. Dans le propos même qui prétend les rajeunir, Nietzsche met en question les vieux arguments en faveur du retour éternel (nombre fini d'atomes et de combinaisons entre elles), *cf.* en particulier les fragments posthumes 11/228 *sq.* dans la traduction française du *Gai Savoir*, Paris, 1967 (éd. intern., des Œuvres philosophiques, pp. 385 *sq.*).

22. « Oubli et anamnèse dans l'expérience vécue de l'éternel retour du même », in *Nietzsche* (Cahiers de Royaumont, VI), Paris, 1967, pp. 267 *sq.* Selon Klossowski, la « mort de Dieu » ayant aboli en quelque sorte l'identité singulière, l'homme fort, sans délirer, peut se dire à la fois Dionysos et le Crucifié, — autre manière de signifier, tout en récusant les arrière-mondes, la gratifiante communion avec un au-delà mythique du soi.

23. *Also sprach Zarathustra*, III, « Die Sieben Siegel, 6 », p. 287.

24. Que justement il ne faut pas confondre avec Chronos, malgré une très ancienne et abusive assimilation à laquelle Hegel encore fait écho.

25. Encore que la maturation et la régénération souterraine des minéraux ait encore passé pour certitude, au temps de Paracelse, voire à celui de Novalis, même parmi les spécialistes de l'exploitation minière.

26. Après avoir lié la quête de ce paradis à quelque pessimisme propre

à des peuples convaincus que la terre vieillit inexorablement, les ethnologues admettent plutôt qu'avant l'enseignement des missionnaires les Guaranis tendaient vers l'île des bienheureux, lieu supposé d'immortalité, sans y voir encore un refuge contre le cataclysme cosmique terminal (pp. 210-214).

27. Pour les Bogomiles Jésus est le frère cadet de Satan, autre nom de ce Mephisto avec lequel, dans le prologue au ciel du *Faust* de Goethe, Dieu lui-même converse presque en camarade *(Méphistophélès*, pp. 102 *sq.*).

28. Il s'agit bien cependant de survivances de cette « théorie de l'archétype » qui du « personnage historique » fait un « héros exemplaire » et de l'« événement historique » une « catégorie mythique » (*Éternel Retour*, p. 211).

29. Le 21 septembre 1959, Éliade note, dans son journal (p. 297), le récit, rapporté de Cerisy par Rodica Ionesco, d'un rêve du « docteur Bloch, savant de Leipzig ». Il ne peut s'agir que de Bloch, qui allait bientôt quitter l'Allemagne de l'Est pour enseigner à Tübingen. Lors du colloque cerisyen de juillet-août 1958, il avait dit notamment, dans son exposé sur « Processus et Structure » : « Toute forme d'ordre, tout ordre de forme est encore figure de tension ; ces figures ne demeurent pas, de façon topique, sur le chemin, mais avancent avec lui, soit qu'elles se perdent, soit qu'au contraire — figures d'hommes ou figures d'œuvres dont la valeur ne s'est pas encore épuisée — elles connaissent une nouvelle maturation comme images directrices, sur le mode utopique », *Genèse et Structure*, Paris-La Haye, 1965, p. 217.

DE L'HERMÉNEUTIQUE A LA RÉGÉNÉRATION PAR LE THÉÂTRE

ÉLIADE ET LE LIVING THEATRE

Monique Borie

Approcher l'inscription de la pensée de Mircea Éliade dans un certain courant du théâtre américain — représenté ici par le Living Theatre — c'est sans doute moins dégager des axes d'influence que tracer des confluences. En fait, l'historien des religions qu'est Éliade à travers le travail de l'interprétation, et les acteurs du Living à travers leur pratique théâtrale se rencontrent parce qu'ils interpellent la pensée mythique d'un même lieu : *ce lieu d'où l'on interroge les mythes pour chercher une solution à une crise — une crise de société et de culture, vécue comme crise ontologique.* Des deux côtés, la quête s'engage dans l'espace d'une herméneutique.

Le choix de l'herméneutique

Mircea Éliade lui-même reconnaît le lien qui existe entre son œuvre théorique et la situation de la pensée en

117

Occident : « Il faudra », écrivait-il en 1953 dans son *Journal*, « que je montre un jour les fils secrets qui relient mon œuvre théorique à la crise actuelle de la pensée occidentale[1]. » Son œuvre s'organise en effet comme une immense entreprise où le travail de l'interprétation sert la compréhension et la transformation de soi-même, c'est-à-dire en fin de compte la compréhension de la crise de l'homme occidental et la transformation de son mode d'être par le retour aux sources, le lien retrouvé au mythe, au symbole, à l'archaïque, au primordial.

Dans le débat ouvert — sur la question du mythe — entre l'analyse structurale et l'herméneutique, et plus particulièrement entre Lévi-Strauss et Ricœur[2], Éliade s'est toujours situé du côté de Ricœur. « L'histoire des religions nous est toujours contemporaine[3] », car « aucun comportement religieux, si archaïque soit-il, n'est jamais définitivement aboli[4] ». Dès lors l'interprétation peut devenir une véritable « herméneutique créatrice[5] », même lorsque nous sommes confrontés à des religions exotiques comme celles de l'Orient, ou primitives. En effet, selon Éliade, l'homme des sociétés modernes, en se retrouvant lui-même dans un symbolisme archaïque anthropocosmique qui répond à ses besoins profonds, peut recouvrer « une nouvelle dimension existentielle », et ainsi se re-créer, se régénérer. Nous voilà bien au centre de cette reprise herméneutique pour laquelle — selon les termes mêmes de Ricœur — « le lieu d'où l'on interroge les mythes, c'est celui d'où les mythes nous interpellent, s'adressent encore à nous[6] », si bien que l'interprétation, disqualifiée comme science, se trouve qualifiée comme pensée méditante[7]. Éliade, pour sa part, plutôt que d'interprétation, préfère parler « d'une transmutation de la personne qui reçoit, interprète et assimile la révélation[8] ».

Cette révélation, c'est avant tout celle de l'homme non européen, c'est la fenêtre ouverte sur l'Orient, le dialogue avec le yogin ou le chaman. D'ailleurs, la pratique de l'orientalisme n'est-elle pas vécue par Éliade comme une nouvelle version de la Renaissance, alliant la découverte

118

de nouvelles sources et le retour à des sources abandonnées, oubliées[9] ? L'instauration du dialogue avec l'Orient lui paraît essentielle pour l'avenir des sociétés d'Occident, car leurs cultures obsédées par l'*Histoire* peuvent trouver une régénération, un changement de perspective spirituelle, grâce à cette rencontre avec des cultures mieux informées sur l'*Être*[10].

L'espace d'où Éliade interroge la pensée mythique en privilégiant l'Orient, c'est celui-là même d'où le Living Theatre l'interroge : cherchant à travers la pratique théâtrale un nouveau mode d'être, il va affirmer à sa manière le choix d'une herméneutique. Hanté par le refus de la société industrielle et la quête d'un renaître, il se tourne vers les spiritualités orientales pour retrouver un vécu mythique. Ce faisant, il s'inscrit à l'intérieur de tout un courant de la pensée et du théâtre américains, lié au mouvement hippie.

Mouvement hippie et résurgence de la tradition mystique

Ce vaste courant auquel le Living se rattache, Éliade d'ailleurs l'évoque à plusieurs reprises dans son journal. Il est remarquable qu'Éliade, dans ce *Journal*, ne dise pratiquement rien de la société américaine avant les années soixante et que les commentaires se fassent de plus en plus nombreux entre 1967 et 1969. En fait, ce qui l'attire c'est le mouvement hippie, le phénomène californien ; ceux dont il parle le plus volontiers, ce sont ces étudiants américains — souvent adeptes du L.S.D. ou de la mescaline — soucieux à ses yeux de faire que ce qui leur arrive ait un sens, et qui s'intéressent à la mystique orientale, aux techniques spirituelles de l'extase, à l'éclatement des limites de la vie. En 1968[11], il s'avoue « de plus en plus sous le charme » de ces hippies en qui il voit une forme moderne de société religieuse, se créant en réaction contre l'absence de signification et la vacuité d'une société aliénée, désacralisée. Ils ont trouvé selon lui un sens à la vie, car ils croient à la « réalité absolue ». Ainsi pour Éliade le phénomène hippie doit être ressenti comme l'expression d'une « situation existentielle spécifique de l'homme des sociétés occidentales[12] », cet homme en quête d'un sens dans un monde où il se sent désorienté, voué à la dispersion, et à la dissolution dans l'histoire. Des « pacifistes qui refusent le drame de l'Histoire » il voudrait écrire l'éloge, pour montrer que « loin d'être inauthentiques, absentéistes, mystifiés, jetés à la poubelle de l'Histoire, ils illustrent la sécularisation de la *Nostalgie du Paradis,* caractéristique de tant de mystiques[13] ». En fait « ils continuent une tradition multimillénaire. Le désir des mystiques de réintégrer la sérénité, la plénitude, l'absence de tension du Paradis est devenu aujourd'hui l'ambition des *idéalistes* de vivre dans une société égalitaire béatifique, sans tension[14] ». Comment réagit Éliade au phénomène californien, après la rencontre avec Allen Ginsberg en février 1967 ? De ceux qui élaborent ces expériences alliant la drogue et le tantrisme, nourries de références à l'Inde, aux mantras ou bien aux rites tribaux nord-américains, Éliade dit : « Ils ont besoin de quelque chose de solide dans le monde nouveau où ils ont été projetés[15]. » C'est-à-dire qu'ils ont besoin de réalité, ils cherchent à s'orienter, à atteindre l'être. Pour cela, ils pratiquent l'extase, la sortie du temps social, quotidien.

Théâtre et sortie du temps historique

C'est dans cette voie que se dirige tout l'itinéraire du Living, et l'étudiant-acteur évoqué par Éliade en 1969[16], qui parle du théâtre comme d'un exercice spirituel comparable à une danse extatique contrôlée par une sorte de yoga, pourrait bien en faire partie. En réponse à son discours, Éliade intervient pour formuler ainsi la question du théâtre : comment organiser le temps théâtral comme sortie du temps historique, du présent chronologique ? — et pour définir à sa manière la problématique contemporaine : « Que peut-on faire aujourd'hui dans le théâtre en sachant ce que nous savons[17] ? » C'est-à-dire, de toute évidence : en sachant que l'expérience dans l'histoire n'a pas de valeur ontologique suffisante. Ainsi pour Éliade, si le théâtre veut ouvrir une fenêtre sur le sens, il doit se construire comme une expérience où le temps pourra être dépassé. L'orientation qu'il propose est en fait illustrée par le Living Theatre, soucieux très exactement de faire de la pratique du théâtre un « voyage » hors du quotidien.

Le terme de « voyage » ne renvoie pas seulement au vocabulaire des drogués, il se veut métaphore d'une expérience vécue comme extatique. Ce qu'il s'agit d'opérer, c'est un arrachement aux préoccupations quotidiennes, une « recherche de la transcendance, d'une sortie de soi et d'une élévation[18] ». La sortie du quotidien, c'est ce qui est visé aussi bien pendant la durée de la représentation qu'au cours des exercices préparatoires auxquels se livrent les acteurs. Ces exercices, fondés sur un ensemble de techniques psycho-physiques[19], ont pour but d'arracher le sujet-acteur à sa vie quotidienne[20], de lui faire faire le « voyage dont il avait besoin pour passer de l'autre côté[21] ». Leur fonction est souvent comparée par les acteurs eux-mêmes à celle du rêve, de la drogue ou de la poésie[22]. Sorte d'« épreuve extatique » ou « révélatrice[23] », ils préparent l'acteur à pouvoir guider ensuite, pendant la représentation, les spectateurs dans le « voyage » hors du quotidien auquel ils sont invités[24], puisqu'il faut aller « au-delà du présent qui n'a pas la clef de la connaissance[25] ».

Une même dévalorisation du temps quotidien et historique est commune à Éliade et au Living. Pour Éliade, la sortie du temps, loin d'être une expérience périphérique, se définit comme essentielle, car « il existe en chacun d'entre nous une secrète nostalgie pour ce genre d'extase[26] », liée à ce « besoin primordial qu'a l'homme de se régénérer, d'abolir l'*histoire*[27] ». Dans les expériences de dépassement du temps, Éliade range aussi bien les rituels, l'usage des drogues, le rêve, ou encore la pratique de la littérature (écriture ou même lecture). Pour lui ces pratiques, si diverses soient-elles, se définissent comme techniques de récupération d'un temps paradisiaque, hors du temps quotidien et historique. Il ne refuserait certes pas d'y joindre la pratique du théâtre — surtout une pratique comme celle du Living qui va tout à fait dans ce sens.

Une grande confluence s'établit ici entre Éliade et le Living dans leur rapport au Temps car ils vivent l'un et l'autre la relation à l'histoire comme angoisse de la dispersion et de la dépossession de l'être.

Peur de l'histoire et angoisse de l'Apocalypse

A la thématique d'une société qui divise et aliène vient se greffer une véritable obsession de l'Apocalypse.

Du *Brig* à *Paradise Now*[28], dans la plupart des spectacles du Living, la société industrielle américaine n'est pas seulement vouée à l'aliénation mais pleinement identifiée à la mort[29]. Ces représentations sont comme habitées par l'imagerie des apocalypses et les visions de mort collective. Après *The Brig* où la rigidité des acteurs figurait l'œuvre de destruction d'une société-prison qui mutile et cloisonne, *Mysteries* passe de cette rigidité de l'acteur au garde-à-vous (1er tableau) à celle des cadavres accumulés (dernier tableau). Là, l'entassement des corps donne à l'œuvre de mort de la société la dimension métaphysique d'une Apocalypse[30]. La métaphore de l'Apocalypse se déploie dans *Frankenstein*, où elle est pour ainsi dire multipliée[31]. Même dans *Paradise Now*, l'angoisse ne disparaît pas. Elle est là au début du spectacle, elle resurgit à la fin lorsque les acteurs se livrent à un véritable jeu de la mort collective[32], avant de renaître.

De tels spectacles ne sont-ils pas chargés de cette « angoisse du monde moderne », de cette anxiété devant la mort et le néant qui se lie pour Éliade à la conscience de l'historicité, à la peur de l'Histoire ? Pour la mieux comprendre il faut, selon lui, la lire à la lumière de cette philosophie indienne pour qui « toute expérience dans le monde et dans l'histoire est dépourvue de validité ontologique[33] ». Si l'Histoire doit être pensée comme chute, il devient clair que la société moderne occidentale en considérant l'homme en tant que sujet et agent de l'Histoire a opéré une désacralisation, donc une perte de « réalité », une perte d'« être ». Aussi toute la pensée d'Éliade s'organise-t-elle autour d'une opposition fondamentale entre expérience religieuse et vécu historique. L'expérience religieuse se définit par la projection de l'homme hors de sa situation historique, de son univers quotidien. Elle correspond à une aspiration au transcendant, à un désir d'inconditionné, à un besoin de libération, de puissance créatrice, à l'atteinte d'un état total où l'unité est réalisée, où l'opposition des contraires est dépassée, c'est-à-dire en fin de compte à une soif d'Être. L'opposition du religieux et de l'historique recouvre une opposition entre *être* et *devenir*, l'aspiration à l'Être impliquant une sortie du Devenir. Ainsi pour Éliade le mythe de l'éternel retour, dans son universalité, révèle-t-il « la soif d'être de l'homme, l'horreur que lui inspire le devenir[34] ».

Les visions d'Apocalypse cristallisent justement à ses yeux cette peur de l'histoire, et si nos sociétés sont habitées par les terreurs de fin du monde, c'est qu'elles se sont laissé envahir par ce qu'il appelle « cet intérêt passionné presque monstrueux pour l'Histoire[35] ». Définissant l'homme comme un être purement historique, elles ont inscrit la perte de l'Être et l'angoisse d'une Apocalypse qui est pressentiment de la fin d'une culture que sa désacralisation voue à la mort.

Face à cela, la question posée par Éliade comme par le Living sera : comment se retrouver vivant et non mourant ? — et elle ouvrira des quêtes parallèles : celles de la renaissance et de la rénovation par le retour à l'instant auroral de la Création renouvelée, par la reconquête du paradis perdu...

Restauration du paradis et retour à l'origine

La nostalgie d'un état adamique, le désir archaïque de régénération par le retour au temps paradisiaque de l'origine dont Mircea Éliade fait la clef de tout « comportement mythique », va en fait constituer l'axe même de toute la pratique du Living Theatre. C'est bien en effet ce « besoin de réintégration dans la modalité aurorale de l'Être, modalité en laquelle on voit soit un état paradisiaque, virginal, a-historique de l'Être, soit même l'état qui précède la Création, état où l'Être était encore sans fissures[36] » qui guide des acteurs hantés par l'aspiration à re-naître, à re-commencer l'histoire. C'est bien ce « désir de réintégration dans le moment mythique auroral[37] » qui les habite lorsqu'ils parlent de leur quête de « l'état paradisiaque » ou du « paradis[38] », et la relient à celle de la vie, de la renaissance. Le « paradis », dit un acteur du Living, c'est « renaître dans un champ d'expérience neuf[39] ». « Cette relation paradisiaque qui constitue notre but[40] » nécessite, disent-ils sous une forme ou une autre, l'accès à un plan où l'on pourra retrouver l'être, les forces créatrices, l'unité perdue :

« Au paradis, personne ne meurt.

— Au paradis, il y a un renouvellement continuel de l'expérience vitale.

— Au paradis, il y a unité de langage[41]. »

Restaurer le paradis, c'est retrouver cette époque d'avant le temps où « le sabre de feu nous a coupés du paradis, créant la dualité, les contraires[42] », c'est revenir avant la Chute — chute dans la division, la séparation, la dépossession des pouvoirs créateurs, chute dans la perte de l'être. Si la représentation peut devenir pour l'acteur et le spectateur « expérience paradisiaque », c'est dans la mesure où « la représentation peut mener à l'être[43] ». Le paradis maintenant, telle est « la destination rendue claire », et cela signifie atteindre « *un état d'être* » où la révolution non violente devient possible[44] ». Cet état d'être lui-même correspond à un « point zéro » où tout recommence, où s'opère un « renversement de l'histoire[45] » par lequel l'individu et le groupe se donnent, en quelque sorte, une nouvelle origine.

Cette problématique du « point zéro » ou du « retour à zéro » est essentielle pour le Living au niveau à la fois de l'expérience individuelle et de la pratique collective. « C'est après le point zéro que commence la partie essentielle du voyage[46] », aussi bien pour la renaissance individuelle que pour le re-commencement de l'Histoire. Il s'agit de dire à l'acteur se préparant par des exercices : « Videz-vous et atteignez le point zéro[47] », ou encore : « Pour atteindre l'énergie pure, débarrassez votre esprit de toutes les images[48] ». Il s'agit aussi d'« amener le public au point zéro et de le laisser se lever par lui-même, sortir de la vieille peau[49] », et cela « comme une résurrection. Une naissance[50] ». Il est même question, au-delà et collectivement, de faire retourner l'Histoire à ce point zéro d'où l'on pourra la re-faire, en re-créant la société et les rapports entre les hommes.

Tout se passe, semble-t-il, comme si le Living, dans une tentative radicale, avait voulu jouer cette « chance » de l'Amérique de pouvoir tout reprendre au début dont Éliade parle dans son journal. « Nous ne devons pas oublier », écrivait-il en 1963, « que les Américains n'ont pas encore une *histoire,* n'ont pas de racines. Du point de vue culturel, ils sont encore à la phase des pionniers et des émigrants : libres, disponibles. C'est leur grande chance : bien qu'ils descendent d'une culture occidentale, ils peuvent *tout reprendre au début* et créer quelque chose de *nouveau*[51] ». Ainsi le mythe de l'Adam américain si vivace chez les écrivains américains du XIXe siècle ne serait pas encore mort, pas plus que « la croyance qu'en Amérique l'humanité a une chance unique de *recommencer l'histoire*[52] ».

L'ambition profonde d'un spectacle comme *Paradise Now* est bien finalement celle d'« opérer une transformation complète du monde[53] », en répétant en quelque sorte l'acte cosmogonique. Si l'acteur et le spectateur doivent être « créateurs » ou « participer à la création[54] », c'est au sens fort du terme : en se révélant capables de refaire la création. La représentation théâtrale se veut pour ainsi dire investie des prestiges des rites de fondation cosmogonique, ces rites qui sont pour Éliade le modèle exemplaire de tous les rituels de rénovation ou de renouvellement[55].

Techniques de l'extase et besoin de symboles

Pour parvenir à cet état d'être où la création peut se refaire, le Living propose des pratiques diverses : l'usage de drogues, le rêve, le yoga, les ascensions symboliques... tout à fait parallèles à ces techniques de l'extase dont Éliade souligne la valeur de quête de l'Être. Les expériences du yogin ou du chaman, expériences existentielles exemplaires pour Éliade[56] sont les modèles mêmes qui règlent le travail de l'acteur du Living.

La nécessité d'une expérience extatique est affirmée très tôt dans la démarche du Living Theatre, dès 1961 : « Nous croyons en un théâtre qui soit le lieu d'une expérience intense, mi-rêve, mi-rituel, au cours de laquelle le spectateur parvienne à une compréhension intime de lui-même, allant au-delà du conscient et de l'inconscient jusqu'à la compréhension de la nature des choses[57]. » En 1962-1963, Julian Beck définit ainsi le but du Living : « accentuer le caractère sacré de la vie, agrandir le champ de la conscience, détruire les murs et les barrières[58] » — ces murs et ces barrières qui nous empêchent d'accéder à « l'ordre de l'illumination[59] », d'atteindre ce plan de « l'expérience révélatrice » sans lequel aucune transformation n'est possible. Des techniques susceptibles de permettre cet accès à un nouveau statut ontologique vont être nécessaires. Fournissant l'appui de symboles et de schémas fondamentaux, elles serviront de supports concrets au travail de l'acteur et à la communication avec le spectateur.

C'est aussi dès 1961 que Julian Beck exprimait le besoin, pour cette « expérience intense » que devait être le théâtre, d'un langage spécifique : « seuls, disait-il, la poésie ou un langage chargé de symboles et très éloigné de notre parler quotidien peuvent nous conduire au-delà du présent qui n'a pas la clef de la connaissance, vers ces royaumes[60]. » Plus tard, au moment des répétitions de *Paradise Now,* il se demandera comment « traduire l'ordre de l'illumination[61] ». En fait le langage de symboles capable de conduire au-delà du présent vers l'ordre de l'illumination va prendre la forme de ce symbolisme archaïque anthropocosmique cher à Éliade, et dont il fait le noyau des techniques spirituelles et des pratiques rituelles. Par là le travail des acteurs du Living répond parfaitement au vœu de Mircea Éliade de voir l'homme moderne retrouver, par une redécouverte du symbolisme archaïque, une nouvelle dimension existentielle. C'est bien ce « besoin pour l'homme de vivre en conformité avec le symbole, avec l'archétype[62] » — posé par Éliade (en continuité avec Jung) comme essentiel — que toute leur pratique réaffirme.

Syncrétisme et prédilection pour la voie tantrique

Pour satisfaire ce besoin de symboles, le Living fait appel à des sources diverses, assumant le choix d'un syncrétisme qui n'hésite pas à allier la Kabbale et le tantrisme, afin de construire un langage qui se rêve universel. Éliade ne désavouerait assurément pas ce syncrétisme, ni cette quête à travers lui d'un humanisme universel. Pour lui, en effet — il l'a souvent rappelé — il n'y a pas de rupture dans l'histoire de la mystique[63]. Les conclusions de son livre sur le chamanisme, tout comme le bilan de ses études sur le yoga, montrent clairement qu'à ses yeux, au niveau profond, toutes ces spiritualités et ces techniques de l'extase sont reliées par un même noyau symbolique universel. Lorsqu'il fait allusion à la Kabbale, dans le journal[64], c'est précisément pour marquer son lien au symbolisme archaïque, à ce noyau universel que l'homme moderne aurait, selon lui, besoin de retrouver pour se régénérer.

Qu'au-delà de ce syncrétisme la voie tantrique soit privilégiée dans les recherches du Living, voilà encore un choix qui est en harmonie avec les idées d'Éliade sur un dialogue nécessaire avec l'Orient, et l'apport possible des techniques du yoga. Dans son livre sur ces techniques, il insiste sur le caractère particulier du tantrisme dans le cadre plus général de l'expérience yogique[65]. Il souligne l'importance donnée par la pratique tantrique aux supports concrets de la méditation, et la place centrale accordée au corps. C'est avec les techniques du tantrisme, et en particulier le Hatha-Yoga et sa « physiologie mystique », que « la pratique yogique se révèle comme un instrument capable de conquérir la maîtrise absolue du corps, de ce corps que le tantrisme redécouvre et revalorise[66] ». Dans son journal, lorsqu'il est question de la restauration de l'homme occidental et de la nécessité pour lui de s'incarner, d'occuper son corps, Éliade rappelle que c'est là le sens de la pratique du yoga, que « l'Orient peut nous apprendre cette chose capitale : la conquête de notre propre corps[67] ». La valorisation du corps et la sacralisation de la sexualité qu'opère le tantrisme lui paraissent s'accorder tout spécialement aux besoins qu'expriment certains mouvements aux États-Unis. C'est là un des apports essentiels du dialogue possible avec l'Orient[68].

Au tantrisme, le Living va emprunter justement cette sacralisation du corps et de la sexualité. Il va reprendre sa vision d'un corps microcosme habité, comme l'univers, par des forces. La technique de l'acteur s'appuie sur la théorie des centres d'énergie ou « chakras », des localisations de forces dans les diverses parties du corps[69]. La région du sexe constitue le point central où se concentrent les énergies[70]. Ainsi donc, pour trouver un langage et une technique au service de la reconquête de leur propre corps et de ses forces créatrices, les acteurs du Living n'hésitent pas à utiliser des pratiques et une mythologie étrangères à la tradition de leur société. La nouvelle idéologie du corps d'un acteur réinvesti de toutes les valeurs mythiques s'appuie sur le matériel symbolique d'un ailleurs culturel auquel on demande en quelque sorte le salut. Ce salut viendra avant tout de la recherche, désormais possible, du centre.

Le symbolisme du centre

Dans le matériel symbolique que le Living emprunte, il valorise certains de ces « archétypes » fondamentaux autour desquels Éliade lui-même organise la pensée mythique : le centre, le cercle, l'Arbre cosmique, l'Axe du monde, l'échelle...[71]. Il ne s'agit pas seulement de faire référence au « mandala » tantrique avec son symbolisme du centre et du cercle[72], ou à la théorie des chakras. On va bien au-delà : rechercher son propre centre, c'est la clef de tout le reste ; la condition unique de la reconquête des pouvoirs créateurs par un individu qui, en trouvant le centre, aura retrouvé ses sources et son unité. « Trouver son centre[73] », c'est atteindre « cette concentration » qui « élimine toute division entre le corps et l'intellect. Cela clarifie tout et permet de tout intégrer au corps[74] ».

Dès *Mysteries*, le Living déjà avait privilégié les images du centre et du cercle[75] ; avec *Paradise Now*, le symbolisme du centre, devenu le noyau de tout un ensemble d'images scéniques, va donner son architecture au spectacle. Il est impossible de citer ici les innombrables utilisations du centre et du cercle[76]. Celle qui éclaire le mieux la valeur de ce symbolisme, c'est sans nul doute celle de l'échelon II : la référence à la notion de centre envahit tout au moment précis où il s'agit de découvrir « la destination » : « le paradis maintenant ». La vision de la conquête du centre coïncide avec le moment de la révélation[77]. Les commentaires donnés dans le livret précisent : « C'est la vision de la découverte du centre, de la cristallisation, de la clarification[78] » ; car « quand nous atteignons le centre nous apprenons la vraie réponse pour avoir posé la vraie question[79] ».

La vraie question, pour Mircea Éliade, c'est bien aussi celle du centre, dans la mesure où c'est celle de la renaissance, de la réactualisation dans ce centre du temps mythique, paradisiaque de l'origine. Il revient maintes fois dans son œuvre sur ce symbolisme du centre[80], pour montrer que tout rituel de recréation s'accomplit en un centre. Souvent, d'après les analyses d'Éliade, dans ce centre le symbolisme hiérocosmique place l'Arbre cosmique, l'Axe ou le Pilier du monde, ou encore l'Échelle sacrée. A la valeur du centre se joint alors un symbolisme ascensionnel, venu figurer la rupture de niveau ontologique, le mouvement d'accès à un nouvel être. C'est surtout dans l'étude du chamanisme qu'Éliade a longuement développé la signification de ces ascensions en un centre[81].

Or précisément, dans un spectacle comme *Paradise Now*, il n'est pas seulement question de centre mais aussi d'axe du monde, de Pilier central, d'Arbre cosmique[82]. Le déroulement même de la représentation est fondé sur un schéma ascensionnel : celui d'une progression par degrés avec franchissement d'échelons successifs. Un peu comme le chaman décrit par Éliade rétablissant, par ses ascensions symboliques, l'unité originelle entre le ciel et la terre, l'acteur et le spectateur, au terme du parcours de la représentation, doivent avoir restauré leur propre unité et celle d'un monde réconcilié.

Ainsi, à sa manière, le Living n'a pas répondu à travers sa pratique théâtrale à ce vœu de Mircea Éliade, rêvant dans son journal d'être lu par les poètes, les dramaturges...[83]. En effet : « Qui sait s'ils ne tireraient pas mieux profit de cette lecture que les orientalistes et les historiens des religions[84] ? » Peu importe de tracer la ligne exacte des influences ; ce qui compte c'est de saisir, par ce jeu de confluences entre Éliade, historien des religions et des praticiens du théâtre américain, la force d'un courant contemporain que l'œuvre de Mircea Éliade a largement contribué à nourrir, et qu'elle peut aussi nous permettre de mieux lire.

MONIQUE BORIE.

NOTES

1. Mircea Éliade, *Fragments d'un Journal*, Paris, Gallimard, 1973, p. 209.

2. Pour ce débat, voir en particulier la revue *Esprit* (novembre 1963), numéro consacré à : « La Pensée sauvage » et le structuralisme.

3. Mircea Éliade, *Fragments d'un Journal*, *op. cit.*, p. 388.

4. *Ibidem*.

5. *Ibidem*, p. 547.

6. Paul Ricœur, « Structure et herméneutique » in *Esprit*, *op. cit.*, p. 597.

7. *Ibidem* : « la pensée herméneutique s'enfonce dans ce qu'on a pu appeler *le cercle herméneutique* du comprendre et du croire, qui la disqualifie comme science et la qualifie comme pensée méditante. »

8. *Fragments d'un Journal*, *op. cit.*, p. 547.

9. *Cf. ibidem*, pp. 246-247, le texte écrit à Florence en septembre 1957.

10. *Cf.* en particulier « Symbolisme religieux et valorisation de l'angoisse » in *Mythes, rêves et mystères*, Paris, Gallimard Idées, 1957, ou encore *Fragments d'un Journal*, *op. cit.*, p. 195.

11. *Cf. Fragments d'un Journal*, *op. cit.*, p. 549.

12. *Ibidem*, p. 561 (texte de 1968).

13. *Ibidem*, pp. 439-440 (texte de 1963).

14. *Ibidem*.

15. *Ibidem*, p. 537 (texte de 1967).

16. *Ibidem*, pp. 565-566.

17. *Ibidem*.

18. Formules citées par Pierre Biner dans son livre *Le Living Theatre*, Lausanne, La Cité, 1968, p. 97.

19. Pour des détails concernant ces exercices, voir le livre de Jean-Jacques Lebel *Entretiens avec le Living Theatre*, Paris, Pierre Belfond, 1969.

20. *Ibidem*, p. 67, le sujet se sent « tiré de (sa) vie quotidienne ». *Cf.* p. 72.

21. *Ibidem*, p. 72 (à propos de l'exercice de Nona).

22. *Ibidem*.

23. *Ibidem*, p. 180, pp. 194 *sqq.*

24. *Cf.* le livret de régie de *Paradise Now : Paradise Now, collective creation of The Living Theatre*, New York, Vintage books, 1971, où la durée de la représentation est définie comme un « voyage », un itinéraire pour lequel on propose une « carte » au spectateur.

25. Déclaration de 1961, in *Theatre Arts*, déc. 1961.

26. *Fragments d'un Journal*, *op. cit.*, p. 392.

27. *Techniques du yoga*, Paris, Gallimard Idées, 1975, p. 283.

28. C'est-à-dire de 1963 à 1968. Pour une description détaillée de ces spectacles, voir le livre de P. Biner déjà cité et *Les Voies de la création théâtrale I*, Paris, C.N.R.S., 1970.

29. Julian Beck parle de « la machine de mort de cette société », *in* J.-J. Lebel, *Entretiens avec le Living Theatre, op. cit.*, p. 22.

30. Pour le détail des tableaux, voir P. Biner, *op. cit.*, pp. 82 et 89.

31. Dans ce spectacle de 1965 figurent plusieurs visions de mort collective ; à une Apocalypse I succède une Apocalypse II. Voir *Les Voies de la création théâtrâle I, op. cit.*, pour une description détaillée de ce spectacle.

32. Pour des détails voir, outre les livres cités, le livret du spectacle, *op. cit.*, en particulier p. 135 où les acteurs s'invitent eux-mêmes à « être écrasés par l'image de la mort, miment la chute collective dans la terre », etc.

33. Éliade, « Symbolisme religieux et valorisation de l'angoisse », *in Mythes, rêves et mystères, op. cit.*

34. *Techniques du yoga, op. cit.*, p. 284.

35. « Symbolisme religieux et valorisation de l'angoisse », *in Mythes, rêves et mystères, op. cit.*, p. 63.

36. Éliade, *in Techniques du yoga, op. cit.*, p. 284. (Il s'agit de conclusions où il replace les techniques du yoga dans le champ plus vaste des techniques universelles d'abolition du temps.)

37. Éliade, *ibidem*.

38. Ces deux termes reviennent sans cesse aussi bien dans les *Entretiens* avec Lebel que dans le livret de *Paradise Now*.

39. Cf. J.-J. Lebel, *Entretiens..., op. cit.*, p. 68.

40. *Ibidem*, p. 51.

41. *Ibidem*, p. 48.

42. *Ibidem*, p. 67.

43. *Ibidem*, p. 61.

44. Pour toutes ces formules, voir le livret de *Paradise Now, op. cit.*, en particulier pp. 6 et 7. L'expression « state of being » ou « State of Being » revient sans cesse.

45. *Ibidem*. On trouve également la même idée développée dans les *Entretiens*.

46. J.-J. Lebel, *Entretiens..., op. cit.*, p. 67.

47. *Ibidem*, p. 107.

48. *Ibidem*.

49. *Ibidem*, p. 72.

50. *Ibidem*.

51. Éliade, *Fragments d'un Journal, op. cit.*, p. 417.

52. *Ibidem*, p. 467, réflexions écrites à l'occasion de la lecture de *The American Adam* de R.W.B. Lewis.

53. Cf. *Entretiens..., op. cit.*, p. 147. *Paradise Now* apporte en quelque sorte la réponse à la question posée dès *Mysteries* : « Comment changer le monde ? » Il ne s'agit de rien moins que de le refaire.

54. Des formules de ce genre reviennent sans cesse dans les *Entretiens, op. cit.* Cf. également les déclarations rapportées dans le livre de P. Biner, *op. cit.*, pp. 93 et 96 : le public « partage l'aventure créatrice, il assiste à la création elle-même », car « le monde continue à se créer et c'est le devoir sacré de l'homme d'assister Dieu dans ce processus. »

55. *Cf. Aspects du mythe*, Paris, Gallimard Idées, 1963, le chapitre II où la cosmogonie est posée comme le « modèle exemplaire de toute situation créatrice » (p. 45) c'est-à-dire de tout rite de rénovation. *Cf.* aussi *Techniques du yoga, op. cit.*, où il déclare dans les conclusions : « D'ailleurs toutes les cérémonies de régénération — collective ou individuelle — ne sont rien d'autre que des décalques symboliques de la cosmogonie » (p. 283).

56. Voir en particulier *Techniques du yoga, op. cit.*, et *Le Chamanisme et les techniques archaïques de l'extase*, Paris, Payot, 1968.

57. In *Theatre Arts*, 1961.

58. Cité par P. Biner, *op. cit.*, p. 71.

59. *Cf. Entretiens...*, de J.-J. Lebel, *op. cit.*

60. In *Theatre Arts, op. cit.*

61. *Cf.* J.-J. Lebel, *Entretiens avec le Living Theatre, op. cit.*

62. Éliade, *Fragments d'un Journal, op. cit.*, p. 123.

63. *Cf. Le Chamanisme et les techniques archaïques de l'extase, op. cit.* Épilogue, p. 394 : « Il n'y a pas de solution de continuité dans l'histoire de la mystique. »

64. *Cf. Fragments d'un Journal, op. cit.*, pp. 504-505 : « Dans la Kabbale nous avons affaire à une *nouvelle* et *réelle* création du génie religieux judaïque, due au besoin de récupérer une partie de la "religiosité cosmique" étouffée et persécutée tant par les prophètes que par les rigoristes talmudiques postérieurs. Ce qui est significatif, c'est que la Kabbale remet en valeur les symboles et les images très anciens, "cosmiques"... »

65. *Cf. Techniques du yoga, op. cit.*, Chapitre IV.

66. *Ibidem*, p. 234.

67. *Cf. Fragments d'un Journal, op. cit.*, p. 46.

68. *Ibidem*, pp. 92 et 147. Éliade évoque ses discussions avec Bataille sur le tantrisme et fait allusion à un volume sur le tantrisme qu'il avait promis à ce même Bataille, à une certaine époque.

69. *Cf.* le livret de *Paradise Now, op. cit.*, pour l'utilisation de ces chakras et leur rôle dans l'itinéraire et la construction du spectacle.

70. *Cf. ibidem.* Ce n'est pas par hasard que l'étape essentielle du spectacle, celle qui correspond à la transformation, au renversement de l'histoire, est celle où le centre d'énergie mis en œuvre se trouve être précisément le sexe. (Voir la « carte » donnée au début du livret et les pages 72 et suivantes — description de l'échelon IV, échelon central du spectacle.)

71. Voir en particulier *Images et symboles*, Paris, Gallimard Essais, 1952.

72. *Cf.* livret de *Paradise Now, op. cit.*

73. J.-J. Lebel, *Entretiens, op. cit.*, déclaration de J. Beck, p. 107.

74. *Ibidem.*

75. *Cf.* en particulier la fameuse « corde circulaire », figure de la communauté et de l'unité primitives restaurées, dans laquelle le spectateur était invité à entrer. (Pour des détails, voir P. Biner, *op. cit.*, p. 85, le cercle formé, souligné par une lumière verticale...)

76. *Cf.* le livret du spectacle (indications récurrentes de l'utilisation du « centre de l'aire de jeu » — organisation d'images scéniques en cercles autour d'un centre aux échelons I, II, III, IV, etc.).

77. *Ibidem*, pp. 37 et suivantes.

78. *Ibidem*, p. 42.

79. *Ibidem*.

80. *Cf.* en particulier *Le Mythe de l'éternel retour*, Paris, Gallimard Idées, 1969, et *Images et symboles, op. cit.*, le chapitre intitulé « Le Symbolisme du centre ».

81. *Cf. Le Chamanisme et les techniques archaïques de l'extase, op. cit.*

82. *Cf.* livret, *op. cit.*, pp. 47 et suiv. l'arbre, la montagne, l'échelle, p. 102 le Pilier central, etc., et surtout vers la fin du spectacle la formation de l'Arbre par tous les acteurs, la référence à sa valeur symbolique dans la Kabbale, pp. 136, 146-147.

83. *Cf. Fragments d'un Journal, op. cit.*, p. 106. Ce désir est exprimé à propos de son livre sur le chamanisme.

84. *Ibidem*.

L'ANTHROPOLOGIE PHILOSOPHIQUE

I.P. Coulianou

Altizer a très bien décrit ce qu'on a nommé « la gloire de M. Éliade[1] ». En substance, il disait que pour la théologie la plus authentique de l'homme moderne, celle de la « mort de Dieu », l'œuvre d'Éliade a accompli l'espoir de démontrer que « les plus radicales expressions de l'existence profane vont coïncider avec les plus hautes expressions du sacré[2] ». Ce qui équivaut à dire qu'Éliade a réalisé une construction sur les ruines de ce que Nietzsche avait démoli. Et Altizer disait aussi qu'Éliade a emprunté « the tools of the doomed West » pour établir un dialogue entre le « sacré » et le « profane », dans l'espoir que « l'homme moderne sera né de nouveau par le contact avec le sacré archaïque[3] ».

La bibliographie sur M. Éliade en tant qu'historien et phénoménologue des religions est immense (en 1955 (!) seulement l'on parlait de « plusieurs centaines d'articles et d'études » dont la revue en question s'était procuré

135

80[4]). Le sujet sera passionnant pour le biographe, mais il nous suffit de rappeler ici la quasi complète nouveauté de ces études, le bouleversement des catégories traditionnelles. Le professeur U. Bianchi, qui a voulu lire et corriger une autre version de cet essai, admirait dans un de ses livres l'extraordinaire capacité d'Éliade à interpréter les faits religieux les plus singuliers, sans reculer devant aucune manifestation, fût-elle aberrante, du sacré. D'autres lui ont reproché une attitude trop « fataliste » peut-être, dans ce temps qui n'a que trop d'espoirs à brûler au nom du progrès. Mais notre ambition, comme nous l'avons déjà dit, est beaucoup plus modeste que celle d'épuiser les sources critiques. Nous avons réduit au minimum indispensable notre information, dans l'espoir d'y retourner un jour avec plus de compétence. Ce que nous voulons présenter, ce sont seulement quelques coordonnées de la création vaste et multiforme, tant de l'historien et philosophe des religions que de l'écrivain M. Éliade. En substance, il s'agit de démontrer plutôt la continuité que la discontinuité de ces deux formes d'expression interdépendantes et complémentaires[5]. Tout en tenant compte que l'activité de l'historien des religions est « de nature critique », tandis que les relations de l'écrivain « avec ses personnages sont de nature imaginaire[6] », que les deux états de création sont dans le même rapport que la « veille » à l'état « onirique » — le dernier, bien entendu, se traduisant dans des formes littéraires (roman, conte, théâtre[7]) —, nous croyons qu'en opérant une « démythologisation » de l'œuvre littéraire, l'on peut remonter jusqu'aux données de l'*anthropologie philosophique* tracée dans l'œuvre scientifique et philosophique. Le danger d'une telle « démythologisation » est celui de détruire l'autonomie de l'imagination créatrice devant les structures rationnelles proposées dans l'autre partie de l'œuvre d'Éliade. Nous chercherons à éviter ce danger, pour tenir toujours présent le « centre » même de sa personnalité, qu'on ne devrait, pour aucune raison, considérer comme scindée. Ce que nous proposons c'est donc une lecture de M. Éliade, l'écrivain, en utilisant les catégories spécifiques du philosophe Éliade. Nous aurions, sans doute, pu envisager cette démarche critique d'une façon diverse : par exemple de « bas » en « haut », du plan des unités syntagmatiques mineures jusqu'au « monde de l'auteur » (R. Ingarden). Mais dans ce type d'analyse, comme on le lui a souvent reproché, sous prétention de continuité il y a toujours un « saut » du plan morpho-syntactique au plan sémantique et, encore plus, de là au plan symbolique d'une œuvre. Nous nous trouvons, du point de vue critique, d'autant plus avantagés par le cas exemplaire d'un écrivain qui a « produit » des symboles que, d'un autre côté, le même procédait à une analyse dans un projet herméneutique tout à fait différent. Car, comme Éliade l'a souvent répété, l'univers des symboles est le même pour ceux qui les découvrent spontanément, qu'ils soient des hommes « archaïques » ou des créateurs modernes ; en ce sens, il est préexistant (l'on n'« invente » pas de nouveaux symboles ou, en tout cas, ils sont d'autant plus typiques que ces symboles sont les plus « connus », réactivés authentiquement) et limité. Il s'agit d'une zone impersonnelle que chacun porte en soi comme un monde « autre » que le monde diurne habituel, dont l'accès n'est pas sans risques et dangers.

Cet essai suivra un certain ordre, pour retrouver :

1. les données communes de l'œuvre littéraire et scientifique, l'anthropologie philosophique qu'on peut découvrir comme « Grund » de la *Weltanschauung* de l'écrivain ;

2. les grandes lignes de développement de l'œuvre littéraire de M. Éliade, de l'expérience à la connaissance et, par là, le rituel caché d'initiation qui constitue le « Grund » de chaque existence en tant qu'ouverte ontologiquement à l'être.

Une anthropologie philosophique

> L'existence humaine est comprise et assumée
> en tant que « récapitulation » de l'Univers ;
> mais aussi la vie cosmique est rendue intelligi-
> ble et significative dans la mesure où elle est
> saisie en tant que « chiffre » (*Nostalgie des ori-
> gines*, p. 274 : Hommage aux Kogis).

Selon Éliade, une sorte de « provincialisme » a empê-
ché la philosophie occidentale de traiter sérieusement
l'« expérience de l'homme ''primitif'', ressortissant aux
sociétés traditionnelles[8] ». Le langage mythologique,
symbolique et rituel est autonome, il peut être regardé
« comme impliquant une position métaphysique[9] ». L'ontologie archaïque transforme la mémoire historique dans
un événement impersonnel en usant des catégories symboliques paradigmatiques qui projettent cet événement
dans une zone sémantique *transpersonnelle*. Celle-ci est
la genèse du mythe[10]. Pour la conscience de l'homme
archaïque, le sacré est le seul « réel », tandis que le profane, c'est-à-dire l'existence immergée dans l'histoire
quotidienne, est l'« irréel[11] ». Vivre signifie pour l'homme
des sociétés traditionnelles se conformer à des « modèles
extrahumains », à des « archétypes », ce qui veut dire
« vivre au cœur du réel », car il n'y a rien de réel que les
archétypes[12]. La souffrance, inhérente à la condition historique, est située dans les sociétés traditionnelles dans
un système causal, elle est rendue tolérable en diverses
manières et ainsi elle devient une *expérience positive*[13],
dans le sens qu'elle sert comme une sorte de propédeu-
tique du détachement de l'homme, pourvu d'une dignité
surhumaine, de la condition humaine et du plan du temporel. L'ontologie archaïque refuse l'histoire[14], mais ce
refus a une valeur sotériologique : en comprenant sa
décadence historique, en acceptant qu'il est le contemporain du crépuscule, l'homme se peut racheter soi-
même en choisissant la liberté[15]. Or, la liberté c'est précisément « se soustraire à ce moment historique[16] » pour

accéder au monde des valeurs transhistoriques, attitude qui ne doit pas être considérée comme forcément pessimiste : en général, il s'agit d'un optimisme eschatologique anhistorique. Cette position de la « métaphysique traditionnelle » n'impliquerait pas, pour Éliade, comme on l'a récemment interprété[17], qu'elle nie la nécessité même de l'histoire. C'est seulement à travers le passage pénible d'un cycle historique que l'homme peut racheter définitivement la liberté. L'histoire est donc « utile », mais négativement. En cela, il faut admettre que la « métaphysique traditionnelle » est beaucoup moins nihiliste que les existentialismes modernes[18]. Dans le monde moderne, scindé entre la vision archétypale anhistorique et la conception historiciste post-hégélienne[19], la *liberté* se résume à l'option entre deux possibilités :

« 1. s'opposer à l'histoire que fait la toute petite minorité (et, dans ce cas, (l'homme) a la liberté de choisir entre le suicide et la déportation) ;

2. se réfugier dans une existence sous-humaine ou dans l'évasion. La liberté qu'implique l'existence ''historique'' a pu être possible — et encore dans certaines limites — au début de l'époque moderne, mais elle tend à devenir inaccessible à mesure que cette époque devient plus ''historique'', nous voulons dire plus étrangère à tout modèle transhistorique[20]. »

L'homme archaïque a la possibilité de régénérer périodiquement son histoire selon des schémas répétitifs et, en ce sens, il est plus « créatif » que l'homme moderne, historique. Même si une telle solution créative suppose comme négatif un certain « existentialisme » (c'est-à-dire un nihilisme historique, en certains cas acosmique), le projet de l'Orient, par exemple, implique aussi « *créer un homme nouveau* et (...) le créer sur un plan suprahumain, un homme-dieu, tel qu'il n'est jamais venu à l'imagination de l'homme historique de pouvoir en créer[21] ».

« En effet, quelle que soit la vérité touchant la liberté et les virtualités créatrices de l'homme historique, il est sûr qu'aucune des philosophies historicistes n'est à même de le défendre de la terreur de l'histoire. On pourrait encore imaginer une ultime tentative : pour sauver l'histoire et fonder une ontologie de l'histoire on considérerait les événements comme une série de ''situations'' grâce auxquelles l'esprit humain prend connaissance de niveaux de réalité qui, autrement, lui resteraient inaccessibles[22]. »

Le christianisme, la religion de l'homme moderne, historique, qui a découvert la liberté personnelle et le temps continu, irréversible, au lieu du « temps cyclique », périodiquement renouvelé, des sociétés traditionnelles[23], a proposé dans la *foi* une liberté créative d'intervenir même dans la constitution ontologique de l'univers[24]. « Le christianisme s'avère sans conteste la religion de l'''homme déchu'' : et cela dans la mesure où l'homme moderne est irrémédiablement intégré à l'*histoire* et au *progrès* et où l'histoire et le progrès sont une chute impliquant l'un et l'autre l'abandon définitif du paradis des archétypes et de la répétition[25]. »

Pour l'homme prémoderne, la « culture » avait une origine surnaturelle et sa fonction était de rétablir le contact avec le sacré et d'y absorber les énergies créatrices[26]. Celui qui avait accès à la « culture » était « justifié » par le *passage difficile* vers une condition surhumaine, marqué par les rites d'initiation (naturellement, nous devons trop schématiser la pensée beaucoup plus riche d'Éliade ; en tout cas, nous parlons ici seulement des initiations individuelles, de « high degree », comme les appelait Elkin)[27]. L'initiation était une *mort* à un état précédent d'ignorance et de relative irresponsabilité, pour accéder à une nouvelle condition : « Le passage du monde profane au monde sacré implique d'une manière ou d'une autre l'expérience de la mort : on meurt à une certaine existence pour accéder à une autre[28]. » Quelquefois, surtout dans les initiations chamaniques, le candidat « élu » par les entités surhumaines (nous rappelons qu'un chaman peut demander d'être initié *(the quest)* ou bien être « choisi » par les « esprits » même malgré soi), passe par une période de labilité psychique qui ne doit pas être considérée comme neuropathique : « l'obtention du don de chamaniser présuppose justement la solution de la crise psychique déclenchée par les premiers symptômes de l'"élection"[29]. » Ceux qui deviennent des chamans, c'est précisément parce qu'ils sont « guéris », qu'ils prennent à leur tour possession des « entités » qui s'étaient emparées d'eux[30]. La « maladie initiatique » et tous les *patterns* de l'initiation pourraient représenter la structure même de la vie spirituelle : « C'est comme si les scénarios de l'initiation étaient indissolublement liés à la structure même de la vie spirituelle. Comme si l'initiation était un processus indispensable à tout essai de régénération totale, à tout effort de transcender la condition naturelle de l'homme afin d'accéder à un mode d'être sanctifié[31]. » Les symboles religieux, les « figures » et les « thèmes » continuent à persister, dans l'homme moderne, au niveau de l'activité imaginaire et de l'expérience onirique. Dans la société désacralisée, l'expérience religieuse s'est transférée au niveau de l'inconscient. Mais sa fonction psychique essentielle continue. Ainsi pour les « patterns » de l'initiation : « on les reconnaît encore, à côté d'autres structures de l'expérience religieuse, dans la vie imaginaire et onirique de l'homme moderne. » « Mais on les reconnaît aussi dans certains types d'épreuves *réelles* qu'il affronte, dans les crises spirituelles, la solitude et le désespoir que tout être humain doit traverser pour accéder à une existence responsable, authentique et créatrice. »

« Même si le caractère initiatique des épreuves n'est plus compris comme tel, il n'en est pas moins vrai que l'homme ne devient lui-même qu'après avoir résolu une série de situations désespérément difficiles, voire dangereuses ; c'est-à-dire après avoir subi les "tortures" et la "mort", suivies du réveil à une autre vie, qualitativement différente parce que "régénérée". A bien y regarder, toute vie humaine est constituée par une série d'épreuves, de "morts" et de "résurrections"[32]. »

Dans l'anthropologie dualiste de Mircea Éliade, l'homme moderne est vu portant en soi le paradoxe d'une existence à deux niveaux différents et parallèles incompatibles entre eux pour la conscience de soi : d'une part, son niveau « historique », organisé selon un schéma d'adéquation à une situation aliénante et, de l'autre, son niveau « mythique », c'est-à-dire sa structure psychique profonde, organisée selon un schéma symbolique. Parce que ces deux plans sont scindés, l'intervention des profondeurs dans la vie de l'homme historique n'est pas sans risque : l'événement qui répare la fracture entre le plan personnel (le « complexe de l'ego »), profane (l'histoire personnelle comme *Alltäglichkeit*, son *uneigentliche Existenz*) et le plan transpersonnel, « sacré », est traumatique, il est une « rupture de niveau ». Cette anthropologie philosophique dualiste implique à l'extrême, comme on l'a observé[33], le fait que toute vraie réalisation humaine se pose en dehors de l'histoire et même contre elle : car la seule réalisation définitive, c'est d'atteindre le plan du sacré et de se laisser absorber en lui. Or cela correspond tout à fait à la conscience d'eux-mêmes qu'ont eue les plus grands artistes de notre époque : écrivains, artistes plastiques, musiciens, qu'il serait trop long de nommer seulement par leurs représentants les plus illustres. La condition de la vraie création artistique présuppose la recherche solitaire et, maintes fois, désespérée, d'une zone transhistorique (la « transcendance vide », disait, non sans raison, H. Friedrich — car cette zone ne se laisse pas forcer, elle reste silencieuse et inaccessible), dénuée du contact avec le contingent, « pure » : la « page blanche » de Mallarmé, la tache de blanc sur blanc en peinture...

C'est par l'intervention du discours « secret » du mythe que l'expérience historique est revalorisée par une espèce de « foi absurde » : être dans le monde, c'est la seule possibilité de regagner le plan du sacré, arrive à penser Stéphane Viziru, le héros (ou l'anti-héros) de *Forêt interdite*, en formulant, du reste, une méditation des journaux d'Éliade. Autrement dit, être dans le monde est une expérience bien pénible, mais s'évader du monde par un moyen autre (par exemple le suicide) que celui de s'éle-

142

ver librement vers le sacré, ne sert qu'à condamner l'être à ne plus jouir de l'unique possibilité de réintégration dans le niveau ontologique après lequel il languit[34]. La raison de la résistance dans l'histoire que se donne le personnage d'Éliade n'est pas moins valable (mais moins « absurde », dans ce système cohérent de justifications) que celles de Kierkegaard ou de Camus.

Le dualisme ontologique (sacré/profane) et anthropologique d'Éliade, ainsi que son « amoralité[35] » et la valeur ontologique qu'il assigne à la connaissance[36], nous autorisent à le classer, à côté de Jung, parmi ceux que G. Quispel appelait « les représentants modernes de la gnose », en tant que possibilité déterminée de concevoir l'être dans le monde et ses rapports avec les valeurs transhistoriques[37].

Dans le peu de références à seulement quelques livres de la création si vaste d'Éliade, nous voulions toucher à deux points d'intérêt : d'une part le fait que l'homme moderne historique continue à vivre inconsciemment selon les mêmes catégories que l'homme prémoderne, d'autre part que sa vie inconsciente est structurée selon un schéma d'initiation implicite dans son contact avec l'histoire. S'il nous est permis de le dire, l'on pourrait formuler ainsi cette situation : *l'homme moderne subit l'ordalie de l'histoire, il est inconsciemment « initié » à l'existence responsable par le fait même de son historicité.* Cela quant à son « initiateur » ; quant aux contenus de l'initiation, nous avons vu plus haut que ce sont les mêmes « épreuves », le même scénario de mort et résurrection qui étaient traduits dans des rites par les peuples archaïques, qui reviennent dans son expérience onirique. La structure profonde de la vie psychique de l'individu est réglée par les mêmes *patterns* qui, autrefois, constituaient les modèles paradigmatiques de l'existence humaine, les « archétypes », et qui lui étaient transmis, avec piété et crainte, dans le langage murmuré des mythes. Les rapports sont, évidemment, inverses : ce qui constituait la surconscience d'un clan, est l'inconscient d'un individu ou d'un groupe.

Un pied dans deux mondes

> « Je pense être le seul pour qui les échecs
> répétés, les souffrances, les mélancolies, les
> désespoirs peuvent être dépassés au moment
> où, par un effort de lucidité et de volonté, je
> comprends qu'ils représentent, au sens con-
> cret, immédiat de ce terme — une descente
> aux Enfers. Dès que l'on « comprend » qu'on
> est en train de réaliser cet égarement labyrin-
> thique en enfer, on sent à nouveau, décuplées,
> ces forces spirituelles que l'on croyait avoir
> perdues depuis longtemps. A cet instant-là,
> toute souffrance devient une « épreuve » initia-
> tique. » (*Fragments d'un Journal*).

Quand Éliade ne s'intéressait pas encore à Gide, on avait dit de lui qu'il était un gidien[38] ». Or, l'épithète de « gidien » ne lui convenait pas[39]. L'éloge de l'expérience, la « soif d'authenticité » d'Éliade et son *Umwertung* de toute valeur établie dépassent la position de Gide. Il s'agit de mettre en doute l'existence même et ses fondements, pour « réinventer tout » de nouveau. C'est comme ça qu'il faut comprendre la découverte de l'Inde de la part du jeune homme exceptionnellement doué qui s'imposait une rigoureuse discipline mentale pour « dépasser la condition humaine », avec tous les risques et dangers de cette entreprise. Son idéal était le « saint », mais un saint « à l'indienne », qui puisse découvrir graduellement, par une technique précise, les niveaux supposés de l'être. Sans aucun *credo* préalable.

Plus tard, de cette expérience resta l'effort d'obtenir « une connaissance théorique du monde[40] ». Or, la con-naissance ne peut avoir de valeur sotériologique immé-diate, d'où le « drame » qui en résulte. L'expérience est le fondement de la connaissance ; l'expérience arrive à démolir le langage habituel[41]. Qu'est-ce qu'elle remet à sa place ? Et où réside la *valeur* de la connaissance ?

La connaissance établit la hiérarchie de l'expérience ; il n'y a que deux expériences privilégiées, qui mettent directement l'homme en contact avec le « mystère de la totalité » : l'amour, comme quête de la totalité, et la mort comme « signe de lumière[42] », fusion dans le tout. La mort de Birish dans la *Forêt interdite* et la « liturgie cosmique » du folklore roumain[43]. Mais la connaissance a aussi le rôle de détacher le sujet de l'objet, d'assurer l'être contre le sacrifice de soi. De l'assurer contre sa propre expérience. C'est, aussi, l'étrange pacte faustique qu'on retrouve dans l'œuvre d'Éliade : ne jamais être complètement « embarqué » dans quoi que ce soit, ne jamais dire à l'instant *verweile doch*... C'est l'homme moderne qui parle ici, mais un homme moderne qui a transfiguré ses possibilités d'être dans la perspective d'un « pari » essentiel. Or, ce que Faust avait et que l'homme moderne n'a pas, c'est précisément le privilège d'un « pari ». Éliade est ouvert à des horizons que l'homme moderne avait abandonnés depuis les temps ambigus qui avaient décidé de l'avenir culturel de l'Europe moderne. L'Europe des platoniciens, pythagoriciens, magiciens, alchimistes, kabbalistes et hermétiques avait été vaincue par l'Europe de Galilée, Descartes et Newton. L'aspiration vers la totalité à travers la « voie difficile » de l'initiation s'était perdue. Comme observait E. Garin, la science aurait encore pu suivre cette voie, et l'on aurait eu aujourd'hui, à la place des techniques, des « magiciens ». Mais la science quantitative s'est imposée de justesse et, comme tous les vaincus, l'autre possibilité a été condamnée au ridicule et à l'oubli. A l'hostilité européenne de vouloir y trouver quelque valeur que ce soit, Éliade et d'autres se sont heurtés plus d'une fois. Éliade s'y est heurté en Roumanie comme en Occident. Et puis il s'est trouvé plus d'une fois partagé entre deux mondes : exilé roumain en France, livré au chantage le plus infâme, celui de la « mort civile » ; déjà avant, il confesse s'être senti peu porté vers l'exceptionnelle aventure intellectuelle qui devait l'avoir comme protagoniste : il devait faire d'immenses efforts pour combattre ses prédispositions mélancoliques, qu'il retenait d'héritage moldave[44]. Messager de l'Orient en Occident, comme Altizer le considère, voilà tant de raisons pour dire qu'il a « un pied dans deux mondes ». Ceci reste valable aussi pour ses personnages littéraires et pour la structure même de son « monde » littéraire et de son anthropologie philosophique. Nous avons vu qu'une des préoccupations obsédantes de l'écrivain c'est de détecter le miracle dans le monde désacralisé. Un « autre » monde, parallèle au nôtre, se manifeste par des intrusions dans la vie quotidienne. Quelquefois, ces irruptions sont maléfiques, comme dans le roman *Domnisoara Christina*, récit qui fait appel à toutes les recettes démonologiques du folklore roumain[45]. Pour se débarrasser des messagers incommodes de ce monde, le personnage, qui n'est pas un héros, mais un « homme moderne », forcé par l'évidence d'accepter la manifestation des forces surnaturelles, est contraint d'agir selon la « logique » même de ces manifestations : il enfonce un pilier dans le cœur du vampire, selon les recommandations traditionnelles (ce folklore est passé aussi dans des actes officiels du gouvernement de la Transylvanie).

Par les efforts de R. Caillois et d'autres savants européens, nous connaissons aujourd'hui beaucoup mieux le fantastique pendant les siècles ; et nous pouvons dire qu'à Éliade revient une place marquante dans la littérature fantastique moderne. L'on a beaucoup écrit sur cette partie de sa création, et il serait inutile d'insister sur ce point[46]. A notre avis, une étude structurale pénétrante de la littérature fantastique d'Éliade est celle de S. Alexandrescu, bien que nous ne soyons pas d'accord avec ses conclusions sur le fantastique « serein », solaire, d'Éliade.

Le conte *Le Serpent*, qu'Éliade considère comme le meilleur, a été écrit, selon son propre témoignage, sans consulter aucune source littéraire. L'auteur l'a élaboré traîné par l'inspiration, la fatigue, l'élan de la jeunesse et le devoir envers l'éditeur. En écartant les autres indications comme secondaires, il faut retenir l'indication sur la nature irrationnelle du travail artistique. De cet « emportement » nocturne naît une des plus belles fables

146

de la littérature roumaine moderne. Il faut conclure que ce fut la tâche de l'inconscient de lui fournir des schémas que l'expérience a complétés avec les données matérielles du récit (les lieux, les comportements, etc.). Et toutefois, dans le langage de l'« autre », de l'historien des religions, les faits étaient « codifiables » : il s'agissait de quelqu'un qui, en ayant récupéré en quelque sorte sa condition « naturelle », tout en vivant dans le monde éteint qu'on appelle « civilisé », était conscient de l'homologie psycho-cosmique et pouvait agir sur les divers êtres qui l'entouraient ; il s'agissait aussi de l'*événement* qui, par une « rupture de niveau », transportait la « quotidienneté » dans le mystère ; il s'agissait de la transfiguration par l'amour : en dépouillant ses vêtements dans une sorte de « nudité rituelle » qui marquait l'abandon des éléments conventionnels et inauthentiques de l'histoire, la femme rejoignait avec l'homme-serpent Andronic une espèce d'île paradisiaque. L'on dirait que tous les éléments de l'espace (y compris l'île) étaient localisés, qu'il s'agissait, donc, d'une interférence *hic et nunc* d'un autre niveau de l'existence, où les liaisons psycho-cosmiques étaient retenues possibles : un « retour aux origines » s'était effectué par quelque mystérieux processus qui avait réuni deux ordres, habituellement scindés, de la nature. L'on voit quelques réminiscences du conte d'Eminescou *Cezara*, mais, bien que situé dans un coin de l'Europe moderne, le récit d'Éliade témoigne de la même fascination de l'Inde théosophique et tantrique que, sur un autre plan, *Minuit à Serampore* et *Le Secret du docteur Honigberger*. Pour venir aux témoignages indiens, il faut rappeler que d'autres écrits parlent d'un contact plus brutal avec une Inde scindée entre tradition et occidentalisation *(Santier, Maitreyî)*. Les relations d'Éliade avec la tradition indienne ont été analysées bien que sans connaissance de première main sur la question. Il faut dire que, depuis Honigberger et le saint (rsi) moldave Alecu Ghika (arrivé en 1858 à Puri, près de Bhubaneshwar, sur la côte orientale de l'Inde, sanctifié dans le temple de Visnu et mort probablement en Kashmeere), l'attraction exercée par l'Inde sur les Roumains a été continuée par des personnalités isolées (parmi lesquelles il faut compter aussi Eminescou), dont Éliade est un des derniers et le plus illustre représentant. D'autres se sont occupés avec compétence de ce problème, mais le chapitre fondamental sur Éliade n'a pas encore été écrit. Sur cette partie de sa vie, notamment sur les mois vécus à Rishikesh, dans l'*âshrâm* de Shrî Shivânanda, les *Mémoires* d'Éliade sont presque muets.

Pour beaucoup de raisons on peut appeler l'Éliade des créations fantastiques un « romantique » à plein titre. S'il n'a pas été séduit par « la chair, la mort et le diable », côté qu'il comprend pourtant comme une « nostalgie du préformel », une des expériences, confuses et aberrantes, de la totalité, on ne peut pas écarter toute influence, sur lui, de la *Nachtseite* romantique, de l'expérience du rêve qui fascinait l'« âme romantique » allemande. Une dernière remarque s'impose. On n'a jamais révélé ce que, pour la création du savant et de l'écrivain, aurait représenté la philosophie de la Renaissance italienne. Il l'a comprise beaucoup mieux, dans son concept de *coincidentia oppositorum*, que M. Foucault par exemple, qui considérait le discours de la science pendant la Renaissance et le siècle suivant comme condamné à un *regressus ad infinitum* dans sa recherche des « similitudines » et « signaturae rerum », des homologies cosmiques. Or, pour l'entière expérience de la Renaissance, le concept de *coincidentia oppositorum* est la vraie clef. Ce discours condamné au *regressus ad infinitum* voit tout d'un coup abolies les distinctions entre le signifiant et le signifié. Nous ne voulons pas nous lancer dans des considérations trop savantes, mais nous pourrions voir là tout le chemin qu'allait suivre Éliade. Ce qu'on a dit, plus haut, sur la technique de la divination qui pourrait expliquer son œuvre littéraire de la maturité, Éliade aurait pu le trouver dans la méthode scientifique même de la Renaissance. Il serait long, beaucoup trop long, de démontrer la liaison possible entre le traité de Campanella *De sensu rerum ac magia* et la technique littéraire d'Éliade, l'analogie entre ce traité, qui parle des homologies cosmiques et des « vertus » contenues dans toutes les parties de la nature vivante, et le concept même de hiérophanie dans l'œuvre d'Éliade. Ceux que l'on peut vraiment plaindre, ce sont les chercheurs (très peu, d'ailleurs) qui s'occupant de la philosophie et de la science de la Renaissance ne connaissent pas l'œuvre d'Éliade, qui leur révélerait des aspects surprenants dans leur recherche souvent monotone sur l'influence d'un passage d'Aristote ou de Platon. On ne voit que des arbres, mais l'on ne voit plus la forêt.

I.P. COULIANOU.

NOTES

Les symboles utilisés pour les œuvres de Mircea Éliade sont :
MS = *Mythes et Symboles* (1969)
MER = *Le Mythe de l'éternel retour,* Paris, 1969
NM = *Naissances mystiques,* Paris, 1959
AM = *Aspects du mythe,* Paris, 1963
SP = *Le Sacré et le Profane,* Paris, 1965
FJ = *Fragments d'un Journal,* Paris, 1973
  Revues :
« CD » = *Caete de Dor* (Paris)
« FR » = *Fiinta Româneascà* (Paris)
« RSR » = *Revista Scriitorilor Români* (München)

  1. V. Ierunca, *Gloria lui M.E.,* « FR », 5 (1966), pp. 120-121.
  2. Th. J.J. Altizer, *M.E. and the Dialectic of the Sacred,* Philadelphia, 1963, pp. 17-18.
  3. *Ibidem.*
  4. « CD », 5 (1955), p. 73.
  5. V. Ierunca, *in* MS, pp. 343, 345-346 ; G. Spaltmann, *in* MS, pp. 371-372 ; G. Uscatescu, *in* MS, p. 398. Mais Éliade même énonce une radicale continuité de son œuvre : FJ, p. 400 (13.4.1962), incité par *Point de vue de l'auteur sur son œuvre* de Kierkegaard : « Si j'écrivais un jour une interprétation similaire de mes livres, je pourrais montrer : a) qu'il existe une unité fondamentale de tous mes ouvrages ; b) que l'œuvre scientifique illustre ma conception philosophique, à savoir qu'il existe un sens profond et significatif dans tout ce qu'on appelle « religion naturelle » et que ce sens intéresse directement l'homme moderne. »

6. FJ, p. 116 (3.11.1949 ; *cf.* « CD », 5 (1955), 11 ; V. Ierunca, *in* MS, p. 346).

7. *Ibidem*.

8. MER, p. 10 ; *cf.* aussi *Critique*, 1948 (23), maintenant dans E. De Martino, *Il mondo magico*, Torino, 1973, p. 311, etc.

9. MER, p. 14.

10. MER, pp. 48 *sqq.*

11. MER, p. 109.

12. MER, pp. 104 *sqq.*

13. MER, pp. 113 *sqq.*

14. MER, p. 138.

15. MER, p. 140.

16. MER, p. 154.

17. MER, p. 155. *Cf.* ma recension à M. Meslin, *Pour une science des religions*, Paris, 1973, à paraître dans *Aevum* (Milano).

18. La même opinion a été exprimée, pour ce qui concerne les gnostiques et leurs systèmes nihilistes, par H. Jonas *(Gnostic Religion[2], Boston, 1963).

19. MER, p. 171.

20. MER, p. 181 ; AM, pp. 88-89.

21. MER, pp. 181 *sqq.* (183).

22. MER, p. 184.

23. MER, p. 186.

24. MER, pp. 185-186.

25. MER, p. 187. Pour ce qui regarde le christianisme comme *religion*, comme il est encore pratiqué dans les milieux monastiques, il nous semble que le temps cyclique n'a pas été aboli. Il est vrai que les modernes (depuis la deuxième moitié du xvie siècle) ont accentué plutôt l'aspect idéologique et moral du Christianisme que son aspect liturgique, création assez tardive (ve s.) ou, en tout cas, post-évangélique. Mais cela n'implique peut-être pas qu'il n'y ait encore, dans les milieux monastiques, un « Christianisme cosmique ». En tout cas, jusqu'au xviie siècle, les grandes créations artistiques et littéraires du Christianisme témoignent encore de cet esprit. Il faut, peut-être, accentuer l'immense *perméabilité* du Christianisme aux valeurs œcuméniques au niveau surtout populaire, ce que M.E. a, d'ailleurs, toujours fait (*cf.* pour le folklore roumain, la note 43).

26. NM, p. 11.

27. NM, pp. 10, 216-217, 268.

28. NM, p. 35.

29. NM, p. 191.

30. NM, p. 191.

31. NM, p. 239.

32. NM, pp. 262-263.

33. *Cf.* note 17.

34. L'attitude de M.E. dans ses *Houligans* était bien diverse.

35. « CD », 88 (1954), p. 25 ; V. Ierunca, *in* MS, p. 353, n. 44.

36. *Fragmentarium*, p. 85 ; Ierunca, *in* MS, p. 359.

37. *C.G. Jung u. die Gnosis, in Eranos Jahrbuch*, 37 (1968), pp. 277-298 ; *cf.* note 17 ci-dessus et aussi FJ, p. 349 sur la remarque de E. Voeglin (3.11.1960). Sans doute, ces typologies sont sujettes à caution.

38. « CD », 7 (1953) ; Ierunca, *in* MS, p. 344.

39. M. Lovinescu, *in* « FR », 2 (1964), p. 112.

40. *Fragmentarium*, p. 85.

41. Ierunca, *in* MS, p. 357.

42. *Ibidem ; cf.* FJ, p. 220 pour la « renovatio » de Stéphane (« CD », 13, 1960, p. 27 ; 26.6.1954).

43. *Destinul culturii românesti* (La Destinée de la culture roumaine), *in Destin*, 6-7 (1953) (Madrid), pp. 19-32 (28 *sqq.*), sur la « christianisation du cosmos » et la « liturgie cosmique » dans le folklore roumain.

44. *Amintiri (Mansarda)*, pp. 19-20.

45. Ce conte « noir » infirme la théorie de S. Alexandrescu (*M.E. si dialectica fantasticului*, in M. Éliade, *La tigànci si alte povestiri*, Bucarest, 1969, XL) sur le fantastique « serein » de M.E. ; mais le même a sans doute raison en comparant (XII) *Mademoiselle Christine* avec *The Turn of the Screw* de H. James.

46. Ierunca, *in* MS, p. 347 ; Spaltmann, *in* MS, pp. 376 *sqq.* ; Uscatescu, *in* MS, pp. 402-404 ; Alexandrescu, *op. cit.*, etc.

L'AMER FESTIN

OU HISTOIRE DES RELIGIONS ET SPIRITUALITÉ

Pierre Pasquier

Tchouang-tseu raconte qu'un oiseau des mers, chassé par la tempête, quitta jadis ses lointains rivages, se fourvoya jusque dans les faubourgs de la capitale de Lou et finit par s'abattre sur le seuil du palais, épuisé, ruisselant. Aussitôt averti, le prince accourut en personne afin de s'enquérir des conditions de ce périple et conduisit l'oiseau au temple des ancêtres où fut célébrée une grande fête en son honneur. Les musiciens de la cour jouèrent de la musique Kieou-chao, les prêtres lui offrirent le grand sacrifice et immolèrent un bœuf, un porc et un mouton. Mais l'oiseau, ébloui par ce festin et navré par cet accueil, ne toucha pas aux viandes et ne goûta pas aux vins. Trois jours plus tard, il mourut de soif et de faim. Et Tchouang-tseu[1] ajoute qu'il ne serait peut-être pas mort si le prince, au lieu de le convier à quelque somptueux festin, l'avait rendu à la forêt profonde et à ses obscurs marécages, lui avait offert quelques fruits, encore vifs, de cette eau fangeuse où prospèrent les poissons mais périssent les hommes. L'histoire des religions aurait-elle commis une erreur semblable à celle du prince en posant au phénomène religieux d'inacceptables conditions, en le plaçant dans un contexte qui lui demeure totalement étranger et en lui ôtant ainsi toute profondeur et toute vie ? Mircea Éliade, constatant que la découverte, au siècle dernier, des principaux textes sacrés du bouddhisme et de l'hindouisme n'a suscité ni « création culturelle d'envergure[2] » ni « renouvellement radical de la pensée occidentale[2] », s'est souvent interrogé sur cette apparente stérilité culturelle de l'histoire des religions. Faut-il invoquer l'éclipse de la métaphysique, la « concentration excessive des orientalistes sur la philologie[3] » ou l'absence d'un Nietzsche qui se serait consacré à l'étude du sanskrit et de la pensée indienne[4] ? Ou faut-il plutôt admettre que l'historien des religions ne parviendra pas à « rendre la signification des documents religieux intelligible à l'homme moderne[5] », à lui suggérer la prodigieuse fécondité « d'expériences aussi étrangères que celle du chasseur paléolithique ou du moine bouddhique[6] », tant qu'il n'aura pas doté sa discipline d'une herméneutique qui lui soit propre ?

I

Pouvait-on effectivement édifier une science sur le scepticisme et l'ironie ? Les dispositions implicites de ceux qui fondèrent l'histoire des religions ne sauraient tromper à cet égard. La naissance de cette nouvelle discipline scientifique coïncide en effet avec l'essor du scientisme et l'expansion du positivisme. Mircea Éliade rappelle opportunément que les *Essays in Comparative Mythology* de Max Müller ne parurent que quatre ans après le *Catéchisme positiviste* d'Auguste Comte (1852), un an après le *Kraft und Stoffe* de Ludwig Büchner (1855) et trois ans avant l'*Origin of Species* de Darwin (1859). A peine éclose, l'histoire comparée des religions était probablement la seule discipline scientifique à douter à la fois de la spécificité de sa méthode et de la réalité même de son objet. Qu'elle assure que le mythe naît d'une altération du langage ou s'efforce de conférer une âme à la nature, son histoire ne tarde guère à se confondre avec l'archéologie des préjugés et des effrois de l'Occident. Il n'y a d'ailleurs qu'un savant occidental moderne pour s'interroger sur l'origine de la religion ou la nature du sacré ! L'histoire des religions n'en est certes plus à ses premiers balbutiements et les mentalités ont depuis lors considérablement évolué. Pourtant le scepticisme positiviste n'a pas complètement disparu, même si la plupart des historiens des religions conviennent maintenant volontiers que l'immatérialité de l'expérience religieuse n'autorise nullement à conclure à son irréalité[7]. La perspective critique s'est seulement déplacée pour tenter de ruiner la spécificité du fait religieux, faute de pouvoir lui dénier tout caractère effectif. L'ironie positiviste joue ainsi double jeu : d'une part, elle réduit, par exemple, le rythme cosmique à la simple périodicité des récoltes ; d'autre part, elle restreint les phénomènes religieux qui le ponctuent aux étroites dimensions de leur contexte historique, linguistique ou social[8]. Même Mircea Éliade, pourtant convaincu que toute démystification[9] pervertit inévitablement l'herméneutique, s'efforcera d'engager l'historien des religions, dans le cas de l'universel symbolisme du centre, à « prendre cette croyance au sérieux », à en dégager toutes les « implications cosmologiques, rituelles et sociales » et enfin à essayer de « comprendre la situation existentielle d'un homme qui se croit situé au centre du monde[10] ». Qui se croit... Mais il reste bien entendu qu'il ne saurait effectivement s'y trouver ! Toutes les hypothèses sont possibles, sauf celle qui ruinerait l'ironie positiviste, sauf celle qui livrerait la clef de l'ivresse extatique. Curieusement, l'homme moderne semble spontanément accorder beaucoup plus de crédit à n'importe quelle fracassante innovation esthétique ou philosophique qu'à une vénérable tradition, quand bien même aurait-elle assuré l'équilibre et l'harmonie d'une société pendant des siècles.

II

Tout se passe comme si l'histoire des religions s'était appliquée à nier constamment la spécificité de sa méthode et l'irréductibilité de son objet, à récuser par avance toute occurrence d'un fait religieux pur, exempt de toute implication sociale ou historique. Durkheim considéra la religion comme la résultante de l'expérience sociale et Lévy-Bruhl la mentalité primitive comme une pensée pré-logique. Freud se crut autorisé à fonder l'expérience religieuse sur le parricide primordial et Jung à réduire le symbolisme aux archétypes de l'inconscient collectif. Comme le rappelle Mircea Éliade, ces hypothèses, aussi téméraires qu'aléatoires, se heurtèrent certes au constant scepticisme des ethnologues. Et de Goldenweiser à Schmidt, en passant par Rivers, Boas et Malinowski, les voix ne manquèrent pas pour dénoncer autant la modicité des matériaux que la précocité des conclusions[11]. Il reste que ces spéculations, en dépit ou peut-être à cause de leur évidente facture de stratagème, abusèrent le public et certains secteurs du monde scientifique. Depuis, certains, sans plus s'interroger sur la pertinence ou la fécondité de cette démarche, s'avisent d'introduire Œdipe dans les savanes africaines ou les rapports de production dans le coudoiement rituel. On saura donc gré à Mircea Éliade d'avoir tenté de restaurer l'équilibre nécessaire à l'harmonieuse insertion du phénomène religieux dans son contexte historique, tout en préservant sa pleine intégrité spirituelle. Nul ne songe évidemment à nier que le fait religieux revêt des aspects historiques, sociologiques ou psychologiques. Mais la confusion naît lorsque l'historien des religions favorise l'un de ces aspects au point de considérer les autres comme irrémédiablement secondaires, voire négligeables ou illusoires[12]. Et Mircea Éliade n'aura de cesse de fustiger ceux qui livrent le phénomène religieux aux assauts impérieux de la psychologie, de l'économie ou de la linguistique[13]. Prétendre l'expliquer par les « traumatismes infantiles, l'organisation sociale ou la lutte des classes[14] » revient, selon lui, à le trahir et à taire « justement ce qu'il y a d'unique et d'irréductible en lui », c'est-à-dire son « caractère sacré[15] ». Alors, par l'inadéquation de la méthode à l'objet, l'histoire des religions pose des questions qui n'ont aucun sens pour l'homme religieux ou primitif qu'elle interroge, et recueille des réponses qui en ont encore moins. Il arrive même à Mircea Éliade de reprocher, sous le couvert de la future autorité des historiens des religions « issus des sociétés tribales australiennes, africaines ou mélanésiennes », aux savants occidentaux leur surprenante « indifférence aux échelles de valeur indigènes[16] » et de s'interroger sur les prémisses d'une science qui s'est faite trop souvent « l'apologète camouflée de la culture occidentale[17] ». Paradoxalement, les « ethnologues progressistes[18] », en s'attachant presque exclusivement à l'étude des « aspects matériels des civilisations », tels que la structure familiale, l'organisation sociale ou les lois tribales[19], sont probablement les ultimes « défenseurs de la suprématie absolue de la culture occidentale[20] ».

III

Mais, s'il s'oppose à toute réduction de l'expérience religieuse à des « formes de comportement non religieuses » ou à une quelconque « histoire économique, sociale et politique », Éliade n'en assure pas moins qu'aucun phénomène religieux ne saurait être « compris en dehors de son histoire ni appréhendé en dehors de son contexte culturel et socio-économique[21] ». Il convie donc l'historien des religions à découvrir les « situations et les positions qui ont induit ou rendu possible l'apparition ou le triomphe "de telle ou telle forme religieuse" à un moment particulier de l'histoire[22] ». Mais comment reconstituer l'histoire d'une forme religieuse sans s'interroger sur la nature de l'historicité du phénomène religieux ? Cette question en suscite nombre d'autres dont chacune est d'importance. La religion est-elle un phénomène exclusivement historique ? Le temps de l'expérience religieuse est-il le même que le temps historique ? L'histoire pratiquée par l'Occident moderne a-t-elle nécessairement une valeur universelle ? Et le mérite de Mircea Éliade fut sans doute d'avoir posé toutes ces questions mais aussi d'avoir su douter des réponses que l'histoire des religions leur avait jusqu'alors apportées. Ainsi, tout en convenant volontiers que le phénomène religieux est aussi un phénomène social, psychologique ou historique, il affirme cependant que le « fait qu'un mythe ou un rituel soit toujours historiquement conditionné » ne suffit pas à justifier son existence[23]. Parfois, il avoue même qu'il arrive à l'historien des religions de regretter de « travailler exclusivement avec des documents historiques », comme s'il pressentait qu'ils lui disent « quelque chose de plus que le simple fait qu'ils reflètent une situation historique » peut-être quelque « vérité importante sur l'homme et la relation de l'homme avec le sacré » dont il demeure impuissant à saisir le sens profond[24]. De même, s'il confirme souvent l'historicité du fait religieux en soutenant qu'il « se produit dans le temps historique et qu'il est conditionné par tout ce qui a lieu auparavant[25] », il n'en semble pas moins quelquefois tenté de le considérer comme résolument « suprahistorique[26] ». Ses propres travaux sur l'actualisation rituelle cyclique du mythe[27] montrent d'ailleurs que, dans une civilisation traditionnelle ou archaïque, toute activité humaine n'est que pure et simple reproduction de « ce que les dieux firent au commencement[28] », répétition rituelle des actes d'une geste primordiale, des épisodes d'une « histoire paradigmatique[29] ». L'expérience religieuse défie toute historicité, ne serait-ce que par le rite dont la fulgurance lacère et embrase l'histoire, ne serait-ce que par l'instant dont l'occurrence épuise les virtualités du temps et les permanences de la durée. L'homme religieux ou primitif n'est donc pas un « homme anhistorique[30] », qui se caractériserait par une flagrante « absence de conscience historique[31] », mais un homme traditionnel qui dispose d'une « histoire mythique[32] » et des outils rituels nécessaires à sa réactualisation périodique. Le phénomène religieux n'évince donc l'histoire que parce qu'il jouit d'une historicité radicalement différente de celle dont l'histoire des religions l'accable généralement. Celle-ci semble en effet n'avoir abdiqué le naturalisme de Müller et Tylor que pour mieux conférer à sa propre conception du temps un caractère universel [33]. La répudiation de l'histoire ethnocentrique n'est qu'une litote et l'historien des religions, plus soucieux de la fécondité de sa méthode que de sa pertinence, persiste trop souvent à « situer le fait religieux dans la perspective d'une histoire linéaire ». Or qui n'objecterait, en regard de la conception indienne du temps, des cycles dynastiques rwandais ou des cycles prophétiques de l'islam, avec Mircea Éliade, que « c'est *notre* histoire qui est linéaire [34] » ? Comment l'historien des religions pourrait-il donc correctement analyser le phénomène religieux sans avoir préalablement esquissé la corrélation méthodologique de l'histoire occidentale et des diverses historicités admises par les sociétés traditionnelles ou archaïques ? Pourquoi, par exemple dans le cas de l'ancienne Chine, ne troquerait-il pas purement et simplement les méthodes de l'histoire occidentale contre les formes de l'historiographie traditionnelle ? La perspective historique gagnerait probablement alors en pertinence et en souplesse ce qu'elle perdrait en fécondité. Ainsi, le fait historique retrouverait naturellement sa place au sein de la hiérarchie des divers faits humains ou cosmiques, telle qu'elle fut codifiée par l'antique civilisation chinoise. L'abolition de toute distinction entre le sacré et le profane, à laquelle Mircea Éliade a beaucoup contribué [35], n'autorise en effet nullement l'historien des religions à ranger le fait religieux indifféremment aux côtés du fait historique, du fait économique ou du fait social, en violant délibérément la hiérarchie que la culture qu'il étudie a instituée entre eux (que celle-ci soit formalisée ou implicite). De même, le fait de constater que les phénomènes religieux subissent une évolution historique ne saurait l'habiliter à nier que les civilisations traditionnelles ou archaïques possèdent des modes de sécularisation qui leur soient propres. En définitive, comme l'a pressenti Éliade, il s'agit moins d'opposer l'étude des structures du phénomène à l'esquisse de son histoire, ou son devenir à son essence, que d'évaluer la fécondité de la méthode à sa seule pertinence.

IV

Comment l'histoire des religions parviendrait-elle à faire « dire à son objet sa propre histoire », au lieu de lui prescrire une « histoire qui n'est pas la sienne, un temps qui n'est pas le sien [36] », sans adopter une perspective qui concilie approche historique et dessein phénoménologique [37], sans élaborer une herméneutique qui sache considérer chaque fait religieux « sur son propre plan de référence [38] » ? Mircea Éliade a souvent constaté, non sans regret, que l'herméneutique était précisément « l'aspect le moins développé de l'histoire des religions [39] ». Cette singulière carence est-elle seulement la fâcheuse conséquence de la négligence et de l'impatience ou plutôt l'ultime manœuvre de la stratégie positiviste qui opère ainsi sur le double champ du formalisme et de la dispersion ? L'historien des religions ne saurait pourtant se borner à « reconstituer l'histoire d'une forme religieuse » ou à déterminer son contexte sociologique, économique ou politique [40]. Sa tâche consiste autant, insiste Éliade, à « réunir, publier ou analyser des données religieuses » qu'à en « comprendre la signification [41] ». Car les phénomènes religieux, considérés non plus comme de simples faits sociaux ou historiques mais comme de véritables hiérophanies, constituent autant de « messages qui attendent d'être déchiffrés et compris [42] ». Mais le fait religieux possède incontestablement un « mode d'être qui lui est propre [43] » et qui exige une « herméneutique particulière [44] ». Et tant que l'historien des religions s'interdira de l'envisager dans le « cadre de référence qui est le sien [45] », il s'exposera à d'incessantes méprises sur la

« signification profonde des données religieuses[46] » et, selon l'expression de Farid ud-Dïn Attar, ne fera que « jouer avec une coquille[47] ». L'histoire des religions doit non seulement se résigner à admettre la relativité de la culture qui l'a produite mais aussi consentir à apprendre des civilisations qu'elle étudie comment les comprendre. Un proverbe berbère de Kabylie pourrait presque lui tenir lieu d'éthique : « Nul ne pénètre s'il ne s'incline ». Or, dans toute civilisation traditionnelle ou archaïque, le dogme naît du mythe ou de la contemplation, les formes rituelles du dogme et l'illumination du rite. Nul discours théologique qui n'y dévoile le fruit d'une expérience spirituelle, nul traité canonique ou spirituel qui n'y révèle les clauses inéluctables de la théophanie. Quel meilleur gage donc, pour l'historien des religions, de la pertinence de sa méthode que de favoriser l'étude des aspects spirituels du phénomène religieux[48], de le considérer non plus comme un fait culturel mais comme une expérience spirituelle ? Admettre par exemple, avec Mircea Éliade, que l'initiation opère en l'être humain un radical « changement de régime existentiel[49] », le conduirait à interroger, en premier lieu, ceux qui l'ont reçue et conférée à leurs disciples afin de comprendre autant que faire se peut, la signification de cette expérience spirituelle « telle qu'elle est comprise et assumée » par ceux qui l'ont effectivement subie[50]. Une authentique herméneutique spirituelle permettrait ainsi, comme le souhaite Henry Corbin, de découvrir le phénomène religieux là où il a effectivement lieu, dans « l'âme du croyant plutôt que dans les monuments d'érudition critique ou dans les enquêtes circonstancielles[51] », et parviendrait sans doute à « laisser se montrer l'objet religieux tel qu'il se montre à ceux à qui il se montre[52] ». Déchirante mutation, certes, pour l'histoire des religions, que d'apprendre la candeur de l'objet qu'elle s'était donné pour tâche d'objectiver ! Ne joue-t-elle pas son existence même en adoptant les cadres conceptuels et les formes traditionnelles de son objet, en abolissant, au moins à titre d'expérience, toute distance critique ? Mais la pertinence a des exigences qui peuvent quelquefois mener fort loin. Si l'on souhaite réellement rendre compte, aussi correctement et fidèlement que possible, du fait religieux en tant qu'« expérience du sacré[53] » et flagrante « présence du transcendant dans l'expérience humaine[54] », peut-être faut-il en payer le prix, tant méthodologique que culturel ! Il reste que l'historien des religions ne saurait impunément abolir l'écart critique qui le sépare de ses données ni renoncer à toute objectivation de son objet d'étude. Tout en les considérant comme aussi nécessaires qu'inévitables, Mircea Éliade mesure parfaitement les risques que ferait courir à l'herméneute une véritable herméneutique spirituelle[55]. Il sait évoquer, avec tact et pudeur, ces moments où l'historien des religions risque « sa sérénité et son équilibre à essayer de comprendre ou d'interpréter des situations religieuses archaïques, exotiques, aberrantes ou terribles[56] ». Mais le désarroi ou l'inclination sont sans doute préférables au flegme de ceux qui « se retranchent dans leur foi religieuse personnelle ou se réfugient dans un matérialisme ou un behaviorisme (si) imperméables à tout choc spirituel[57] » qu'ils ne tardent guère à « banaliser » n'importe quel document, fût-il de la plus haute portée spirituelle[58]. Henry Corbin, lui, balaie d'un revers de main le « pieux agnosticisme qui paralyse d'excellents esprits et leur inspire une terreur panique devant ce qu'ils peuvent soupçonner de gnose ». Il ne fait aucun doute, à ses yeux, que quiconque demeure sur le rivage ne pressentira jamais les « secrets de la haute mer » et ne saura jamais, par exemple, « ce qu'il peut en être de lire le Qôran comme une Bible », à moins de consentir à apprendre, avec « ceux dont il est la Bible, le sens spirituel qu'ils y perçoivent dans les traditions qui l'explicitent[59] ». Comment parler en effet d'une expérience religieuse sans devenir « l'hôte spirituel » de ceux qui la pratiquent, sans en « assumer avec eux la charge[60] » ? Où, comme le disait Djalal ud-Dîn Rûmî, à quoi bon atteindre la mer pour n'y puiser qu'une cruche d'eau[61] ?

V

En parvenant, grâce à une herméneutique spirituelle, à rendre la « signification des documents religieux intelligible à l'homme moderne[62] », l'histoire des religions renoncerait à « assimiler culturellement les univers spirituels » des autres civilisations et jouerait un tout autre rôle historique et culturel dans les sociétés désacralisées ou en passe de l'être. Il ne s'agirait plus de publier des documents religieux menacés d'oubli ou de disparition afin d'augmenter le « nombre déjà terrifiant des documents classés dans les archives[63] », mais de permettre à l'homme moderne de « renverser les termes de comparaison », de « se placer à l'extérieur de sa civilisation et de son moment historique » et de juger sa propre culture dans la perspective des « autres cultures et des autres religions[64] ». La connaissance des « valeurs religieuses des autres cultures » condamnerait ainsi la pensée de l'Occident moderne à perdre sa « situation privilégiée de norme universellement acceptée » et à retrouver le « régime de création spirituelle locale[65] ». Mais, loin de favoriser, comme le pense Éliade[66], l'éclosion d'une « anthropologie philosophique[67] » ou la naissance d'un humanisme planétaire[68], cette confrontation de l'homme moderne à des « mondes de signification inconnue[69] » tracerait plutôt les voies d'une nouvelle apologétique, comme si la dialectique de la différence se retournait en définitive contre ceux qui en ont si souvent abusé. Depuis quelques années, quelques historiens des religions du tiers monde, issus des universités américaines ou européennes, se servent en effet de leur discipline pour tenter de restaurer l'équilibre spirituel des nouvelles générations, souvent brutalement confrontées à la science et à la pensée occidentales, en leur faisant découvrir la richesse de leurs propres traditions auxquelles elles sont parfois devenues complètement étrangères. C'est là un drame que l'Occident ne saurait ignorer et une dette qu'il se devait d'honorer, quand serait-ce par personne interposée ! Le seyyed Hossein Nasr, par exemple, n'hésite pas à puiser dans les travaux des orientalistes[70] afin de « présenter l'islam et les trésors intellectuels qu'il contient dans un langage actuel, fidèlement et sans s'écarter du point de vue traditionnel » aux générations qui en ignorent souvent « l'aspect spirituel comme l'aspect intellectuel et se trouvent complètement désarmées devant les assauts du modernisme[71] ». Ainsi l'histoire des religions concourt-elle, involontairement, à la « tâche qui s'impose au monde islamique de prendre conscience de la véritable nature du modernisme et de connaître la réponse de l'islam aux innombrables toquades pseudo-intellectuelles qui tentent de passer pour la vérité et éloignent la jeune génération des vérités éternelles que renferme l'islam[72] ». Signe des temps, sans doute, que de voir un historien des religions transformer ses *Sufi Essays*[73] en vibrante apologie du Soufisme, assurer que la sainteté d'un homme n'est pas le fruit de telle ou telle « idée exprimée par tel sage grec ou chrétien mais bien de la barakah muhammadienne[74] » ou conclure chacune de ses œuvres par la formule traditionnelle, « wa ilâhu a lam » : « ...et Dieu est le plus savant ! ». Mais Mircea Éliade n'avait-il pas pressenti que l'histoire des religions pourrait aider l'homme moderne à se reconnaître dans l'autre et que ce « changement de perspective spirituelle se traduirait par une régénération profonde de son être intime spirituel[75] ? », en concluant certaines de ses réflexions sur la « confrontation avec les religions et les civilisations extra-européennes[76] » par le récit de l'aventure du rabbin Heisik rapportée par Martin Buber, dans ses *Khassidischen Büdher* ? Un pieux rabbin de Cracovie, nommé Eisik, fit une nuit un rêve qui lui enjoignait de se rendre à Prague : là, sous le grand pont menant au palais royal, il découvrirait un trésor caché. Le rêve se reproduisit trois fois et le rabbin se décida à partir. Arrivé à Prague, il trouva aisément le pont. Mais il était gardé, jour et nuit, par des sentinelles. Il rôda néanmoins aux alentours et ne tarda pas à attirer l'attention du capitaine des gardes. Celui-ci s'approcha et lui demanda aimablement s'il avait perdu quelque chose.

Avec simplicité, le rabbin lui raconta son rêve. L'officier éclata de rire et lui confia qu'il avait lui aussi entendu une voix qui lui ordonnait de se rendre à Cracovie où il trouverait un trésor, enfoui dans la maison d'un certain rabbin dont le nom était Eisik, Eisik fils de Jichel. Le rabbin s'inclina profondément, remercia l'officier et se hâta de prendre congé pour rentrer aussitôt à Cracovie. Il creusa bientôt le sol d'un coin abandonné de sa demeure et découvrit le trésor qui mit fin à sa misère.

Pierre Pasquier.

NOTES

1. XVIII (éd. Liou Kia-hway).
2. *La Nostalgie des origines*, p. 119.
3. *Ibidem*, p. 120.
4. *Ibidem*, p. 121.
5. *Ibidem*, p. 19.
6. *Ibidem*, p. 23.
7. *Ibidem*, p. 26.
8. *Méphistophélès et l'Androgyne*, p. 197.
9. Le mot même est significatif.
10. *La Nostalgie des origines*, p. 144.
11. *Ibidem*, pp. 45-46 et 52-53.
12. *Ibidem*, p. 51.
13. *Traité d'histoire des religions*, p. 11.
14. *La Nostalgie des origines*, pp. 146-147.
15. *Traité d'histoire des religions*, p. 11.
16. *La Nostalgie des origines*, pp. 154-155.
17. *Ibidem*, p. 28.
18. *Journal*, p. 355.
19. *Religions australiennes*, p. 12.
20. *Journal*, p. 355.
21. *La Nostalgie des origines*, p. 29.
22. *Ibidem*, p. 19.
23. *Ibidem*, p. 115.
24. *Ibidem*, p. 116.
25. *Ibidem*, p. 114.
26. *Journal*, p. 315.
27. Cf. *Le Mythe de l'éternel retour*, pp. 13 *sq.*; *Le Sacré et le Profane*, pp. 60 *sq.*; *Aspects du Mythe*, pp. 54 *sq.*
28. *Shatapatha-Brâhmana*, VII, 2, 1, 4.

29. *Journal*, p. 322.

30. *Ibidem*, p. 321.

31. *Initiation, rites, sociétés secrètes*, p. 15.

32. *Journal*, p. 322.

33. *La Nostalgie des origines*, p. 113.

34. *Religions australiennes*, p. 13. Souligné dans le texte.

35. *Cf. Le Sacré et le Profane* et *Le Mythe de l'éternel retour*.

36. H. Corbin, *En Islam iranien*, t. I, p. 173.

37. Éliade en donne deux exemples, A.K. Coomaraswamy et H. Corbin : *cf. La Nostalgie des origines*, p. 83.

38. *La Nostalgie des origines*, p. 23.

39. *Ibidem*, p. 18.

40. *Ibidem*, p. 19.

41. *Ibidem*, p. 18.

42. *Ibidem*, p. 10.

43. *Ibidem*, p. 26.

44. *Ibidem*, p. 9.

45. *Religions australiennes*, p. 14.

46. *La Nostalgie des origines*, p. 27.

47. *Elahi-Nameh*, VII (éd. Rouhani).

48. *Journal*, p. 105.

49. *Initiation, rites, sociétés secrètes*, p. 23. Éliade a beaucoup contribué à l'établir : *cf.*, outre ses travaux sur le yoga ou l'élection chamanique, *Mythes, rêves et mystères*, pp. 95 *sq.* et *Initiation, rites, sociétés secrètes*, pp. 23 *sq.*

50. *Religions australiennes*, p. 12. Et Éliade rend hommage à l'attitude exceptionnelle, à cet égard, de Griaule ou Evans-Pritchard.

51. *En Islam iranien*, t. I, p. XIX.

52. *Ibidem*, pp. I-II.

53. *La Nostalgie des origines*, p. 7.

54. *Journal*, p. 315.

55. *La Nostalgie des origines*, p. 132.

56. *Journal*, p. 473.

57. *La Nostalgie des origines*, p. 132.

58. *Journal*, p. 473.

59. *Terre céleste et Corps de résurrection*, p. 8.

60. *En Islam iranien*, t. I, p. II.

61. *Fîhi-mâ-Fîhi*, 2 (éd. de Vitray-Meyerovitch). Il semble que Mircea Éliade lui-même ait songé, en 1931 à l'ashram de Rishikesh, à « s'intégrer à l'Inde spirituelle trans-historique » : *cf. Journal*, p. 425 ; *Initiation, rites, sociétés secrètes*, p. 15 ; *Le Yoga*, p. 12.

62. *La Nostalgie des origines*, p. 19.

63. *Ibidem*, pp. 147-148.

64. *Mythes, rêves et mystères*, p. 61.

65. *Ibidem*, p. 62.

66. Probablement trop sensible au modèle de la Renaissance : *cf. Journal*, p. 247.

67. *La Nostalgie des origines*, p. 32.

68. *Ibidem*, p. 145.

69. *Ibidem*, p. 14.

70. *Islam, perspectives et réalités*, p. 15. Surtout dans ceux de Gibb, Massignon, Corbin ou Nicholson.

71. *Ibidem*, pp. 12-13.

72. *Ibidem*, p. 12.

73. London, Allen and Unwin, 1972.

74. *Islam, perspectives et réalités*, p. 159.

75. *Mythes, rêves et mystères*, p. 76.

76. *Ibidem*, p. 77.

LA CHRONIQUE SOUTERRAINE DE L'HUMANITÉ

Marcel Lobet

Mircea Éliade est un des esprits les plus curieux — au double sens de ce mot — d'un siècle qui remet en question toutes les données de la civilisation occidentale. Né en 1907, à Bucarest, l'écrivain roumain a publié une vingtaine d'ouvrages sur le yoga, les mythes, les rêves, les mystères, le sacré, le symbolisme magico-religieux, etc. Son œuvre de romancier est quelque peu rejetée dans l'ombre au profit d'essais où le grand voyageur, doublé d'un chasseur d'idées, a mis toute son expérience de professeur. En vue de sa thèse de doctorat sur le yoga, Mircea Éliade avait séjourné aux Indes pendant quatre ans (de 1928 à 1932). Après une brève carrière diplomatique (à Londres et à Lisbonne), il a enseigné l'histoire des religions à Paris (de 1945 à 1948) et dans plusieurs universités européennes, avant de se fixer, en 1957, à l'université de Chicago.

Les éphémérides d'un philosophe

Les *Fragments d'un Journal* récemment publiés[1] couvrent la période qui va de 1945 (début de l'exil en France) à 1969. C'est un document extrêmement impor-

169

tant touchant l'évolution des idées occidentales depuis trente ans. Éliade tient le Journal pour le genre littéraire le plus accompli et le plus instructif « *sur le plan éthique, psychologique, historique, si l'auteur fixe dans l'écoulement des heures certaines images, situations ou pensées* ».

On trouvera, dans ces éphémérides d'un philosophe, les réflexions d'un penseur toujours à l'affût dans le combat des idées, mais aussi des traits et des anecdotes qui éclairent quelques grandes figures de ce temps : Teilhard de Chardin, Ionesco, Papini, Jung, Benedetto Croce, Jünger, Henri Michaux, Brancusi, Cioran et beaucoup d'autres.

L'écrivain a multiplié les remarques sur la technique du journal intime. Celui-ci suppose une certaine paix extérieure et intérieure. Dans les « *moments d'intensité extrême* », il faudrait se contenter de sténogrammes, de repères. A quoi bon fixer le mouvant ? D'autre part, le Journal ne peut être confondu avec une « *confession exemplaire, ayant un certain sens moral ou prophétique* ». Enfin, le style a une importance qu'on ne peut sous-estimer. Si les Journaux de Gide et de Julien Green l'emportent de loin sur celui de Ramuz et même sur celui de Charles Du Bos, c'est parce qu'ils sont *écrits*. (Du Bos dictait, et ce n'est jamais « *intime, allusif, succinct* ».) La méthode d'Ernst Jünger est défendable : l'écrivain utilise, le soir, des notes rapides prises pendant la journée pour rédiger un texte reflétant l'essentiel : « *Une bonne partie de l'œuvre de Jünger est écrite comme un* Journal, *ou elle en a la structure.* » Éliade voit en Jünger le précurseur d'un nouveau genre littéraire.

L'homme religieux

Quel est l'essentiel pour Mircea Éliade ? Ses études, ses recherches et son enseignement l'orientent vers le sacré ou, du moins, vers la psychologie de l'homme religieux. Pour lui, tout ce qui touche la « *religion naturelle* » intéresse directement l'homme moderne, et il s'en explique, le 13 avril 1962 : « *L'homme moderne, radicalement sécularisé, se voit ou se veut athée, areligieux, ou tout au moins indifférent. Mais il se trompe. Il n'a pas encore réussi à abolir l'*homo religiosus *qui est en lui : il n'a supprimé (s'il l'a jamais été) que le* christianus. *Cela veut dire qu'il est resté « païen » sans le savoir. Cela signifie aussi autre chose : une société areligieuse n'existe pas encore (je crois, quant à moi, qu'elle ne peut pas exister, et que si elle se réalisait, elle périrait au bout de quelques générations, d'ennui, de neurasthénie ou par un suicide collectif...*). »

Pour Mircea Éliade, « *le temps de l'épiphanie n'est pas encore arrivé* ». Tout se passe comme si nous attendions encore la Révélation.

Les modes d'être archaïques

Pour traduire en clair la pensée d'Éliade, on pourrait dire que si le christianisme s'est substitué aux mythes antiques, on ne voit pas encore par quoi il sera remplacé lui-même quand il sera totalement désacralisé. Trouverons-nous, comme à l'époque de la Renaissance, un nouveau *corpus hermeticum* qui nous replongera dans l'occultisme ? Éliade dit que l'hermétisme de la Renaissance n'était qu'une réaction contre le rationalisme médiéval issu de l'aristotélisme. Comme les chercheurs de la Renaissance, certains esprits d'aujourd'hui semblent avoir soif « *d'une doctrine universelle primordiale révélée quelques milliers d'années avant Moïse, Pythagore et Platon* ». D'autres se contenteraient du « *secret des sorcières* »...

Devant la crise actuelle de la spiritualité occidentale, Éliade veut ouvrir des fenêtres vers d'autres mondes, en essayant de comprendre « *un chasseur du Paléolithique, un yogin ou un chaman, un paysan de l'Indonésie, les Africains, etc.* » Son devoir, dit-il, est de « *montrer la grandeur, tantôt naïve, tantôt monstrueuse, tragique, des modes d'être archaïques* ». Et il justifie ces propos apocalyptiques en disant qu'avant de sombrer définitivement, « *la culture occidentale* doit *redécouvrir et proclamer tous les modes d'être de l'homme* ».

Recommencer l'histoire

En attendant, nous assistons à l'assaut des technocrates et des matérialistes contre les centres de résistance spirituelle. Les révolutions ne peuvent triompher que sur les ruines des églises, des couvents et même des universités. Les Chinois détruisant les monastères tibétains sont dans la ligne de la tradition révolutionnaire. Or, dans une trentaine d'années, la Chine constituera la moitié de la population du globe : « *le monde n'aura plus le même visage* »... Sans doute les hommes auront-ils la haine du passé, comme les Américains du xixe siècle — ce qui ne peut exclure la nostalgie adamique. Il est dans la nature de l'homme de vouloir *recommencer l'histoire* pour retrouver le Paradis perdu.

Après avoir cherché le profane dans le sacré avec Marx et Freud, l'homme moderne cherche aujourd'hui des significations religieuses dans les œuvres profanes : « *Il satisfait sa vie religieuse inexistante (inexistante,* au niveau de la conscience) *par les univers imaginaires de la littérature et de l'art.* »

Le pentecôtisme

Le *Journal* d'Éliade ne passe pas en revue toutes les idées actuelles sur le sacré. Il se contente de noter des faits, de conter une anecdote ou une légende « *riche de significations* ». Il parle incidemment de ce pentecôtisme dont on voudrait faire une nouvelle Révélation : le Saint-Esprit « *perçu concrètement dans le corps et l'âme d'un autre* ». Il commente brièvement la nouvelle croyance de ceux pour qui Dieu est mort en Jésus, sanctifiant l'Histoire, divinisant l'expérience humaine.

Parlant de la presse souterraine *(underground press)*, Éliade est frappé par le ton religieux des textes lubriques et même pornographiques. Il se pourrait, dit-il, que « *même la vie sexuelle non inhibée qu'exalte cette jeune génération de rebelles fît partie du processus (inconscient) de la redécouverte de la sacralité de la Vie* ». (Ceci fut écrit en octobre 1968.) Il faudrait retrouver l'alliance entre l'intelligible et le sensible, « *la joie de l'esprit si* sensuellement *exprimée dans le* Cantique des cantiques *et dans toute la poésie spirituelle et mystique* ».

Il est temps de dépasser Freud, parce que « *les explications qu'il donne des expériences religieuses et des autres activités spirituelles sont purement et simplement ineptes* ». Explications « *infantiles et démentes* », dit encore Éliade, qu'il s'agisse d'art ou de religion.

L'auteur du *Journal* commenté ici a bien vu, il y a plus de dix ans, que pour échapper au matérialisme, il faut chercher une issue non seulement du côté des religions, mais aussi du côté de l'art, malgré certaines équivoques.

De Brancusi à Jules Verne

D'après Éliade, la survivance de la sacralité dans l'art moderne est méconnaissable, mais on ne peut la récuser. La tentative désespérée des peintres non figuratifs pénétrant à l'intérieur de la matière a une signification religieuse. Détruire pour recréer serait une opération reliée au sacré. L'artiste moderne qui défigure pour abolir les formes anciennes cherche à retrouver *la substance* qui incarne et manifeste le sacré, comme dans les hiérophanies cosmiques du paganisme.

Éliade cite l'exemple de Brancusi qui « *aborde la pierre avec la sensibilité — et peut-être la vénération — d'un homme de la préhistoire* ». Dans la volonté de *transfigurer* la pierre, on peut deviner « *une certaine forme archaïque de religiosité, depuis longtemps inaccessible sur notre continent* ». La *Colonne sans fin* de Brancusi considérée comme un *axis mundi* se rattache aux créations spirituel-les des âges de pierre, aux cultures mégalithiques. A un autre endroit de son *Journal*, Éliade parle de la cheminée considérée, elle aussi, comme un *axis mundi*, comme un chemin *(caminus)* entre la terre et le ciel, entre le lieu du feu (enfer) et l'espace. A ce propos, il ne parle pas des volcans, mais il s'attache, en deux autres passages, aux symboles cachés dans l'œuvre de Jules Verne considérée comme un monde onirique.

A propos du *Voyage au centre de la terre*, il écrit : « *L'aventure est proprement initiatique et comme dans toute aventure de cet ordre, on retrouve les égarements à travers le labyrinthe, la descente au monde souterrain, le passage des eaux, l'épreuve du feu, la rencontre avec les monstres, l'épreuve de la solitude absolue et des ténèbres, enfin, l'ascension triomphante qui n'est autre que l'apo-théose de l'initié.* »

L'expérimentation occulte

Tout ceci serait à rapprocher des tendances actuelles à chercher des vérités souterraines : réunions et spectacles dans les caves et tout ce que le snobisme intellectuel ou sexuel rattache à l'*underground*. A ce propos, je voudrais citer encore ce passage sur l'expérimentation occulte par laquelle notre temps ne fait que prolonger les fièvres secrètes du passé : « *La créativité religieuse de l'Occident chrétien ne doit pas être recherchée uniquement dans la théologie ou l'histoire de l'Église, mais aussi dans les cou-rants souterrains, « occultes »,* dans la mythologie des *sociétés secrètes, dans l'alchimie de la Renaissance, dans les géographies mythiques du Moyen Age et du Baroque. Le préromantisme et le romantisme exaltent la fonction du rêve et de l'imaginaire. C'est au même moment qu'a lieu la découverte des « Nuits » et de « l'organique » et tant d'autres expériences qui, si elles ne sont pas tout à fait nouvelles, sont pour la première fois vécues jusqu'au bout, interprétées, mises en valeur et, surtout, transfor-mées en idées maîtresses.* »

174

Récupérer son histoire personnelle

Le *Journal* de Mircea Éliade ne peut se réduire à quelques positions et propositions. A le lire attentivement, on discerne peu à peu la démarche d'un penseur de haut vol qui dépasse la littérature non par l'érudition, mais par la remise en question de notre univers mental. L'histoire des religions et l'ethnologie sont, pour l'écrivain roumain, des zones de libération, des terres franches où les idées sont plus vivantes que les personnages de la fiction romanesque.

Éliade refuse de se laisser droguer par l'opium des élites. Il dénonce « *l'extraordinaire falsification de toutes les perspectives artistiques* ». Tout est faussé par la mythification de la jeunesse. Admettre, avec les résignés, que « *les jeunes ont toujours raison* », c'est livrer la civilisation à l'infantilisme. Seul le retour à la sagesse pourra sauver l'homme futur. Mircea Éliade ne se pose ni en prophète ni en moraliste. Obéissant à l'appel des sources, il veut faire œuvre de témoin. Il a renoncé à écrire des romans « *pour essayer d'imposer une nouvelle manière de comprendre l'*homo religiosus ».

On ne trouvera pas dans ces *Fragments d'un Journal* une synthèse, mais un immense effort d'analyse tendant à réactualiser des valeurs négligées, dédaignées. Il importe que l'homme voyage aussi bien dans le temps que dans l'espace pour récupérer des fragments de son *histoire personnelle* : « *Quand je pénètre dans une cathédrale, je ne sais jamais si j'y retrouverai le souvenir d'autres sanctuaires vus jadis — ou si je me souviendrai d'un livre ou d'un homme auquel je n'ai plus songé depuis des dizaines d'années, ou si je me surprendrai en train d'écouter une mélodie ancienne, une conversation depuis longtemps oubliée.* »

Ce n'est qu'une des nombreuses phrases clefs de ce *Journal* d'où l'esprit sort régénéré, stimulé. A lire Mircea Éliade, on comprend mieux la valeur humaine de l'écriture qui, jusqu'à la fin des temps, ne cessera de composer l'histoire secrète des âmes. En marge des grandes œuvres littéraires, s'élabore — sous forme de confessions, de mémoires intérieurs, de carnets intimes, d'autobiographies et de journaux métaphysiques — la chronique souterraine de l'humanité.

MARCEL LOBET.

NOTE

1. Mircea Éliade : *Fragments d'un Journal*. Traduit du roumain par Luc Badesco. Coll. *Du monde entier*, Gallimard, Paris.

LE SENS DE L'ŒUVRE
DE MIRCEA ÉLIADE
POUR L'HOMME MODERNE

Charles H. Long

I. Les recherches d'Éliade se fondent sur des sources historiques, ethnologiques et philosophiques extrêmement sérieuses.

Il s'est toujours efforcé de consulter le meilleur spécialiste dans chaque domaine avant d'en venir à déchiffrer la signification religieuse des matériaux. L'historien des religions, selon Éliade, devrait accueillir avec gratitude l'aide qu'il reçoit de ses collègues travaillant dans d'autres disciplines. Cependant, cette aide et cette collaboration ne doivent pas le détourner de sa tâche spécifique — qui est de s'efforcer d'interpréter les matériaux dans ce qu'ils ont d'unique et de précis. La tâche de l'historien des religions n'est pas terminée, selon Éliade, « quand il comprend que chaque forme religieuse a une histoire et qu'elle est partie intégrante d'un complexe culturel bien défini ; il doit encore déchiffrer et clarifier la signification, l'intention et le message de la forme religieuse qu'il étudie[1] ».

Cette déclaration implique que l'historien des religions

doit pratiquer un certain type d'herméneutique. Il doit, d'une part, déchiffrer des significations et des symboles religieux d'une façon non réductrice, et, d'autre part, il doit être conscient de la situation ou du contexte à partir desquels il entreprend sa tâche d'interprétation. C'est ce souci herméneutique qui donne leur profondeur et leur richesse aux analyses religieuses spécifiques et concrètes d'Éliade. Mircea Éliade est conscient du problème spirituel que pose l'avènement du monde moderne. Son discours est un discours d'homme moderne s'adressant aux hommes modernes. Comme beaucoup de ses contemporains, il a observé et ressenti ce que Martin Buber a appelé « l'éclipse de Dieu », mais contrairement aux intellectuels du siècle des Lumières qui se sont intéressés à l'histoire des religions afin de prouver la conquête graduelle de la réalité par les principes rationnels, Éliade a maintenu une position qui rappelle davantage celle de l'homme de la Renaissance. Il s'est tourné vers l'histoire des religions pour y chercher une source de créativité et de renaissance de l'homme moderne. Le fait qu'il ait pu accomplir cette tâche sans pour autant céder à la tentation de la subjectivité ou du romantisme témoigne à la fois de sa profonde sensibilité religieuse et de ses qualités de chercheur.

Il a reconnu, comme d'autres intellectuels de notre époque, la profondeur de la crise spirituelle de l'homme moderne. Sa déclaration si souvent citée concernant l'homme moderne insiste sur ce point :

« Mais c'est seulement dans les sociétés modernes occidentales que l'homme non religieux assume... une nouvelle situation existentielle ; il se définit uniquement comme sujet et agent de l'Histoire et il refuse tout appel à la transcendance. En d'autres termes, il n'accepte d'autre modèle pour l'humanité que celui que lui offre la condition humaine, telle qu'en témoigne l'Histoire. L'homme *se fait lui-même* et il ne se fait lui-même complètement que dans la mesure où il se désacralise lui et le monde. Le sacré est l'obstacle primordial à sa liberté. Il ne deviendra lui-même que lorsqu'il sera totalement démystisé. Il ne sera pas réellement libre avant d'avoir tué le dernier dieu[2]. »

L'homme moderne est arrivé à cette impasse parce qu'il a accepté son conditionnement d'homme historique comme la seule vraie réalité. Comme Éliade le fait remarquer dans son analyse du yoga : « c'est la *condition humaine* et par-dessus tout la temporalité de l'être humain qui constitue l'objet d'étude de la philosophie occidentale la plus récente. C'est cette temporalité de l'être humain qui rend tous les autres « conditionnements » possibles et qui, en dernière analyse, fait de l'homme un « être conditionné » et crée des séries indéfinies et éphémères de « conditions[3] ». C'est précisément cette attitude qui a conduit l'homme moderne à remarquer avec Gottfried Keller que « le triomphe ultime de la liberté sera stérile[4] ». Quand Éliade nomme son domaine de recherche « Histoire des religions », il se réfère à trois niveaux d'interprétation. Tout d'abord, le terme « Histoire » se réfère à la prise de conscience qui s'est faite à notre époque de la problématique posée par la trop grande importance accordée à la temporalité de l'homme. Deuxièmement, « Histoire » signifie le récit des actions, conduites, attitudes de l'homme tels qu'on les trouve dans des documents, des périodiques d'ethnologie, des découvertes archéologiques, etc. Enfin, le mot « religion » implique chez l'homme un certain type d'attitude mentale, une certaine orientation de son être. Éliade pense que « l'histoire » des religions devrait être structurée selon la signification des religions plutôt qu'en termes de telle ou telle théorie ou méthode qui n'accorde aucun sens spécifique à la réalité religieuse.

L'analyse des documents selon des catégories religieuses ne rendrait pas seulement justice aux matériaux eux-mêmes, mais permettrait en même temps à l'homme moderne de retrouver à notre époque l'attitude et l'intentionnalité de la sensibilité religieuse. Le caractère « réformateur » de la discipline de l'histoire des religions a été souligné par Éliade.

« Nous sommes depuis longtemps profondément

convaincus que la philosophie occidentale tend dange-reusement à se "provincialiser" (si vous me passez l'ex-pression) tout d'abord en s'isolant jalousement dans ses traditions et en ignorant par exemple les problèmes et les solutions de la pensée orientale, ensuite par son refus obstiné de reconnaître d'autres situations humaines que celles qui ont été forgées par l'histoire des civilisations occidentales... On pourrait renouveler les problèmes cru-ciaux de la métaphysique grâce à une connaissance de l'ontologie archaïque[5]. »

Éliade accepte le fait que pour beaucoup dans le monde moderne la réalité historique définit la réalité par excellence, mais il n'est pas prêt à souscrire à l'impéria-lisme des modes d'interprétation historiques et rationa-listes comme seules approches valables du réel. D'un point de vue religieux, la réalité historique témoigne d'une confrontation avec « l'Autre ». « L'Autre » doit être entendu ici dans le sens où l'emploie Rudolph Otto quand il se réfère à l'objet de la religion comme le « Tout Autre ». L'interprétation de l'Autre chez Éliade se distin-gue cependant de celle d'Otto sur deux points. Tout d'abord, le poids de l'interprétation d'Otto porte sur l'expérience religieuse dans sa non-rationalité, alors qu'Éliade s'intéresse au sacré dans sa totalité. Deuxième-ment, Otto fait une distinction entre l'expérience reli-gieuse et l'expression religieuse. Éliade jusqu'à présent semble plus intéressé par la vision existentielle et onto-logique qui est impliquée dans l'expression religieuse.

Pour Éliade, la clef de l'interprétation non réductrice de la religion, c'est le symbole. Son analyse du symbole religieux n'est pas dérivée de catégories philosophiques, sociologiques ou littéraires. En ce sens, sa théorie du symbolisme religieux se distingue des autres théories du symbolisme qui sont en vogue actuellement. Outre cet accent mis sur la spécificité religieuse dans sa théorie du symbolisme religieux, Éliade fait en même temps de sa théorie un outil herméneutique. Par l'intermédiaire du symbole religieux, « l'homme moderne » peut se confron-ter de façon authentique avec ces cultures extra-occidentales qui sont, dans l'ensemble, dénuées de conscience historique — une confrontation qui est une nécessité à notre époque. De plus, le symbole religieux est capable d'enrichir la conscience de l'homme moderne en lui révélant des profondeurs de son être que lui a cachées la pensée positiviste. Éliade remarque :

« Aujourd'hui nous sommes près de comprendre une chose dont le XIXe siècle n'avait pas même le pressentiment — que le symbole, le mythe et l'image sont la substance même de la vie spirituelle, et qu'on peut les déguiser, les mutiler ou les dégrader, mais jamais les extirper[6]. »

Les symboles et les mythes religieux ont survécu à la tendance historicisante d'une bonne partie du christianisme et on découvre même leur présence dans la vie de l'homme moderne non religieux, car, comme le dit Éliade, « certains aspects et fonctions de la pensée mythique sont constitutifs de l'être humain[7] ». Bien que ces symboles survivent sur un plan surréaliste dans la vie de l'homme moderne, l'histoire des religions nous montre comment ces symboles exprimaient une situation « totale » et par conséquent existentielle de l'homme. En vertu de la nature même du symbole religieux, l'homme révèle, en l'employant, une façon particulière de se situer par rapport à la réalité. Éliade cite six caractéristiques majeures du symbole religieux[8] :

1. Les symboles religieux sont capables de révéler une modalité du réel ou une structure du monde qui n'est pas évidente au niveau de l'expérience immédiate. Le monde est appréhendé comme vie, et pour la pensée primitive, la vie est un aspect de l'être.

2. Les symboles sont toujours religieux car ils désignent quelque chose de réel ou une structure du monde.

3. Les symboles religieux sont multivalents, et expriment simultanément un certain nombre de sens.

4. En raison de leur multivalence, un certain nombre

de réalités hétérogènes peuvent s'articuler comme un tout.

5. Les symboles religieux peuvent ainsi exprimer des situations paradoxales.

6. Les symboles religieux font toujours allusion à une réalité ou une situation dans lesquelles est engagée l'existence humaine.

Éliade est revenu maintes fois au déchiffrement des symboles religieux. Tout d'abord, il s'y attaque dans son *Traité d'histoire des religions* où il entreprend d'interpréter une grande variété de symboles, puis plus tard dans *Images et symboles*, et dans *Mythes, rêves et mystères*. Dans *Yoga* et *Chamanisme*, il s'intéresse à des formes spécifiques de l'expérience et de l'expression religieuses. Toutes ces interprétations de religions différentes s'appuient de très près sur les six caractéristiques du symbolisme religieux que nous venons de définir.

Si nous examinons les symboles qu'analyse Éliade, nous découvrons que l'homme s'est finalement trouvé *engagé* dans des situations qui ont été définies par des phénomènes tels que le ciel, l'eau, les pierres, la terre, la femme, la fertilité, l'agriculture, le temps et l'espace. Ainsi, parler d'authentique engagement uniquement en termes historicistes ne permet pas de rendre justice aux témoignages humains.

Le symbolisme donne une expression concrète à la réceptivité et à la créativité de l'homme. Qui plus est, les modes d'appréhension du monde dans lesquels l'homme engage la totalité de son être — par exemple, ce phénomène qu'Éliade nomme dans *Yoga* la transconscience — s'expriment dans des symboles qui se situent en dehors de la conscience historique. Avant l'époque moderne, la prise de conscience de la réalité à travers des symboles religieux exprimait une forme non historicisante de créativité. Pour nous, qui avons tendance à circonscrire la créativité aux catégories progressivistes linéaires de notre époque, ou à la définir en termes économistes, il est difficile de saisir immédiatement le sens du symbole. La structure des symboles religieux peut nous faire découvrir une dimension spécifiquement humaine de la réalité — une dimension humaine dont l'attribut inéluctable est la prise de conscience du *transcendant* comme élément nécessaire dans toute situation humaine.

Bien que les analyses d'Éliade soient basées sur l'étude des traditions religieuses particulières, elles ont l'avantage de nous donner à comprendre ce que Gabriel Marcel a appelé le « périreligieux ». Ce « périreligieux » n'est rien d'autre que « les constantes éternelles de l'expérience religieuse et les structures qui en dérivent[9] ».

II. Tournons-nous à présent vers un autre aspect de l'œuvre d'Éliade et demandons-nous : « Quelle est la signification de sa pensée pour l'homme moderne ? » Nous n'ignorons pas que nous posons cette question à une époque où la sensibilité religieuse de l'homme occidental semble avoir disparu et où toutes les cultures subissent la menace d'un modernisme érosif. Beaucoup de théologiens protestants modernes déclarent avec le plus grand sérieux que la « mort de Dieu » peut servir de base à une nouvelle théologie et que la possibilité d'un « christianisme sans religion » offre une alternative vivante à ceux qui n'ont pas encore embrassé le programme de démythologisation de Rudolph Buttmann.

Dans le monde séculier ce sont les sciences de l'homme — la sociologie, l'anthropologie, l'ethnologie et la psychologie — qui ont tous les succès, et personne ne peut nier la fascination qu'exercent les sciences physiques et naturelles sur l'homme de la culture moderne. Chacune de ces sciences, qu'elles soient humaines ou naturelles, explorent et interprètent un aspect spécifique de l'être humain. Toutes sont importantes ; toutes nous ont appris quelque chose sur l'homme et sa nature. Mais aucune n'a été capable de nous livrer une interprétation adéquate de l'homme dans sa totalité. D'un point de vue traditionnel, une telle interprétation devrait venir de l'Église et de la religion ; mais les traditions religieuses occidentales ont été relativisées à la fois par la découverte et l'irruption dans l'Histoire des religions non occidentales, et par la forme de pensée des nouvelles sciences de l'époque moderne.

Éliade ne réagit à cette situation ni en niant ni en acceptant les méthodes et les significations des sciences humaines, des sciences naturelles ou de la théologie. Sa réaction consiste plutôt à prôner l'étude de l'homme en tant qu'*homo religiosus*, ou homme « total ». Cette approche vise à intégrer les différentes disciplines ayant trait à l'étude de l'homme, et plus important encore, elle devrait rendre l'homme capable de se « redécouvrir » lui-même, lui-même c'est-à-dire son être véritable et authentique. Une telle étude devrait donc compléter les sciences de l'homme. De fait, c'est là précisément la méthode que décrivent les propres recherches d'Éliade. Ce n'est pas un simple désir d'universitaire soucieux de traiter son sujet de manière exhaustive qui le pousse à se familiariser avec les sciences humaines, mais le principe même de l'herméneutique. On peut déjà découvrir dans son œuvre certaines démarches issues de ce point de vue. Par exemple, dans *Forgerons et Alchimistes*, il a développé une interprétation religieuse des origines premières de la science ; et dans *Mythes, rêves et mystères*, il montre comment on peut donner une explication religieuse à des phénomènes psychiques. Toute son œuvre s'appuie sur une connaissance profonde des sources historiques. En utilisant cette méthode, il élargit le domaine à la fois horizontalement et verticalement : horizontalement, en incluant tout ce qui concerne l'Histoire et les cultures de l'humanité ; verticalement, en explorant les structures profondes de l'homme telles qu'elles ont été ébauchées par la psychologie, l'ethnologie et les sciences sociales et naturelles.

Pour comprendre l'œuvre d'Éliade, il ne suffit pas, cependant, de la qualifier d'intégrante et d'éclectique. L'insistance d'Éliade sur le caractère spécifique de la religion et sur la nécessité d'utiliser une méthode non réductrice nous permet de découvrir les principes de son herméneutique. Sa définition quelque peu énigmatique de la religion nous donne la clef de sa méthode.

« La religion, dit-il, est présente dès qu'il y a distinction entre le sacré et le profane[10]. » Au moment où le sacré se manifeste, la situation « totale » de l'homme est revalorisée (pour utiliser le mot d'Éliade) et accède à un nouveau niveau de signification. Comme l'écrit Joachim Wach, le prédécesseur d'Éliade à Chicago :

« L'expérience religieuse est notre façon de réagir face à ce que nous percevons comme étant la réalité ultime. En d'autres termes, dans l'expérience religieuse, nous réagissons non pas à un phénomène unique ou fini, matériel ou autre, mais à ce qui nous apparaît sous-tendre et conditionner tout ce qui constitue le monde de l'expérience... L'expérience religieuse est une réaction *totale* de l'être total à ce qui est perçu comme la réalité ultime[11]. »

Éliade a donné une interprétation précise et concrète du sens de ce passage. La réalité dont Wach dit qu'elle « sous-tend » et qu'elle « conditionne » toute notre expérience ne peut être cernée par une méthode dérivée de l'un quelconque de ces types d'expérience. Il lui faut une méthode qui rende justice à ce qui est son objet particulier. Cet objet est pour Éliade le sacré ou la transcendance, la méthode est la science des religions.

En poursuivant cette méthode, Éliade nous a montré comment dans l'histoire des religions, l'homme a découvert sa situation existentielle unique — non pas sur le plan de l'expérience immédiate, ou naturelle, serais-je tenté de dire, mais grâce au recours à la transcendance, et à la manifestation du sacré. C'est donc par l'intermédiaire d'images et de symboles religieux que l'homme se comprend lui-même et comprend le monde. La documentation abonde en exemples qui font de ce don unique de la vie et de la priorité de la transcendance les bases nécessaires à l'aventure humaine sur tous les plans.

Ce qui est caractéristique de l'homme moderne, son

refus de la transcendance, est déjà décelable dans des cultures archaïques. Le symbole par excellence de la transcendance c'est le dieu du ciel. Ce dieu suprême est, selon Éliade, très haut placé, passif et lointain. Il est, pourrions-nous dire, la condition et le réservoir ultimes de la condition humaine. Mais l'histoire des religions nous révèle une autre tendance :

« ... le passage du créateur (le dieu suprême) au fécondateur, ce glissement de l'omnipotence, de la transcendance et de l'impassibilité vers le dynamisme et le drame des nouvelles figures de la végétation, figures atmosphériques, figures fertilisantes, n'est pas sans signification. Cela montre clairement que l'un des principaux facteurs de l'affaiblissement de la conception de Dieu chez les gens... est l'importance croissante des valeurs vitales et de la vie aux dépens d'autres valeurs dans l'esprit de l'*homo economicus*[12]. »

L'homme moderne et sa culture expriment sans doute la forme ultime et la plus extrême de dégradation de la conception de Dieu. Mais si cette constatation négative s'impose à l'étude des religions de l'homme, une remarque positive saute également aux yeux. L'homme archaïque et traditionnel n'oublia jamais réellement la réalité transcendante. Ses mythes et ses rituels avaient toujours pour but le retour à ce temps primordial où la transcendance se manifesta pour la première fois. Le rôle du souvenir et du retour se retrouve caractéristiquement dans tous les symboles religieux.

D'un point de vue religieux, il est possible à l'homme de revenir aux sources, de redécouvrir la transcendance, de vivre dans un monde nouveau. C'est cette possibilité qu'Éliade offre à l'homme moderne. Plus que d'un procédé rhétorique ou stratégique, il s'agit d'une réelle possibilité : en effet, il est déjà arrivé qu'elle s'accomplisse. Nous savons par l'histoire des religions comme par l'histoire des sciences qu'une fois qu'une découverte a été faite par un individu ou une culture, cette découverte devient immédiatement une possibilité pour tous les individus et les cultures. D'un point de vue religieux, l'Histoire n'est pas irréversible. Nous avons déjà fait allusion à la réversibilité du temps dans les rituels archaïques, mais sur le plan archaïque, c'est l'expérience chamaniste qui révèle la forme la plus intense de nostalgie du paradis. De façon similaire, sur le plan des cultures supérieures, c'est le yoga qui exprime le retour de l'homme à un niveau primaire de la transcendance et de la réalité ultime. Le chaman et le yogi représentent sur le plan personnel la possibilité qui est offerte à l'homme moderne, non pas au niveau du détail, mais de la structure et de la signification. Il n'est donc pas étonnant qu'Éliade ait consacré deux épais volumes à une discussion de ces techniques spirituelles.

Éliade ne nous demande pas de « changer de peau », en nous adonnant à une quelconque imitation dégradée du yoga ou à un retour à la nature, à l'exemple des nombreux modes de vie aberrants qui caractérisent notre époque. Il nous faut commencer là où nous sommes, nous sommes des modernes pour qui l'Histoire représente une réalité hautement valorisée. Il nous faut comprendre quelles sont les implications de cette situation et chercher quelles ressources nous avons pour la rendre moins pénible. Nous observons que l'anxiété de l'homme s'accroît proportionnellement à l'intérêt qu'il porte à l'Histoire. Les ouvrages historiques majeurs les plus récents, ceux de Spengler et de Toynbee, sont pessimistes dans l'ensemble quant à leur vision de l'avenir de l'Histoire. L'Histoire, quand on la définit en termes matérialistes, n'offre pas de solution interne aux problèmes qu'elle soulève. Une approche matérialiste de l'Histoire permet d'expliquer, c'est indéniable, les progrès de la technologie et de rendre compte de l'abondance des biens matériels dans notre vie, mais elle ne peut pas nous dire pourquoi nous avons perdu notre sens de la signification.

La direction que nous indique Éliade peut se définir ainsi : vaincre l'historicisme par la valorisation religieuse de l'Histoire. L'Histoire en tant que profane peut devenir une histoire sainte — non pas la *heilgeschichte* qui s'accomplit par ce saut que constitue l'acte de foi, mais le cosmos empirique concret dans lequel et grâce auquel l'homme jouit de sa vie. Cela ne peut être accompli sans une prise de conscience de la transcendance. Redisons-le, cette prise de conscience n'est pas un saut dans le noir ; elle représente une discipline, une discipline religieuse grâce à laquelle l'homme doit s'ouvrir à l'Autre de l'Histoire, du passé et du présent des peuples non occidentaux contemporains. Cette ouverture à la transcendance évoquera en l'homme ces profondeurs de son être qui sont susceptibles de supporter le poids et la joie de cette transcendance. Éliade a souvent parlé des capacités oniriques, poétiques et spirituelles de l'homme, qui ne trouvent aucune place dans le monde moderne quand on aborde la question de la réalité. La créativité, la vraie créativité sur le plan humain, déborde la structure étroite de l'Histoire. Si une nouvelle humanité apparaît un jour, elle devra renaître de la redécouverte des anciennes situations de la culture humaine et des profondeurs archaïques constantes de l'homme — ses rêves, ses symboles, son imagination et ses mystères. C'est cette direction-là qu'indique Éliade. J'aimerais conclure avec une citation d'Éliade qui résume un certain nombre des arguments que j'ai tenté de présenter dans cette communication :

« Cependant, avec l'aide de l'histoire des religions, l'homme peut retrouver le symbolisme du corps qui est un anthropocosmos. Ce que les techniques variées de l'imagination, et tout particulièrement les techniques poétiques ont réalisé dans ce sens n'est presque rien à côté de ce que l'histoire des religions pourrait produire. Toutes ces choses existent même chez l'homme moderne ; il suffit simplement de les réactiver et de les amener au niveau de la conscience. En regagnant la conscience de son propre symbolisme anthropocosmique — qui n'est qu'une variété du symbolisme archaïque — l'homme moderne atteindra une nouvelle dimension existentielle, totalement méconnue par l'existentialisme et l'historicisme contemporains : c'est un mode d'être authentique et primordial qui défend l'homme contre le nihilisme et le relativisme historiciste sans pour autant le soustraire à l'Histoire. Car l'Histoire elle-même sera un jour capable de découvrir son vrai sens : celui de l'épiphanie d'une condition humaine glorieuse et absolue [13]. »

Ainsi Mircea Éliade accomplit-il sa « Bonne Action » : car n'en est-ce pas une que cette tentative de réorientation de l'homme vers le cosmos dans le but de faire revivre par là sa sensibilité religieuse ?

CHARLES H. LONG.
Texte traduit par Martine Millon.

NOTES

1. Mircea Éliade, « *Mythology and the History of Religions* », *Diogenes*, n° 9, 1955, p. 99.

2. Mircea Éliade, *The Sacred and the Profane*, New York, Harcourt Brace, 1959, p. 203.

3. Mircea Éliade, *Yoga, Immortality and Freedom*, London, Routledge & Regan Paul, 1958, p. XVI.

4. Cité par Karl Mannheim, *Ideology and Utopia*, New York, Harcourt Brace, 1952, p. 225.

5. Mircea Éliade, *The Myth of Eternal Return*, London, Routledge & Regan Paul, 1955, p. X.

6. Mircea Éliade, *Images and Symbols*, New York, 1961, p. 11.

7. Mircea Éliade, « *Survivals and Camouflages of Myth* », *Diogenes*, n° 41, 1963.

8. Voir Mircea Éliade, « *Methodological Remarks on the Study of Religious Symbolism* », in *History of Religions : Essays in Methodology*, Chicago, University of Chicago Press, 1959, pp. 86-107.

9. Gabriel Marcel, *Homo Victor : Introduction to a Metaphysics of Hope*, Harper and Brothers, New York, 1962, p. 62.

10. Mircea Éliade, *Patterns in Comparative Religion*, London and New York, 1958, p. XIV.

11. Voir Joachim Wach, *Types of Religious Experience Christian and Non Christian*, Chicago, U.C.P., 1951, pp. 32-33.

12. Éliade, *Patterns of Comparative Religion*, p. 127.

13. Éliade, *Images and Symbols*, p. 36.

SOUVENIRS,
RENCONTRES

LES DÉBUTS D'UNE AMITIÉ

E.M. Cioran

J'ai rencontré Éliade pour la première fois vers 1932, à Bucarest, où je venais de terminer de vagues études de philosophie. Il était alors l'idole de la « nouvelle génération » — formule magique que nous étions fiers d'invoquer. Nous méprisions les « vieux », les « gâteux », c'est-à-dire tous ceux qui avaient dépassé la trentaine. Notre maître à penser menait campagne contre eux ; il les démolissait un à un, il frappait presque toujours juste, je dis « presque », parce que parfois il se trompait, comme cela lui arriva lorsqu'il attaqua Tudor Arghezi, grand poète dont le seul tort était d'être reconnu, consacré. La lutte entre générations nous apparaissait comme la clef de tous les conflits, et le principe explicatif de tous les événements. Être jeune c'était, pour nous, avoir du génie automatiquement. Cette infatuation, dira-t-on, est de tous les temps. Sans doute. Mais je ne pense pas qu'elle ait jamais été poussée aussi loin qu'elle le fut par nous. En elle s'exprimait, s'exaspérait une volonté de forcer l'Histoire, un appétit de s'y insérer, d'y susciter à tout prix du nouveau. La frénésie était à l'ordre du jour. Et en qui s'incarnait-elle ? En quelqu'un qui revenait de l'Inde, du

193

pays qui a toujours tourné le dos à l'Histoire précisément, à la chronologie, au devenir comme tel. Je ne relèverais pas ce paradoxe, s'il ne témoignait d'une dualité profonde, d'un trait de caractère chez Éliade, également sollicité par l'essence et par l'accident, par l'intemporel et le quotidien, par la mystique et par la littérature. Cette dualité n'entraîne pour lui nul déchirement : c'est sa nature et sa chance de pouvoir vivre simultanément ou tour à tour à des niveaux spirituels différents, de pouvoir sans drame étudier l'extase et poursuivre l'anecdote.

A l'époque où je l'ai connu, j'étais déjà étonné qu'il pût approfondir le *Sankhya* (sur lequel il venait de publier un long article) et s'intéresser au dernier roman. Depuis, je n'ai cessé d'être séduit par le spectacle d'une curiosité aussi vaste, aussi effrénée, qui serait morbide chez tout autre que lui. Il n'a rien de l'obstination sombre et perverse du maniaque, de l'obsédé qui se confine dans un seul domaine, dans un seul secteur et rejette tout le reste comme accessoire et futile. L'unique obsession que je lui connaisse et qui, à vrai dire, s'est usée avec l'âge, est celle du polygraphe, donc de l'anti-obsédé par excellence, parce qu'il est avide de se précipiter sur n'importe quel sujet par une inépuisable soif d'exploration. Nicolas Iorga, historien roumain, figure extraordinaire, fascinante et déconcertante, auteur de plus de mille ouvrages, par endroits extrêmement vivants, en général filandreux, mal construits, illisibles, pleins de saillies noyées dans du fatras — Éliade l'admirait alors passionnément, comme on admire les éléments, une forêt, la mer, les champs, la fécondité en soi, tout ce qui surgit, prolifère, envahit et s'affirme. La superstition de la vitalité et du rendement, en littérature singulièrement, ne l'a jamais quitté. Je m'avance peut-être trop, mais j'ai tout lieu de croire que dans son subconscient il met les livres au-dessus des dieux. Plus qu'à ceux-ci, c'est à eux qu'il voue un culte. En tout cas, je n'ai rencontré personne qui les aimât autant que lui. Je n'oublierai jamais la fièvre avec laquelle, débarquant à Paris au lendemain de la Libération, il les touchait, les caressait, les feuilletait ; dans les librairies, il exultait, il *officiait* ; c'était de l'envoûtement, de l'idolâtrie. Tant d'enthousiasme suppose un grand fonds de générosité, faute duquel on ne peut apprécier la profusion, l'exubérance, la prodigalité, toutes qualités grâce auxquelles l'esprit *imite* la nature et la dépasse. Je n'ai jamais pu lire Balzac ; à vrai dire j'ai cessé de le pratiquer au seuil de l'adolescence ; son monde m'est interdit, inaccessible, je n'arrive pas à y entrer, j'y suis réfractaire. Combien de fois Éliade n'a-t-il pas essayé de m'y convertir ! Il avait lu la *Comédie humaine* à Bucarest ; il la relisait à Paris en 1947 ; peut-être la relit-il encore à Chicago. Il a toujours aimé le roman ample, foisonnant, se déroulant sur plusieurs plans, faisant pendant à la mélodie « infinie », la présence massive du temps, l'accumulation de détails et l'abondance de thèmes complexes et divergents ; il a en revanche répugné à tout ce qui, dans les Lettres, est *exercice,* aux jeux anémiques et raffinés qu'affectionnent les esthètes, au côté faisandé, hautement pourri, de certaines productions dénuées de sève et d'instinct. Mais on peut aussi expliquer autrement sa passion pour Balzac. Il existe deux catégories d'esprits : ceux qui aiment le processus et ceux qui aiment le résultat ; les uns s'attachent au déroulement, aux étapes, aux expressions successives de la pensée ou de l'action ; les autres, à l'expression finale, à l'exclusion de tout le reste. Par tempérament, j'ai toujours incliné vers ces derniers, vers un Chamfort, un Joubert, un Lichtenberg, qui vous donnent une formule sans vous révéler le chemin qui les y a conduits ; soit pudeur, soit stérilité, ils n'arrivent pas à se libérer de la superstition de la concision ; ils voudraient tout dire en une page, une phrase, un mot ; ils y parviennent quelquefois, rarement, il faut bien le dire : le laconisme doit se résigner au silence s'il ne veut pas tomber dans la profondeur faussement énigmatique. N'empêche que lorsqu'on aime cette forme d'expression quintessenciée ou, si l'on préfère, sclérosée, il est difficile de s'en détacher et d'en aimer vraiment une autre. Celui qui a pratiqué longtemps les moralistes a du mal à comprendre Balzac ; mais il peut deviner les raisons de ceux qui ont un grand faible pour lui, qui puisent dans son univers une sensation de vie, de dilatation, de liberté, inconnue à l'amateur de maximes, genre mineur où se confondent perfection et asphyxie.

Si net que soit chez Éliade le goût des vastes synthèses, il n'en demeure pas moins qu'il aurait pu exceller aussi dans le fragment, dans l'essai court et fulgurant : à la vérité, il y a excellé, à preuve ses premières productions, toute cette multitude de petits textes qu'il a fait paraître tant avant son départ pour l'Inde qu'à son retour. En 1927 et 1928, il collaborait régulièrement à un quotidien de Bucarest. J'habitais une ville de province où je terminais mes études secondaires. Le journal y arrivait à onze heures du matin. A la récréation, je me précipitais au kiosque pour l'acheter, et c'est ainsi que j'ai pu me familiariser avec les noms inégalement insolites d'Asvaghosha, Ksoma de Körös, Buonaiutti, Eugenio d'Ors et tant d'autres. Je préférais de loin les articles sur des étrangers, parce que leurs œuvres, introuvables dans ma petite ville, me paraissant mystérieuses et définitives, le bonheur pour moi se réduisait à l'espoir de les lire un jour. La déception éventuelle était donc éloignée, alors qu'elle était à portée de la main pour les écrivains autochtones. Que d'érudition, de verve et de vigueur furent dépensées dans ces articles qui n'ont duré qu'un jour ! Je suis sûr qu'ils étaient palpitants d'intérêt et que je n'en rehausse pas la valeur par les déformations du souvenir. Je les lisais en emballé, il est vrai, mais en emballé lucide. Ce que j'y prisais tout particulièrement, c'était le don du jeune Éliade de rendre toute idée frémissante, contagieuse, de l'investir d'un halo d'hystérie mais d'une hystérie positive, stimulante, saine. Il est évident que ce don n'appartient qu'à un âge, et que même si on le possède encore, on n'aime pas le faire valoir lorsqu'on s'attaque à l'Histoire des religions... Nulle part il n'éclata mieux que dans ces « Lettres à un provincial » qu'Éliade écrivit après son retour de l'Inde et qui parurent en feuilleton dans le même quotidien. De ces Lettres, je ne crois pas avoir manqué une seule, je les ai toutes lues, nous les lisions tous à la vérité, car elles nous concernaient, elles nous étaient adressées. Le plus souvent nous y étions pris à partie, et nous attendions chacun notre tour. Un jour le mien vint. On m'y invitait ni plus ni moins à liquider mes obsessions, à ne plus envahir les périodiques de mes idées funèbres, à aborder d'autres problèmes que celui de la mort, ma marotte d'alors et de toujours. Allais-je m'incliner devant une telle sommation ? Je n'y étais nullement disposé. Je n'admettais aucunement qu'on pût traiter d'autre problème que de celui-là — je venais justement de publier un texte sur « la vision de la mort dans l'art nordique », et j'entendais bien persévérer dans la même direction. En mon for intérieur, je reprochais à mon ami de ne s'identifier avec rien, de vouloir être *tout*, faute de pouvoir être quelque chose, d'être en somme incapable de fanatisme, de délire, de « profondeur », par quoi j'entendais la faculté de se livrer à une manie et de s'y tenir. Je croyais qu'être *quelque chose*, c'était assumer totalement une attitude, et donc se refuser à la disponibilité, aux pirouettes, au renouvellement perpétuel. Se forger un monde à soi, un absolu borné, et s'y cramponner de toutes ses forces, m'apparaissait comme le devoir primordial d'un esprit. C'était l'idée d'engagement, si on veut, mais qui aurait eu la vie intérieure comme unique objet, un engagement à l'égard de soi-même et non d'autrui. Je reprochais à Éliade d'être insaisissable à force d'être ouvert, mobile, enthousiaste. Je lui reprochais aussi de ne pas s'intéresser uniquement à l'Inde ; il me semblait qu'elle pouvait efficacement tenir lieu de tout le reste et que c'était déchoir que s'occuper d'autre chose qu'elle. Tous ces griefs prirent corps dans un article au titre agressif : « L'Homme sans destin » — où je m'en prenais à la versatilité de cet esprit que j'admirais, à son incapacité d'être l'homme d'une seule idée ; j'y montrais l'aspect négatif de chacune de ses qualités (ce qui est la façon classique d'être injuste et déloyal envers quelqu'un), je le blâmais d'être maître de ses humeurs et de ses passions, de pouvoir les utiliser à sa guise, d'escamoter le tragique et d'ignorer la « fatalité ». Cette attaque en règle avait le défaut d'être trop générale : elle aurait pu être dirigée contre n'importe qui. Pourquoi un esprit théorique, un homme requis par des problèmes, devrait-il faire figure de héros ou de monstre ? Il n'y a aucune affinité substantielle entre idée et tragédie. Mais je pensais à l'époque que toute idée devait s'incarner ou se muer en cri. Persuadé que le découragement était le signe même de l'éveil, de la connaissance, j'en voulais à mon ami d'être trop optimiste, de s'intéresser à trop de choses et de dépenser une activité incompatible avec les exigences du véritable savoir. Parce que j'étais aboulique, je m'estimais plus avancé que lui, comme si mon aboulie avait été le résultat d'une conquête spirituelle ou d'une volonté de sagesse. Je me rappelle lui avoir dit un jour que dans une vie antérieure il avait dû se nourrir uniquement d'herbes, pour qu'il pût conserver tant de fraîcheur et de confiance, tant d'innocence aussi. Je ne pouvais lui pardonner de me sentir plus vieux que lui, je le rendais responsable de me aigreurs et de mes échecs, et il me semblait que ses espoirs, il les avait acquis aux dépens des miens. Comment pouvait-il s'agiter dans tant de secteurs différents ? Toujours la curiosité, dans laquelle je voyais un démon, ou, avec saint Augustin, une « maladie », c'était cela le grief invariable que je lui adressais. Mais chez lui, elle n'était pas une maladie, elle était au contraire un signe de santé. Et cette santé, je la lui reprochais et la lui enviais tout ensemble. Mais ici, une petite indiscrétion s'impose.

Je n'aurais sans doute pas osé écrire « L'Homme sans destin » si une circonstance particulière ne m'y avait décidé. Nous avions une amie commune, une actrice de grand talent, qui, pour son malheur, était hantée de problèmes métaphysiques. Cette hantise devait compromettre sa carrière et son talent. Sur scène, au beau milieu d'une tirade ou d'un dialogue, ses préoccupations essentielles venaient la surprendre, l'envahir, s'emparer de son esprit, et ce qu'elle était en train de débiter lui paraissait soudain d'une intolérable inanité. Son jeu en souffrit ; elle était trop entière pour pouvoir ou vouloir donner le change. On ne la congédia pas, on se contenta de lui donner de petits rôles insignifiants qui ne pouvaient la gêner en rien. Elle en profita pour se vouer à ses interrogations et à ses goûts spéculatifs, où elle apportait toute la passion qu'avant elle déployait au théâtre. En quête de réponses, elle se tourna dans son désarroi vers Éliade, puis, moins inspirée, vers moi. Un jour, n'en pouvant plus, il la rejeta, et refusa de la revoir. Elle vint me raconter ses déboires. Par la suite, je la vis souvent, je la laissais parler, j'écoutais. Elle était éblouissante, il est vrai, mais si accaparante, si exténuante, si insistante, qu'après chacune de nos rencontres, j'allais, excédé et fasciné, me soûler dans le premier bistrot. Une paysanne (car c'était une autodidacte venue d'un village perdu) qui vous parlait du Néant avec un brio et une ferveur inouïs ! Elle avait appris plusieurs langues, trempé dans la théosophie, pratiqué les grands poètes, éprouvé pas mal de déceptions, aucune cependant ne l'ayant affectée autant que la dernière. Ses mérites, comme ses tourments, étaient tels, qu'au début de mon amitié avec elle, il me sembla inexplicable et inadmissible qu'Éliade ait pu la traiter si cavalièrement. Ses procédés à son égard étant sans excuses à mes yeux, j'écrivis, pour la venger, « L'Homme sans destin ». Lorsque l'article parut en première page d'un hebdomadaire, elle en fut ravie, le lut en ma présence à haute voix, comme s'il se fût agi de quelque monologue prestigieux et en fit ensuite l'analyse paragraphe par paragraphe. « Vous n'avez jamais rien écrit de mieux », me dit-elle — éloge déplacé qu'elle se décernait à elle-même, car n'était-ce pas elle qui, d'une certaine manière, avait provoqué l'article et m'en avait fourni les éléments ? Par la suite, je compris la lassitude et l'exaspération d'Éliade, et le ridicule de mon attaque excessive, dont il ne m'a jamais tenu rigueur, dont il s'amusa même. Ce trait mérite d'être signalé, car l'expérience m'a appris que les écrivains — tous affligés d'une mémoire prodigieuse — sont incapables d'oublier une insolence trop clairvoyante.

C'est à cette même époque qu'il commença à donner des cours à la faculté des Lettres de Bucarest. J'y allais toutes les fois que je pouvais. La ferveur qu'il prodiguait dans ses articles, on la retrouvait heureusement dans ces leçons, les plus animées, les plus vibrantes que j'aie jamais entendues. Sans notes, sans rien, emporté par un vertige d'érudition lyrique, il jetait des paroles convulsées et pourtant cohérentes, soulignées par le mouvement crispé des mains. Une heure de tension, après laquelle, véritable miracle, il ne paraissait pas épuisé et peut-être ne l'était-il pas en effet. C'est comme s'il possédait l'art de retarder indéfiniment la fatigue. Tout ce qui est *négatif*, tout ce qui incite à l'autodestruction sur le plan tant physique que spirituel, lui était alors et lui est toujours étranger. C'est de là que vient son inaptitude à la résignation, au remords, à tous les sentiments qui impliquent impasse, marasme, non-avenir. De nouveau je m'avance peut-être trop, mais je crois que s'il a une parfaite compréhension du péché, il n'en a pas le sens : il est pour cela trop fébrile, trop dynamique, trop pressé, trop plein de projets, trop intoxiqué par le possible. N'ont ce sens que ceux qui remâchent sans fin leur passé, qui s'y fixent sans pouvoir s'en arracher, qui s'inventent des fautes par besoin de tortures morales et se complaisent dans le souvenir de n'importe quel acte honteux ou irréparable qu'ils ont commis, qu'ils voulaient surtout commettre. Des obsédés, pour parler d'eux encore. Eux seuls ont le temps de descendre dans les gouffres du remords, d'y séjourner, de s'y rouler, eux seuls sont pétris de cette matière dont est fait le chrétien authentique, c'est-à-dire quelqu'un de rongé, de ravagé, éprouvant l'envie malsaine d'être un réprouvé et finissant tout de même par la vaincre — cette victoire, jamais totale, étant ce qu'il appelle « avoir la foi ». Depuis Pascal et Kierkegaard, nous ne pouvons plus concevoir le « salut » sans un cortège d'infirmités, et sans les voluptés secrètes du drame intérieur. Aujourd'hui surtout que la « malédiction » est à la mode, en littérature s'entend, on voudrait que tout le monde vécût dans l'angoisse et la malédiction. Mais un savant peut-il être *maudit* ? Et pourquoi le serait-il ? Ne sait-il pas trop de choses pour pouvoir condescendre à l'enfer, aux cercles étroits de l'enfer ? Il est à peu près certain que seuls les côtés sombres du christianisme éveillent encore en nous un certain écho. Peut-être le christianisme, si on veut en retrouver l'essence, faudrait-il en effet le voir *en noir*. Si cette image, si cette vision est la vraie, Éliade est de toute évidence en marge de cette religion. Mais peut-être est-il en marge de *toutes* les religions, tant par profession que par conviction : n'est-il pas l'un des représentants les plus brillants d'un nouvel alexandrinisme, qui, à l'instar de l'ancien, met toutes les croyances sur le même plan, sans pouvoir en adopter aucune ? Du moment qu'on se refuse à les hiérarchiser, laquelle préférer, pour laquelle se prononcer, et quelle divinité invoquer ? On n'imagine pas *en prière* un spécialiste de l'Histoire des religions. Ou, s'il prie effectivement, il dément alors son enseignement, il se contredit, il ruine ses *Traités*, où ne figure aucun *vrai* dieu, où tous les dieux se valent. Il a beau les décrire et les commenter avec talent, il ne peut leur insuffler la vie ; il leur aura soutiré toute leur sève, il les aura comparés les uns aux autres, usés les uns contre les autres, pour leur plus grand dam, et ce qui en reste, ce sont des symboles exsangues dont le croyant n'a que faire, si tant est qu'à ce stade de l'érudition, du désabusement et de l'ironie, il puisse y avoir quelqu'un qui croie véritablement. Nous sommes tous, Éliade en tête, des ci-devant croyants, nous sommes tous des esprits religieux sans religion.

E.M. Cioran.

A BUCAREST, UN LYCÉE

Alexandre Cioranescu

Que le collège ou le lycée où l'on a fait ses études soit sans conteste le meilleur (ou le pire, selon les circonstances, mais sans possibilité de nuances intermédiaires), voilà ce qui me semble hors de doute et d'ailleurs tout à fait dans l'ordre des choses, puisque le meilleur (ou le pire) est toujours ce que l'on connaît bien. On ne sera donc pas surpris d'apprendre que le lycée Spiru Haret de Bucarest était vers 1922-1929 le meilleur de tous les lycées. On n'aura pas beaucoup de mérite à en déduire que ce fut là l'époque de mes études secondaires : elles coïncident partiellement avec celles de Mircea Éliade, qui sera par conséquent du même avis. A la rigueur, je pourrais admettre que cela commençait déjà à baisser vers 1930, puisque je n'y étais plus. Il y avait longtemps alors qu'Éliade nous avait abandonnés, car il était de plusieurs années mon aîné.

Il me serait difficile d'analyser le mérite particulier, ou, comme on dit maintenant, le charisme qui nous distinguait. Si je faisais crédit à la littérature et au cinéma, les Américains se retrouvent, se reconnaissent et d'ailleurs conservent leur tendresse rétrospective et les premières pages de leurs albums au souvenir de leurs activités de groupe, équipe de football, rugby ou régate. Pour moi, mes modestes exploits au volley-ball ne m'ont pas marqué ; et les aventures maritimes d'Éliade, qu'il a si joliment rendues présentes dans ses souvenirs, sortaient du cadre des expériences sportives prévues au programme.

Cela ne tenait pas non plus à nos professeurs. Il est vrai qu'ils formaient une élite et j'en garde, presque sans exception, un excellent souvenir : si je le compare à ceux des autres, il me semble que cette situation est assez exceptionnelle. N'empêche qu'il y avait le même pourcentage de cancres et, dans l'ensemble, autant de médiocrités que partout ailleurs. Quant au local, il n'était nullement ce qu'il aurait dû être. On nous en a donné un autre par la suite, flambant neuf et presque trop grand au commencement, mais Éliade avait terminé ses études avant le déménagement. Dans l'ancien édifice, qui n'avait pas été prévu pour cet usage, on était bien à l'étroit partout, dans les salles de classe autant que dans la cour de récréation. Il fallait jouer des coudes pour atteindre, au fond de cette cour, le réduit dans lequel notre concierge, transformé en cantinier, nous distribuait à tour de bras les bretzels, les petits pains avec ou sans jambon et les limonades qui remplissaient les estomacs et les temps creux. Pour la gymnastique, on avait de la chance : une palissade improvisée et une petite porte branlante nous séparaient de l'immense terrain vague réservé au futur édifice de l'Opéra et, en attendant ce noble emploi auquel personne ne croyait, à nos ébats plus ou moins sportifs, qui avaient souvent tendance à se transformer en école buissonnière.

Cependant, il y avait bien quelque chose qui distinguait des autres les élèves à la casquette galonnée de mauve. Je crois, tout compte fait, que c'était un certain esprit frondeur, satirique plutôt que rebelle, amusé plutôt que méchant, sceptique, rigolard et indépendant : l'esprit bucarestois par excellence, que notre lycée me paraissait incarner mieux que les autres. C'était aussi une sorte de présence, qu'il me sera sans doute impossible d'expliquer. J'arrivais, moi, tout engourdi par mon enfance trop tranquille et trop heureuse et j'ai tardé quelque peu à m'intégrer complètement. Ce qui m'étonnait le plus chez mes camarades, c'était leur tour d'esprit déjà défini, sinon définitif. Ils avaient mon âge, mais ils avaient vécu plus que moi. Leur spontanéité, leur sincérité de fond, leur facilité à vivre, tout cela était peut-être un don à l'origine, mais pour eux cela s'était déjà transformé en choix. Cela faisait que le paresseux était vraiment paresseux, sans complexe et sans retour sur lui-même, et que le curieux n'aurait pu être plus curieux, ni l'artiste plus artiste qu'il ne l'était. A leur manière, ces enfants étaient déjà des hommes. Maintenant même, lorsqu'il m'arrive de rencontrer quelque vieux camarade, je m'étonne, à chaque fois, de voir à quel point ils sont restés ce qu'ils promettaient d'être, peut-être même ce qu'ils étaient déjà. Ils m'ont tous surpris par leur constance, plus que par leurs métamorphoses.

C'est grâce à ce jeune mûrissement qui, à parler objectivement, me semble dépasser la moyenne, que de nombreuses vocations s'étaient déjà déclarées. Nous savions tous que Mircea Éliade « écrivait dans des revues ». Mais nous avions même une revue littéraire à nous, écrite par nous, imprimée par nos soins et dont le directeur du lycée se contentait de payer la facture tout en nous laissant la bride sur le cou avec un libéralisme qui serait surprenant, et peut-être impossible aujourd'hui. Mon frère avait mis en marche cette revue, qui s'appelait fort symboliquement *Vlastarul* ou « la Jeune Pousse ». L'année suivante, Éliade lui avait succédé dans la « direction », car c'étaient toujours ceux des dernières classes qui s'en occupaient de plus près ; et quelques années plus tard, mon tour vint aussi de sécher les cours de physique sous prétexte de typographie. Cette revue, où apparaît le tout premier Éliade, était fort au-dessus de ce qu'on fait d'habitude dans ce genre, et le futur historien devra en tenir compte, s'il s'en trouve encore des exemplaires.

Ce fut par cette revue que je pris contact personnellement avec Éliade. Sans cela, la distance était trop grande entre les classes, les grands nous considéraient comme des insectes et, de mon côté, je le regardais presque comme un vénérable vieillard. Nous étions encore à cette époque de notre vie, où une différence d'âge de quatre ou cinq ans constitue un fait capital et creuse entre les individus des frontières plus impérméables que celles des castes. Mais j'ai dû servir, en un premier temps, d'émissaire de mon frère, « directeur » sortant, et ensuite par contagion sans doute ou pour surmonter un éventuel complexe d'infériorité, je fus tenté à mon tour par l'ambition honteusement cachée de voir mon nom imprimé. Heureusement, Éliade n'a jamais su que le premier article que je lui ai porté et qu'il accepta fort aimablement — mieux encore, en m'en félicitant avec effusion — n'était qu'un vulgaire plagiat ou, en mettant les choses au mieux, une compilation indiscrète : j'avais écrit, moi, tout un article sur Michel-Ange, il occupait, sous mon nom, deux pages entières de notre revue, et je n'avais pas encore treize ans. La responsabilité de Mircea Éliade se trouve ainsi fortement engagée dans toutes les élucubrations dont j'ai pu me rendre coupable par la suite.

Dans une autre occasion encore, j'allais avoir besoin de lui. En cinquième, qui correspond à peu près à la seconde française, le professeur de latin nous avait demandé de préparer des exposés pour une sorte de séminaire, sur des sujets mythologiques qu'il nous avait choisis lui-même. Le sujet qui m'échut fut Orphée. Je ne me rappelle plus si je l'avais choisi, ou s'il me fut imposé. J'étais alors sous l'impression de l'*Orphée* de Reinach — et je crois d'ailleurs que ce goût me venait indirectement de l'exemple d'Éliade. Nous connaissions tous, au moins par ouï-dire, l'orientation de ses recherches, les commentaires couraient de haut en bas, des classes supérieures jusqu'à nous et nous le singions dans la mesure de nos possibilités : un de mes camarades, très brave garçon et qui avait de l'argent, avait acheté tout le *Rameau d'or* de

Fraser, dont je suppose qu'il n'a jamais lu la première ligne.

Bref, je m'étais mis en tête, je ne sais pourquoi, que je ne pouvais rien faire sans le *Zagreus* de Vittorio Macchioro, qui était alors presque une nouveauté. Je savais que je n'avais de chance de le trouver que chez Éliade, car sa bibliothèque spécialisée jouissait déjà d'une belle réputation parmi nous. Je suis donc allé le lui demander. Il était alors étudiant, mais sa réputation était déjà faite, grâce à quelques polémiques assez retentissantes dans la presse du temps. Je me souviens d'un escalier invraisemblable et d'une sorte de colombier chargé de livres. L'image qui m'est restée pourrait aussi bien être fausse, car je ne regardais que les livres. Il y en avait partout, et les livres m'ont toujours fait mal au cœur à force de me donner des envies. Il m'en a mis une demi-douzaine dans les bras, presque tous en italien — je crois bien que ce fut là sa première orientation ou vocation — certains avec dédicace, ce qui me remplissait d'une panique religieuse, c'est le cas de le dire. J'étais ravi de ce que j'emportais et fort affligé à cause de tout ce que je lui laissais. Je crois quand même que j'ai fini par les lui rendre.

La différence d'âge n'était pas encore résorbée. Un peu de timidité aidant, je ne l'ai pas pressé de mon amitié, car je le considérais trop comme un aîné. Pendant deux ans, il y avait eu entre nous cette fausse intimité des couloirs où l'on se croise tous les matins. Par la suite, je l'ai forcément un peu perdu de vue. Physiquement j'entends, car pour le reste, on parlait souvent de lui, au lycée et ailleurs et je lisais à peu près tout ce qu'il écrivait. Mais lorsque je le retrouve dans mes souvenirs, c'est dans l'uniforme kaki qui était le nôtre, à Spiru Haret. Ils n'avaient pourtant rien de militaire, ni lui-même ni son uniforme. Des cheveux à tous vents, comme des flammes qui lui sortaient de la tête, un front envahissant qui paraissait manger le visage, des yeux inquiets, fatigués et comme neutralisés par les grosses lunettes d'écaille : somme toute — vais-je le lui dire ? — je le trouvais bien laid.

Il est vrai que c'était là une de mes idées fixes et qu'à

part moi, tous les hommes me paraissaient laids. Il est vrai aussi que j'ai dû changer d'avis depuis — et ceci, une fois de plus, grâce à Éliade. Lorsque le temps eut nivelé nos tailles à défaut d'autre chose, il m'est arrivé deux ou trois fois d'être pris pour lui. La première fois, cette énorme confusion, qui heurtait de front mes canons de la beauté, m'a laissé pantois. La dernière, c'était deux jeunes filles qui, dans une salle de conférences, se regardaient et me regardaient en chuchotant : j'étais Mircea Éliade, et elles en étaient tout émues. Je ne leur ai opposé aucun démenti. J'imagine sa surprise, si jamais Éliade se trouve face à face avec une certaine personne qu'il a courtisée assidûment, par délégation de pouvoirs. Mais je me dis que ce n'est plus grave, la jeune fille doit être une grosse dame et l'on sait à quel point les savants sont oublieux. Toujours est-il que mes jugements et mes critères s'en sont trouvés considérablement modifiés ; il y a longtemps que je trouve Éliade, non seulement « sortable », mais tout à fait bien, puisqu'il paraît qu'il me ressemble un peu.

De l'aventure collective de ces années d'études, quelques noms se sont détachés, un peloton de tête s'est formé, dont il n'est pas possible d'illustrer ici les activités. Il suffira de noter qu'ils portent témoignage d'une certaine effervescence, de la présence de ferments certains que nous avons tous sentis. L'« esprit » de Spiru Haret trouvera peut-être un jour son historien : pour nous, l'important est qu'il ait existé et qu'il ait été la première vérité que nous ayons découverte, en ouvrant les yeux. L'ambiance, la camaraderie, la comparaison, la critique, l'émulation, la noble envie, en un mot tout ce qui fait les échanges, ne furent pas pour nous de vains mots. On risquerait de comprendre mal l'évolution d'Éliade, et celle des autres aussi, si l'on n'en tenait pas compte.

Lui, par exemple, il me semble hors de doute qu'il s'était proposé un modèle dès le commencement : il avait commencé, comme nous, par mimer les gestes des autres. Un modèle, ou peut-être deux. Le premier, ce fut

Bogdan Petriceicu Hasdeu, une figure imposante à tous les points de vue, un grand savant et l'un des créateurs de la philologie roumaine. Cependant, plus que philologue, plus qu'historien, plus que poète, Hasdeu avait été un illustre, un génial touche-à-tout. Ce qui a dû attirer Éliade en lui, ce fut probablement son aspect incontestable de force de la nature, la multiplicité et la variété de ses talents et de ses moyens, la versatilité extrême de son esprit, bien plus que la masse énorme de ses connaissances. Je ne pense pas me tromper de beaucoup, en disant que cette puissante personnalité a dû le subjuguer depuis l'enfance. Plus tard, il allait donner de ce prédécesseur une édition qui reste toujours la meilleure. Je me demande si ce n'est pas à lui qu'Éliade doit, même s'il n'en a pas conscience, cette idée que l'érudition ne finit pas sur elle-même et que la recherche reste, quoi qu'on fasse, une *ancilla philosophiae*.

Je suis d'autant plus porté à le croire, que son autre admiration première alla vers la figure également grande de Nicolas Iorga. Mais chez ce dernier, l'ouverture philosophique n'est pas une soif ou une inquiétude, la transcendance n'est pas un besoin. La perspective philosophique existe, sans doute, mais plutôt comme la clef égarée d'un univers éventuellement raisonnable. Compte tenu de cela, ce n'est pas l'effet d'un simple hasard, si son illustre exemple ne sert à Éliade que de repoussoir. L'admiration est évidente, mais de tête, et le cœur n'y est pas. Éliade l'a dit lui-même, dans une polémique célèbre ; et s'il a tenu à marquer son manque d'adhésion, s'il a cherché querelle au vieux maître, on sent bien que c'était en amoureux dépité et peut-être trop exigeant. Ce furent là deux passions de collégien. Loin de toute intention péjorative, cela veut dire, tout au contraire, qu'il s'agit, plus que de sentiments, de la source des sentiments : on y reconnaît déjà la caisse de résonance qui amplifiera plus tard la voix de tout ce que nous sentons ou disons.

C'est à partir du choix du premier maître à penser qu'il s'était donné, que se séparaient apparemment nos chemins, que les hasards d'un certain climat avaient rendus parallèles. Comme lui, j'admirais et j'enviais Hasdeu, mais il me semblait que ce n'était pas pour les mêmes raisons : son *via crucis* final, sa recherche trouble d'un au-delà qu'il s'imaginait avoir trouvé au bout de ses doigts, la morne certitude à laquelle aboutissait pour lui l'énorme point d'interrogation de la connaissance, me paraissaient des objets de curiosité plutôt que de science. Je reconnais que le bric-à-brac spiritiste me cachait alors les profondeurs du personnage : de même que la croûte folklorique du yoga m'empêchait d'apprécier convenablement sa substantifique moelle. J'étais persuadé alors que nous ne cherchions pas la même chose, et d'ailleurs je suis sûr qu'en son for intérieur Éliade formulait à son tour des réserves sur la démarche et l'intérêt essentiel de mes propres travaux.

En réalité, il me semble que nous avions entrepris une chasse à peu près similaire ; mais les apparences montraient que j'avais misé sur des gesticulations particulières, alors qu'il partait, lui, de ce qui précède le geste, des attitudes communes ou collectives. Je sais, j'ai toujours senti que mes recherches ont trop l'air d'un jeu de voyageur en chambre ; mais je n'étais pas sans craindre aussi que l'histoire de l'imagination risquât de se laisser déborder par l'imagination de l'histoire. Les résultats sont là, heureusement, et depuis longtemps, pour me prouver que j'avais tort. Je dois ajouter cependant à ma décharge que je ne les ai pas attendus pour en juger autrement et pour surmonter ce qui n'était peut-être qu'une crise de croissance. Je pense maintenant que la distance est moins grande que je ne l'imaginais alors, entre chercher à atteindre les hommes à travers leur vérité, comme l'a toujours fait Mircea Éliade, avec la profondeur et la virtuosité que l'on sait, et chercher la vérité telle qu'elle s'exprime à travers les hommes : je devrais peut-être dire, à travers *ses* hommes, tels que notre petite vérité à nous est capable de nous les rendre.

ALEXANDRE CIORANESCU.

REMISE DU DOCTORAT HONORIS CAUSA
À MIRCEA ÉLIADE

UNIVERSITÉ DE PARIS · SORBONNE
LE SAMEDI 14 FÉVRIER 1976

Michel Meslin

Mircea Éliade est né le 9 mars 1907 à Bucarest. Après avoir achevé sa licence, il part en 1928 aux Indes, ayant obtenu une bourse du Maharajah Sir Manindra Chandra Nundy of Kasimbazar. Durant quatre ans il étudie le sanskrit et la philosophie indienne à l'université de Calcutta ; un séjour de six mois dans un *ashram* himalayen lui fait connaître les expériences fondamentales du yoga et de la mystique indienne. Il en rapportera la matière de sa thèse et d'une partie de ses travaux ultérieurs. Docteur, et devenu assistant à la faculté des lettres de Bucarest, le professeur Éliade est nommé en 1940 attaché culturel à l'ambassade de Roumanie près la Cour de Saint-James, puis, en 1941, à la légation de Roumanie à Lisbonne où il demeure jusqu'en 1945. Il est alors, et jusqu'en 1948, chargé de cours à Paris à la Ve section de l'E.P.H.E. Il voyage à travers l'Europe occidentale donnant des conférences aux universités de Rome, Lundt, Marburg, Munich, Strasbourg et Padoue. A l'automne 1956, il est invité à donner les célèbres *Haskell Lectures* qui, depuis

211

1895, font de l'université de Chicago un important foyer d'études religieuses, à Chicago où la chaire d'histoire des religions venait d'être soudainement privée de son titulaire, le grand Joachim Wach. Nommé Visiting Professor en 1956-1957, Mircea Éliade reçoit l'année suivante la succession de Wach et devient professeur titulaire d'histoire des religions à l'université de Chicago. Depuis 1963, il est, dans la même université, Sewell L. Avery Distinguished Service Professor. Membre de la Société asiatique, du Froebenius Institute et de l'Association américaine pour l'étude des religions, vice-président jusqu'à cette année de l'Association internationale pour l'histoire des religions. Bref, presque un demi-siècle d'une carrière active, multiple, d'orientaliste, d'historien des religions, d'essayiste et de romancier, poursuivie des deux côtés de l'Atlantique, au cours de laquelle des options se dessinent, des choix s'effectuent, parfois irréversibles, et des amitiés se nouent dont certaines, ici même, aujourd'hui, témoignent de la valeur du savant, et de la qualité de l'homme.

Toutes ces années, comme vous les avez bien remplies ! La bibliographie établie il y a six ans lors des *Mélanges* que vous offrirent vos collègues et amis de Chicago faisait apparaître au moins une trentaine d'ouvrages savants, traduits et retraduits d'anglais en français, en allemand, en italien, en portugais, en néerlandais, en danois, en suédois, en grec, en polonais et en japonais ; 245 articles scientifiques, une quinzaine de romans ou d'essais littéraires, sans compter les trois revues fondées et dirigées par vous, depuis la jeune et neuve *Zalmoxis* des années difficiles jusqu'à la savante et toujours suggestive *History of Religions* de Chicago ! Et la liste ne cesse d'augmenter. L'audience de cette œuvre abondante et fertile, où les principaux thèmes, sacré, profane, mythe, sont sans cesse pris et repris avec une particulière insistance, cette audience est générale. Car le plus étonnant n'est pas finalement que le professeur Éliade ait pu appliquer avec bonheur sa pensée à tant de sujets en apparence aussi différents que Marsile Ficin et les aborigènes d'Australie, le folklore roumain et les cargocults, les techniques chamanistiques et Marc Chagall, mais c'est qu'il soit lu non seulement par ses pairs et ses disciples, mais dans tous les milieux, par ceux qu'intéressent les problèmes religieux. Avec un génie qui lui est propre, Mircea Éliade a mis clairement à la portée de tous l'analyse des comportements de l'homme religieux. Il a très minutieusement édifié une morphologie du sacré, se manifestant dans un système cohérent de hiérophanies. Mais dans cette longue enquête à travers les multiples expériences religieuses de l'humanité, Mircea Éliade constate que, toujours, l'homme placé devant un monde chaotique, fuyant, illusoire, recherche un sens à donner à sa vie. Pour lui, l'existence d'un *homo religiosus* aux comportements similaires, quelle que soit l'expérience particulière qu'il fasse du sacré, ne fait aucun doute. Et pour lui, l'histoire des religions a pour but de retrouver ce type d'homme quasi éternel dont les comportements s'opposent à ceux de l'homme désacralisé de nos sociétés contemporaines. Telle serait la tâche d'un nouvel humanisme vivifié par notre discipline, à laquelle, avec insistance, nous convie le professeur Éliade.

Cette méditation toujours active, parfois angoissée mais jamais achevée, sur le sens de l'existence humaine fait que l'œuvre d'Éliade déborde singulièrement les cantons d'une seule discipline scientifique. Elle se relie ainsi à son expérience littéraire. Écrivain familier du fantastique dans lequel il trouve la possibilité de réintégrer les expériences de l'ascète et les prouesses du chaman, Mircea Éliade apparaît hanté par la fuite du temps.

Le Stéphane de la *Forêt interdite*, qui manifeste le désir d'aller « au-delà du temps », qui refuse l'histoire, afin de retrouver dans un effort quasi désespéré la douceur de l'enfance et celle du Paradis perdu, c'est vous-même un peu, et chacun d'entre nous. C'est l'homme moderne soumis à ce que vous appelez « la terreur de l'histoire » et que par une anamnèse généreuse vous voulez reconduire au paradis des archétypes et au bonheur des commencements toujours renouvelés. Ce souci d'un nouvel humanisme nous réunit profondément. Le doctorat *honoris causa* que l'université de Paris - Sorbonne confère aujourd'hui au professeur Éliade nous honore tout autant qu'il le distingue. Qu'il soit un maillon de plus qui soude la solide chaîne des « Forgerons sacrés », Maîtres de Vérité, pour une meilleure compréhension de l'Homme, dans un commun respect de ses croyances.

MICHEL MESLIN.

LES VOIES
DU FANTASTIQUE

L'ŒUVRE LITTÉRAIRE

Virgil Ierunca

Deux démarches pour la même quête — l'œuvre littéraire et la recherche scientifique —, le destin de Mircea Éliade tient dans cette dualité féconde mais qui comporte ses risques.

L'un d'eux, et non des moindres, c'est que l'on croit pouvoir connaître le savant en ignorant le romancier. Ou en prenant ce dernier pour un simple illustrateur des thèses du philosophe, ce qui revient au même. En Occident, ce danger guette l'historien des religions dont la renommée n'est plus à établir. En Roumanie, par contre, le romancier éclipsait le chercheur, tant son entrée en littérature s'était faite d'une manière fracassante, insolite, déroutante.

Dès *Isabel si apelele Diavolului* (1930), le « mélange d'ascèse, d'exaltation métaphysique et de sexualité[1] » paraît explosif à une critique littéraire qui se rassure à peine avec *Maitreyi* (poème plutôt que roman d'amour dans une Inde qui est un point géographique de la connaissance et non un cadre exotique), pour retomber dans les affres de l'inconnu à la parution des romans par lesquels Mircea Éliade dépeint les tourments et les comportements exacerbés de sa génération : *Intoarcerea din Rai*

217

(1934) et *Huliganii* (1935). Quant au fantastique, qu'il soit d'apparence folklorique et autochtone comme dans *Domnisoara Christina* (1936) et *Sarpele* (1937), ou issu directement des expériences tantriques et de yoga comme dans *Secretul Doctorului Honigberger* (1940), il ne fait que situer d'une manière encore plus singulière Mircea Éliade dans le contexte de la littérature roumaine.

Ce n'est pas tant le modernisme de la forme qui heurte (le monologue intérieur, la rupture du temps linéaire, la destruction des techniques classiques, l'insertion du journal intime, de l'essai dans le roman), car la littérature roumaine était, en ces temps-là, contemporaine des expériences les plus hardies, lorsqu'elle ne les devançait pas. (N'avait-elle pas, dès avant la première guerre mondiale, connu, avec Urmuz, un surréalisme avant la lettre ?) C'est par rapport aux lettres occidentales que l'on essaie de situer cet adolescent énigmatique qui vient cependant de faire un séjour aux Indes et dont les préoccupations scientifiques devraient éclairer la démarche. On se réfère à Joyce, on parle de Gide. Les *Huliganii* (Houligans), ces négateurs forcenés en quête d'un Paradis reconquis par les armes paradoxales de la violence et de l'érotisme, comment ne sembleraient-ils pas, aux yeux d'une critique littéraire orientée vers l'Occident, des frères mal acclimatés des *Faux-Monnayeurs* de Gide[2] ? Ce ne sont que des frères ennemis. Aux drames gidiens de la conscience, ils opposent les conflits de l'inquiétude métaphysique. A la raison menacée par ses propres excès, ils répondent par une mystique dangereusement vécue. En fait, les dangers ne sont pas les mêmes puisque la démarche interrogative est différente. Au « pourquoi pas ? » gidien, dans un monde déserté par les dieux, répond et ne correspond pas, chez Mircea Éliade, une nostalgie agissante du paradis perdu. L'Inde, présente dans *Isabel si apelele Diavolului*, dans *Santier*, dans *Lumina ce se stinge*, dans *Maitreyi*, camouflée dans les racines secrètes des autres romans, arrache les œuvres d'Éliade à la problématique occidentale. Dans ce « roman indirect » qu'est *Santier* (journal d'idées plutôt que de sentiments),

218

Mircea Éliade écrit : « La solitude, la méditation, l'étude, j'aurais pu les trouver dans les mêmes conditions, n'importe où en Europe. Mais il y a ici [aux Indes] une certaine atmosphère de renoncement (...), de contrôle sur la conscience, d'amour, qui m'est favorable. Ni théosophie, ni pratiques brahmanes, ni rituels, rien de barbare, rien qui soit créé par l'histoire. Mais une extraordinaire croyance dans la réalité des vérités, dans la force de l'homme de les connaître et de les vivre par un accomplissement intérieur, par la pureté et le recueillement surtout[3]. »

La pensée hindoue n'était pas inconnue en Roumanie. Mais elle avait peu et mal tenté les écrivains[4]. Mircea Éliade est le premier à en faire l'expérience directe, tout en sachant ne pas se dissoudre en elle[5]. L'Inde n'envahit pas son œuvre et sa pensée, elle les nourrit seulement, les ouvrant aux mythes, aux symboles, à un langage dont l'Occident ne détient plus la clef. C'est sans doute pourquoi Mircea Éliade n'est pas réductible à des influences occidentales, même lorsqu'elles sont réelles[6], c'est pourquoi aussi sa réaction contre le « provincialisme » occidental de la littérature roumaine est violente. Si le XXᵉ siècle réinstaure le symbole comme instrument de connaissance, si l'Occident tend enfin à renouer le dialogue avec d'autres formes de spiritualité — archaïques et exotiques — si, comme l'affirme Mircea Éliade, « l'origine d'un symbole vaut la découverte d'une dynastie de pharaons[7] », alors la Roumanie a enfin une chance de faire valoir sa spiritualité, en dépit du fait qu'elle n'ait pas connu de Moyen Age, ni de Renaissance. Riche en protohistoire, ayant gardé avec le mythe et le symbole une familiarité active, l'Est de l'Europe, comme l'Orient, peuvent proposer à l'Occident des enseignements au lieu de lui en demander sans cesse[8]. Dans la tradition archaïque qui anime la spiritualité roumaine, Mircea Éliade trouve des formes encore vivantes qu'il se propose d'intégrer dans le vaste musée imaginaire des religions.

Cette exploration est, nous l'avons dit, une quête. Que l'écrivain mène au même titre que le chercheur. Le cas est assez rare pour devenir exemplaire. De cette coexistence du savant et de l'écrivain, Mircea Éliade s'est longuement expliqué dans un texte capital, écrit en roumain, *Fragment autobiografic* [9]. La distance qui paraît séparer les deux activités est d'ailleurs considérablement réduite dès lors que Mircea Éliade se veut plus philosophe qu'homme de science : « Même lorsque je me suis occupé avec l'histoire des sciences et que j'ai essayé de comprendre le sens des alchimies et des métallurgies orientales, ce qui m'intéressait au premier degré, c'étaient les « valeurs métaphysiques » présentes dans ces techniques traditionnelles et non les éventuelles découvertes scientifiques [10]. »

Même démarche pour le folklore et l'ethnologie : « Je n'étais intéressé que par les documents spirituels qui gisaient enterrés dans cette masse de livres publiés par les ethnologues, les folkloristes, les sociologues. Dans ces centaines de milliers de pages, il me semblait sentir survivre un monde de mythes et de symboles qui devait être connu et compris pour pouvoir comprendre la situation de l'homme dans le cosmos. Or, comme on le sait, cette situation constitue déjà une métaphysique [11]. »

Cette collaboration du philosophe et de l'écrivain comporte ses chances, ses aléas, ses difficultés.

Ses difficultés d'abord. La coexistence ne peut être simultanée. Par périodes, l'écrivain devra sacrifier son temps au chercheur et ce dernier aura également à s'effacer devant le romancier.

« Je suis incapable — avoue Mircea Éliade dans son *Journal* en date du 3 novembre 1949 — d'exister en même temps dans deux univers spirituels : celui de la littérature et celui de la science. C'est là ma faiblesse fondamentale : je ne puis me maintenir en état d'éveil et au même moment me trouver dans le rêve, dans le jeu. Dès que « je fais de la littérature », je retrouve un univers différent, je l'appelle onirique car il a une autre structure temporelle et surtout parce que mes rapports avec les personnages sont de nature imaginaire et non pas critique [12]. »

Échapper par la science à la littérature peut prendre la forme d'une tentation. Mircea Éliade note dans son *Journal*, en date du 2 juillet 1963, « la peur de Gide et de tant d'autres écrivains du début du siècle de devenir « littérateurs[13] ». C'est pourquoi Gide a cherché la vie et plus tard a découvert le social. J.-P. Sartre continue la même tradition : la « littérature » doit refléter le concret historique, c'est-à-dire le social, le politique. Ma libération de la littérature par l'histoire des religions et l'ethnologie correspond à la même tendance, pour moi c'est cela qui est réel et non la « littérature ». C'est pourquoi le critique qui verrait dans mon œuvre scientifique un penchant à l'érudition se tromperait. Il s'agit de tout à fait autre chose : d'un monde qui me semble plus réel, plus vivant que les personnages de roman et de récits[14]. »

Mais ce sacrifice de la « littérature » ne va pas sans regrets. Le 17 juillet de la même année, Mircea Éliade écrit :

« Je me rends compte maintenant que depuis près de dix ans j'ai sacrifié moi aussi la « littérature » ; j'ai renoncé à écrire des romans[15], le seul genre littéraire qui me donnait satisfaction. Je l'ai fait pour imposer une nouvelle compréhension de l'*homo religiosus*[16]. »

Pour astreignante qu'elle soit, cette collaboration n'en est pas moins fructueuse.

Elle s'impose déjà à l'enfant de treize ans qui publie des articles sur la vie des insectes et retrace, en même temps, dans un roman inachevé et dont le manuscrit est perdu, l'histoire du cosmos, depuis la parution des premières galaxies, à travers les *Mémoires d'un soldat de plomb*. Elle se poursuit chez l'adolescent et l'homme mûr et peut laisser croire quelquefois à un processus conscient. *Secretul Doctorului Honigberger* ne dérive-t-il pas du traité sur le yoga ? *Domnisoara Christina*[17] des mythologies de la mort, etc. ? Mircea Éliade aurait pu le croire lui-même si une expérience décisive ne lui avait révélé le caractère parfaitement inconscient de cette collaboration. Mircea Éliade s'occupait justement du symbolisme du serpent à travers un vaste matériel folklorique lorsqu'il se mit à écrire, comme dans un état second, le récit fantastique *Sarpele*[18]. Il sentit alors que l'écrivain refusait le concours de l'érudit, et découvrit, une fois le livre fini, que « l'acte de libre création pouvait au contraire révéler certains sens théoriques » cependant que « l'activité théorique ne pouvait influencer consciemment et volontairement l'activité littéraire[19] ».

Sarpele représente une expérience décisive pour Mircea Éliade car ce récit lui dévoile le thème que lui-même considère comme clef de voûte de toutes ses œuvres de maturité : « l'irrécognoscibilité du miracle ». L'intervention du sacré dans le monde est toujours camouflée, il n'y a pas de différence apparente entre le sacré et le profane et le fantastique gît au cœur du banal. Ce n'est pas seulement le romancier Mircea Éliade qui se souviendra de ce thème dans *Forêt Interdite*[20] ou dans des récits comme *La Tiganci*[21], *Ghicitor în pietre*[22] ou *Podul*[23], mais l'historien des religions qui le développera dans tous ses ouvrages.

« Le Monde est ce qu'il paraît être et en même temps un chiffre[24]. » Ou selon cette pensée de Victor Hugo que Mircea Éliade cite parce qu'elle lui semble anticiper la métaphysique latente de *Forêt Interdite* : « La nature qui met sur l'invisible le masque du visible, est une apparence corrigée par une transparence[25]. »

C'est à cette transparence que s'ouvrira dorénavant l'œuvre de Mircea Éliade. Une voie nouvelle est ainsi tracée au fantastique[26] et tous les thèmes qui nourrissent les romans de Mircea Éliade s'y rattachent d'une manière ou d'une autre.

Le Temps en premier lieu. Le Temps dont on pourrait dire qu'il est le personnage central de toute l'œuvre littéraire de Mircea Éliade et l'obsession de sa vie, son double permanent. Le mystère de la rupture provoquée par l'apparition du Temps et par la chute dans l'Histoire qui suit nécessairement, soutient l'œuvre et la vie de l'écrivain.

L'enfant se réveille à l'existence avec l'angoisse de l'écoulement précipité du temps. Le temps lui est compté, il le sent et ses souvenirs, *Amintiri*, publiés en roumain, nous apprennent les veilles forcées, l'incessante lutte contre le sommeil, ce combat contre Chronos qui sera le leitmotiv existentiel de l'adolescent[27]. L'action ou l'œuvre, en fait l'action par l'œuvre, deviendra la seule thérapeutique possible pour échapper à la folie du temps, à la neurasthénie provoquée par un inexorable écoulement[28]. Une thérapeutique, ou un devoir, qu'il étendra vite à toute sa génération. La seule en Roumanie à ne plus être guettée apparemment par l'Histoire.

La Première Guerre mondiale accomplit un idéal national qui avait monopolisé la culture jusqu'à la rendre exclusivement militante. La génération de Mircea Éliade est réellement disponible pour une culture non engagée. Ce répit, ou cette pause, Mircea Éliade en sent la précarité. D'où sa hâte, d'où ces sommations adressées à sa génération, d'où le conseil fervent et angoissé, dans un article pathétique, *Anno Domini*, publié au seuil de 1928, de concevoir cette année comme la dernière et de faire de ces douze mois l'œuvre de toute une vie. Vision apocalyptique en avance sur les événements mais que les événements se chargeront de confirmer, dix ans plus tard, lorsqu'une grande nuit « historique » s'abattra sur toute une culture, nuit dont elle n'est pas encore tout à fait sortie[29].

Tous les personnages de Mircea Éliade se souviendront de cette lutte avec l'Ange. Ceux de *Forêt Interdite* surtout qui demeure par excellence le roman du Temps. Mircea Éliade note dans son *Journal*, le 5 août 1951 : « Ce roman qui se déroule sur douze ans, est, dans un certain sens, une fresque, mais son centre de gravité se trouve ailleurs : dans les différentes conceptions du temps qu'assument les personnages principaux (...). Je crois qu'on remarquera le passage du « Temps fantastique » du début (la rencontre dans la forêt) au « Temps psychologique » des premiers chapitres, et, d'une manière encore plus despotique, au « Temps historique » de la fin[30]. »

Se référant au Temps-Mort, au Temps-course à la Mort, de Heidegger, un des personnages du roman, Birish, dit :

« Nous sommes mystifiés. On nous dit qu'il s'est écoulé une demi-heure ou qu'il est six heures — comme si cela avait de l'importance. Le fait important est que notre temps, c'est-à-dire le Temps de notre vie est un Temps de la Mort[31]. »

Stéphane, le personnage clef de *Forêt Interdite*, cherche par tous les moyens à annuler le temps. Birish ne se réfère cette fois plus à Heidegger pour essayer de comprendre la démarche de Stéphane : « Votre désir de sortir du Temps et d'ignorer l'Histoire traduisait probablement un effort désespéré pour retrouver la béatitude de l'enfance, pour réintégrer un Paradis perdu[32]. »

Car il ne s'agit pas comme chez Proust de partir à la recherche du temps perdu, mais de biffer le Temps, comme mémoire psychologique, personnelle et sociale. Une conversation entre Birish et Stéphane l'affirme explicitement :

« Je crois comprendre, dit Birish. Dans un certain sens, vous vouliez, comme Proust, retrouver le temps perdu.

— Non. Ce n'est pas ça. C'était « un autre genre de Temps ». Je ne l'avais pas encore vécu. Il n'était pas lié à mon passé. C'était « quelque chose d'autre », comme venu d'ailleurs[33]. »

La « mémoire » pour laquelle lutte Stéphane est une mémoire de l'*illo tempore*, et non un souvenir personnel[34], historique, l'Histoire étant en fait destructrice de mémoire[35]. C'est un effort métaphysique et dans ce sens plus proche de Dostoïevski et de Faulkner que de Proust[36].

Dans son *Journal*, écrit en marge de *Forêt Interdite*, Mircea Éliade fait lui-même ce rapprochement avec Dostoïevski :

« 4 mars 1953 : J'avais oublié ce détail de *L'Idiot* : Muichkine avait compris l'importance décisive du temps pour l'homme historique, « l'homme de la chute ». Voici ce qu'il dit : « A ce moment... j'ai entrevu le sens de cette singulière expression : il n'y aura plus de temps » (*Apocalypse*, X, 6). Ce « moment » est la dernière fulguration consciente avant l'attaque d'épilepsie. Ce qui est intéressant c'est que Dostoïevski a compris la valeur métaphysique (et non seulement *extatique*) de ce « moment » atemporel, de ce *nunc stans* qui signifie l'éternité[37]. »

Avec Faulkner, Mircea Éliade partage le désir de revenir aux commencements pour supprimer le temps[38], mais tandis que chez Faulkner le temps est vécu comme un destin que les personnages ne déchiffrent pas, chez Mircea Éliade l'angoisse surgit justement de la lucidité avec laquelle les héros assument leur condition déchirée par le Temps, c'est-à-dire par l'Histoire.

Si le Temps n'est que la malédiction de l'homme après la chute, de l'homme dans l'Histoire, et Berdiaev l'a dit, les voies pour lui échapper sont simples pour une mentalité archaïque qui n'a qu'à revenir vers l'*illo tempore* pour se régénérer, ardues pour le chrétien obligé d'accepter l'Histoire, conséquence du péché originel, de l'accepter à l'image du Christ, et ne pouvant en même temps s'empêcher de rêver à son abolition par la Rédemption, à mettre en valeur la fonction eschatologique du présent. Cette attitude paradoxale du chrétien qui accepte l'Histoire et la nie en même temps, « espérant le salut hors d'elle et même contre elle[39] », sera doublée chez Mircea Éliade d'une nostalgie de la solution archaïque et d'une hantise du passé de son propre pays à ce point accablé et surchargé d'histoire, n'ayant évité aucune de ces vicissitudes, qu'un philosophe roumain, Lucien Blaga, a pu dire que le peuple roumain n'a duré qu'en « sabotant l'histoire ». Et même si Mircea Éliade s'élève contre cette formule[40], il ne s'en sert pas moins dans un de ses récits, *Santurile*, écrit en 1963[41]. Le 27 juin 1963, il note dans son *Journal* : « Je reprends la nouvelle. Je l'intitulerai probablement *Santurile*. Au début, je voulais lui donner un titre qui trompe les lecteurs : « le Combat d'Oglindesti ». Au fond, le combat se déroulait à quelques dizaines de kilomètres du village où les derniers restants creusent les tranchées pour trouver le trésor. C'était une manière de montrer comment les Roumains ont « saboté l'histoire ». A la veille de la catastrophe, lorsque tout s'écroulait, lorsque de nouveaux maîtres se préparaient à occuper et à dominer le pays, mon village obéissait à un vieillard et cherchait le trésor auquel ce dernier rêvait depuis près de quatre-vingts ans[42]. »

Saboter l'histoire par l'action, le paradoxe n'est qu'apparent. Observer en tout cas une attitude antihistorique, une attitude apocalyptique, assurer ses distances par le mépris[43], sortir de l'histoire pour trouver le salut : « Ma préoccupation essentielle, écrit Mircea Éliade dans son *Journal*, est justement le moyen d'échapper à l'Histoire, de me sauver par le symbole, le mythe, les rites, les archétypes[44]. »

Il est absolument nécessaire de supprimer la distance, la dialectique : « Il n'y avait pas pour moi d'hiatus entre le monde et le mythe, il n'existait pas de dialectique. Les objets étaient des objets et, en même temps, des symboles, des significations[45]. »

Est-ce pure coïncidence si justement le mythe du solstice d'été, qui correspond à un arrêt du temps, obsède Mircea Éliade au point de le retrouver, reliant, par un processus inconscient, deux de ses romans clefs : *Isabel si apelele Diavolului* et *Forêt Interdite* ? L'écrivain se le demande :

« Je me rappelle qu'il y a exactement vingt ans, sous la chaleur torride de Calcutta, j'écrivais « Le rêve d'une nuit d'été » dans *Isabel*. Le même rêve de solstice, avec une autre structure et s'étendant à d'autres niveaux, se trouve également au centre de *Forêt Interdite*. Serait-ce simple coïncidence ? Le mythe et le symbole du solstice m'obsèdent depuis de longues années. Mais j'avais oublié qu'ils me poursuivaient depuis *Isabel*[46]. »

Avec le Temps, l'Amour, conçu comme un instrument de connaissance, comme une aventure métaphysique, informe toute l'œuvre de Mircea Éliade et pas seulement ce qu'il est convenu d'appeler ses romans d'amour, comme *Maitreyi* ou *Nunta în cer*[47].

L'amour est étranger au monde, l'amour ne peut s'accomplir sur terre et les adolescents des premiers romans de Mircea Éliade le conçoivent d'abord comme un charme qu'il faudrait rompre par tous les moyens. Sans doute se souviennent-ils, avec Mircea Éliade, de la « valorisation négative » de l'amour chez le primitif, de son refus de se perdre dans autrui[48]. « Mais ce qui était naturel pour le primitif ne l'est plus pour l'homme averti de l'immense révolution réalisée par le christianisme qui a promu, à tous les niveaux, la perte de soi[49]. »

L'un des héros du roman *Intoarcerea din Rai*, Pavel Anicet, fait cette profession de foi : « Et si Jésus-Christ prenait encore soin de nous, les hommes, comme il l'a fait il y a deux mille ans, il devrait naître à nouveau de la Vierge, venir sur terre et nous apprendre à ne plus nous aimer. « Ne vous aimez plus les uns les autres. » Voilà ce que devrait clamer le Rédempteur, s'il était vraiment un Rédempteur. (...) « Soyez l'un pour l'autre des étrangers, voilà ce qu'il devrait nous dire (...), heureux ceux qui n'aimeront pas, et qui ne donneront pas leur cœur, car c'est à eux qu'appartiendra le Royaume du Ciel et de la Terre[50]. »

Et toujours chez Pavel Anicet, cette nostalgie d'une fraternité cosmique, perdue à cause de l'amour : « Pouvoir demeurer toute sa vie seul, devenir frère des papillons et des oiseaux, aimer les étoiles et les eaux, pouvoir satisfaire cet instinct qui mène vers la mort, en aimant n'importe quoi, l'être humain excepté[51]. »

Antinaturel, l'amour ne peut être vécu sur terre[52]. Souvenir du Paradis, et impossible reconquête, il est l'instrument par excellence de la connaissance métaphysique[53]. Le donjuanisme exacerbé des premiers héros de Mircea Éliade ne s'explique pas autrement[54]. Dès *Isabel si apelele Diavolului* nous en sommes avertis : « En fait, je ne suis pas un sensuel. Mes conquêtes érotiques étaient des conquêtes de principe, provoquées par des idées, par des rapports, par des expériences intimes (...). C'est pourquoi j'ai écrit que don Juan doit être un théologien, dans le sens substantiel et non d'érudition (...). J'ai trop aimé le métaphysique pour ne pas être un familier des femmes[55]. »

Cette aventure étant d'ordre métaphysique se déroule à

des niveaux extrêmes, ignorant toute autre loi que celle de la connaissance. Dans *Intoarcerea din Rai* et dans *Huliganii*, l'Éros se déchaîne comme hors du social et de l'éthique, le plus souvent contre eux[56]. Mais la violence, le paroxysme, l'indifférence à toute éthique ne suffisent pas à rendre l'amour assez antinaturel. Pour dépasser la condition déchue, l'amour doit impliquer une tentation de sainteté. La coexistence de deux amours, préfigurée déjà dans un roman d'adolescence perdu *(Gaudeamus)* deviendra un leitmotiv dans la littérature de Mircea Éliade. Pavel Anicet dans *Intoarcerea din Rai* subira, jusqu'à l'échec et la mort, cette malédiction d'aimer en même temps et du même amour, deux femmes[57]. Stéphane, dans *Forêt Interdite*, vivra ce même destin déchiré que seule la mort résoudra. Il aime, lui aussi, deux femmes à la fois et un autre personnage du roman lui dit : « Toutes les deux vous étaient destinées, puisque vous les aimez l'une et l'autre, mais vous avez cru que vous pourriez les aimer en même temps, de la même manière que les âmes peuvent aimer dans le ciel, et cela, c'est impossible. Voilà quelle a été votre illusion. Là-haut dans le ciel, après la mort, toutes choses vous seront données d'un seul coup (...). Mais vous, vous avez cru que cette vie du ciel, vous pouviez la vivre ici, sur la terre[58]. »

Cette « vie du ciel » assumée sur la terre, cette tentation angélique, ce « paradis de l'unité » dont parle Pavel Anicet, c'est également l'impossible aventure de *Nunta în cer*. Deux hommes ont aimé la même femme[59]. Ils se racontent cet amour, au cours d'une interminable nuit blanche, recevant l'un de l'autre la révélation de tout ce que cet amour comportait de « paradisiaque », donc d'irréalisable. Pour Hasnas, c'est un miracle couvert et caché par la banalité apparente qu'il n'arrive pas à reconnaître à temps et donc à vivre pleinement[60]. Pour Mavrodin, c'est l'union cosmique, l'état angélique[61], les « Noces au Paradis », dont il s'acharne à préserver le statut adamique, en refusant l'enfant qui l'enracinait dans le monde : « L'amour est notre Paradis — dit-il à la femme aimée. Un paradis sans fruit[62]. »

228

Ce « fruit » refusé, cet entêtement à ne pas accepter la condition humaine d'après la Chute, mèneront Mavrodin vers la destruction de son amour terrestre. La même femme disparaît de la vie des deux hommes, du premier parce qu'elle refuse de lui donner un enfant, du second parce qu'elle en désire un. La contradiction n'est qu'apparente. Cette femme n'est-elle pas l'instrument par lequel Hasnas est puni pour n'avoir pas su reconnaître le miracle, et Mavrodin pour avoir voulu, au contraire, le vivre en dehors de tout compromis avec l'éphémère ? Et cette non-reconnaissance et ce refus n'appartiennent-ils pas au même arbre — défendu — de la connaissance ?

Seule la mort pourra résoudre la dualité, mettre fin au déchirement, offrir le statut édénique. Dans la plupart des romans de Mircea Éliade, et même dans sa pièce de théâtre *Ifigenia*[63], nous nous trouvons devant une revalorisation active de la mort : « Qu'est-ce qui pousse l'homme à affronter le réel ? — se demande un personnage de *Huliganii* — Qu'est-ce qui le fait penser de tout son être, sortir de la biologie, et même de la psychologie ? Une seule chose : la contemplation de la mort, l'attente de la mort, la pensée de la mort[64]. »

Cette « pensée de la mort » ne devrait pas nous quitter un instant, car, par elle, nous nous définissons, par elle nous pouvons communiquer authentiquement avec autrui.

Pavel Anicet dit à son meilleur ami, dans *Intoarcerea din Rai* : « Les hommes devraient se faire sans cesse des confessions, se tenir au courant de leur conception de la mort[65]. »

On peut appréhender cette mort même sans l'impossible expérience lazaréenne : « Ne peuvent nous apprendre la mort que ceux qui l'ont connue, cultivée, qui se sont entretenus avec elles, au cours des longs siècles d'attente, dans les nuits apocalyptiques. Ne peuvent nous apprendre la mort que ceux qui l'ont connue, sans mourir. Aussi paradoxal que cela paraisse, ce fait n'est pas moins vrai, simple et vrai. Dans une intuition réelle, tirée du folklore, vous rencontrez la réalité de la mort, vous

229

connaissez ses « passages », vous comprenez son sombre destin. Un homme qui meurt dans une légende vaut plus (de ce point de vue, celui de la connaissance) que tous les héros qui meurent dans tous les romans modernes[66]. »

Et c'est sans doute dans la mesure où Mircea Éliade est nourri de cette « connaissance », que ses héros meurent autrement.

Pavel Anicet, dans *Intoarcerea din Rai*, prépare son suicide comme une fête, comme un retour glorieux à l'Unicité, comme une réintégration : « La mort, extase. La mort, instrument de connaissance. La mort pour embrasser l'Unité, le Tout[67]. »

Le symbolisme de la mort ne change de signe, ne devient sombre, que lorsqu'il est faussement interprété, au moment où le statut de la mort n'est pas accepté dans son intégrité[68]. Dans la plupart des autres cas — même lorsque le processus est inconscient — la mort apparaît comme un signe de lumière. Le *Journal* que Mircea Éliade a tenu tout en écrivant *Forêt Interdite*, est révélateur à ce sujet. Stéphane, le héros, aime, nous l'avons dit, deux femmes : Ioana et Ileana. La première meurt dans un bombardement, il ne rejoindra la seconde que dans la mort, provoquée par un accident d'auto.

Or, pendant qu'il écrivait ce roman, Mircea Éliade notait le 26 juin 1954 : « Il y a cinq ans lorsque j'ai commencé à écrire *Forêt Interdite*, je ne savais presque rien du livre, sauf la fin. Je savais qu'après douze ans, Stéphane retrouverait Ileana toujours dans une forêt et qu'il reconnaîtrait la voiture qui (à ce qu'il lui avait semblé) avait disparu ou aurait dû disparaître dans la forêt de Baneasa[69], dans la nuit de la Saint-Jean 1936 (...). Leurs retrouvailles en 1948 auraient dû racheter toutes leurs épreuves et leurs souffrances. Jusqu'au dernier moment, même après avoir commencé à écrire le chapitre de la fin et à m'approcher de leur rencontre dans la forêt de Royaumont, j'avais cru que leur nouvelle rencontre allait signifier pour l'un comme pour l'autre le début d'une « vie nouvelle » *(renovatio)*. J'avais homologué la quête de Stéphane à une *quest* initiatique (...). Or, aujourd'hui, j'ai compris qu'il s'agissait de tout autre chose : Stéphane était obsédé par la « voiture qui devait disparaître à minuit », la voiture avec laquelle « aurait dû venir » Ileana en 1936, à Baneasa. Plus encore que l'amour incompréhensible pour Ileana (car il continue à être amoureux de Ioana), ce qui lui paraît étrange dans la rencontre de Baneasa, c'est l'obsession de sa voiture à elle. Or, tout s'explique si la voiture d'Ileana — réelle à Royaumont, douze ans plus tard — est le berceau de leur mort. Il me semble maintenant qu'Ileana n'aime plus Stéphane. La Quête — The Quest — de ce dernier était donc la quête de la Mort. Ileana se révèle être ce qu'elle était dès le début : un ange de la Mort, seulement, au début, sans voiture réelle, son vrai destin ne pouvait être perceptible. Les voitures ont une fonction archétypale dans le roman et le lecteur averti observera vite que chaque fois qu'intervient une voiture il se produit une « rupture de niveau » et les destins s'accomplissent ou deviennent perceptibles. Le symbolisme de la Mort s'impose à moi en écrivant le dernier chapitre. Je ne sais pas encore s'ils vont mourir tous les deux, dans un accident, cette nuit-là, bien que cette fin soit la seule plausible. Stéphane a percé tous les secrets ; au niveau anecdotique, cette compréhension correspond au « dernier entendement » du sage, qui est en même temps sa pierre tombale [70]. »

Nous avons cité presque intégralement cette page du *Journal*, car, non seulement elle éclaire le symbolisme de la mort dans les romans de Mircea Éliade [71], mais elle démontre aussi à quel point la collaboration entre le chercheur et l'écrivain se passe au niveau de l'inconscient, l'initiative étant largement accordée à l'écrivain.

« Il est probable — écrit Mircea Éliade — que toute une série d'interrogations, de mystères et de problèmes que mon activité théorique refusait, demandaient à être assouvis dans la liberté de l'écriture littéraire [72]. »

Cette liberté se veut, se voulait surtout, sans limites. Le jeune Mircea Éliade transforme l'adolescence en critère

de valeur[73] et bouleverse les assises du langage traditionnel. Avec lui, le roman devient tout ce qu'il n'était pas
auparavant. Journal intime, essai, discussion philosophique, film d'idées, source de connaissance, ce roman insolite est un *work in progress*, dont l'entière liberté n'épar-
gne même pas son auteur. L'initiative est abandonnée
aux personnages et l'écrivain est le premier à s'étonner
de leurs comportements extrêmes, des dénouements
qu'ils lui imposent, des monologues intérieurs qui prennent la place de la narration et quelquefois l'annulent[74].
Une barrière contre la littérature : l'authenticité ; une
méthode contre la littérature : l'expérience[75].

« En face de l'originalité, moi je dresse l'authenticité[76]. »

L'authenticité qui exprime, selon Mircea Éliade, « une
puissante soif ontologique de connaissance du réel »[77],
est assez tyrannique pour empêcher le roman de se construire en architectures élaborées[78]. L'écriture jusqu'à un
certain point et une certaine date, est « houliganique »
comme les personnages, elle n'admet pas d'entraves.

Huliganii (« les Houligans »), ce titre du roman de Mircea Éliade, demande à être expliqué. Les « houligans » se
veulent des serviteurs de la révolte, ils n'en seront jamais
les professionnels. Aucun parti révolutionnaire ne peut
annexer leur colère[79], car elle n'est pas dressée seulement contre un ordre social, contre la seule génération
des parents, mais contre le statut de l'homme dans le
monde. Cette « révolte des ténèbres » ne tend pas à créer
une autre condition humaine, mais seulement à détruire
les fondations de celle qui existe. Beaucoup moins d'ailleurs par une violence sociale que par une exaltation
anarchique du moi biologique.

Un personnage « assagi » de ce roman, David Dragu,
ayant dépassé l'âge et l'expérience « houliganiques »,
essaie de décrire cette situation limite : « Ne rien respecter, ne croire qu'en soi, en sa jeunesse, en sa biologie.
Celui qui ne débute pas ainsi en face de soi-même et en
face du monde, ne créera rien. Pouvoir oublier les vérités, avoir tant de vie en soi qu'on en devienne imper-

méable aux vérités, qu'elles ne puissent plus vous intimider, voilà la vocation du « houligan ». (...) Les uns brisent les carreaux, les autres affirment que la vie commence avec eux (...). Quelle vitalité orgueilleuse ! Départager ainsi le monde en vivants et en morts, avec un simple jugement de valeur, ou un simple carreau brisé, quelle violente affirmation ce geste ne signifie-t-il pas ? (...) Tous, vous ignorez les vérités établies, l'ordre établi, les hommes établis. Tous, vous croyez que le monde commence avec vous, ou, plus modestement, que vous pouvez équilibrer le monde[80]. »

Et c'est encore un « houligan » qui, pensant au roman qu'il écrit, revient à l'obsession de l'authenticité : « Le roman sera le miroir même de sa vie, la réalité de n'importe quel jeune. Le reste est littérature, tout ce qui ne surgit pas de la sensation fraîche, tactile, immédiate. Des expériences, boue ou soleil, mais seulement des expériences. *Authenticité :* journal intime, confession totale. Écris vite, un film de chair et de colère, les révélations de la nuit[81]. »

Si l'écriture est « houliganique », hachée en courtes séquences qui sont autant de respirations haletantes, si, jusqu'à un certain point, on peut ramener l'auteur vers la conception que son personnage se fait du roman, l'initiative qu'il a abandonnée à ses héros n'est pas sans l'étonner et même l'effrayer lui-même[82]. En écrivant le roman qui devait continuer *Huliganii*, et qu'il n'a pas achevé, *Viata Noua*, Mircea Éliade hésite à faire rentrer en scène son « houligan » le plus caractéristique, Petru Anicet, le frère de ce Pavel Anicet qui s'était suicidé pour mettre fin à son impossible expérience érotique : « J'ajournais la rencontre de Stefania et de Petru Anicet. Peut-être, sans m'en rendre compte, étais-je le premier épouvanté par la cruauté de ce "houligan exemplaire"[83]. »

Et, une dizaine d'années plus tard, lorsqu'il écrit *Forêt Interdite*, l'authenticité, elle-même, est mise en question, au même titre que l'écriture « houliganique »[84].

« 27 octobre 1949 : Le roman se fait à mesure que je le rédige. De là, surtout dans mes anciens romans, des hésitations, des inconsistances et beaucoup de remplissage. J'improvise chaque soir ce qu'il faudra que j'écrive pendant la nuit. Quelquefois, je commence le chapitre avant même de savoir ce qui arrivera, quel personnage interviendra, etc. (...) Tout ce qui est mesuré, filtré, revu, me semble artificiel. Il faudra que je me débarrasse de ce reste d'immaturité, de cette superstition de l'authenticité à tout prix. L'authenticité de l'émotion esthétique, je veux dire : je ne peux pas écrire quand j'ai fait auparavant la « répétition générale » mentale de la scène que je dois écrire. L'émotion esthétique, épuisée par la « répétition générale », a perdu pour moi son authenticité, sa spontanéité[85]. »

Mais l'écriture « houliganique » n'était pas, même pendant cette époque de jeunesse, la seule écriture de Mircea Éliade, de même que les « houligans » n'épuisaient pas la gamme de ses personnages.

Dès *Isabel si apelele Diavolului*, un autre héros clef s'impose, un héros absent à sa propre vie : « J'écoutais le récit de ma vie sans y prêter d'attention[86] » — et qui s'incarnera d'une manière encore plus exemplaire dans le Stéphane de *Forêt Interdite* qui, pris dans un réseau serré de signes, oublie de vivre et de poursuivre sa propre biographie.

Si le roman pur doit être détruit et le héros « psychologique » annulé, ce n'est pas pour promouvoir une expérience purement anarchique de l'écriture (un « degré zéro » de la terreur), mais pour être remplacés, le premier par un roman de la connaissance et le second par un « personnage mythe ».

Lorsque Mircea Éliade constate en 1939 que le roman en Roumanie se trouve dans une phase révolutionnaire, il déplore, en même temps, qu'à une exception près[87], on n'ait pas réussi à créer des « personnages mythes » qui « vivent le drame de la connaissance » et qui aient « une conscience théorique du monde »[88].

Par là même, il définit l'ambition de ses propres héros, exaltés, cyniques ou mystiques, dont l'expérience sera par essence métaphysique.

Le roman devra donc briser ses limites étroites, ses limites épiques, afin de devenir ce miroir grossissant de la somme de connaissances d'une époque : « Le roman pur est un non-sens — écrit Mircea Éliade — comme d'ailleurs la « poésie pure ». Une grande création épique reflète en grande partie, et avec les moyens de connaissance qui lui sont propres, le sens de la vie et la valeur de l'homme, les conquêtes scientifiques et philosophiques du siècle (...). Il est absurde d'interdire la « théorie » dans une œuvre épique, il est absurde de demander à un romancier de se limiter à la seule description, aux seuls événements (...). La « théorie » — c'est-à-dire l'intelligence, la dignité humaine, le courage en face du destin, le mépris des truismes. Pourquoi les romanciers fuient-ils devant cette mission du roman : refléter une époque non seulement sous son aspect social, mais aussi sous son aspect théorique et moral : c'est-à-dire refléter les efforts contemporains vers la connaissance, les efforts pour valoriser la vie, pour résoudre le problème de la mort[89]. »

L'éclatement des formes épiques traditionnelles représente pour Mircea Éliade plus et autre chose qu'un modernisme de la forme. Revenant en 1966 sur ce journal intime transformé en roman indirect qu'était *Santier* et regrettant d'ailleurs sa « forme hybride », Mircea Éliade ne voit pas moins dans un mélange de genres l'une des solutions possibles à la crise du roman contemporain : « Je crois en effet que les multiples « crises » qu'ont traversées le roman, le théâtre, la philosophie systématique, encourageront un nouveau « genre littéraire » que l'on ne peut définir pour le moment, mais qui se situera aussi loin de l'expression traditionnelle des écrits philosophiques, de l'essai, de la critique, que du journal intime de type Goncourt ou Amiel. Des écrits d'apparence hybride, tenant autant du carnet de notes et du journal intime que du style de la monographie érudite, de la correspondance, de la réflexion philosophique, de la problématique politique et sociale ou de l'historiographie[90]. »

L'éclatement des genres ne correspond pas, pour autant, à l'éclatement de la narration et Mircea Éliade n'a été à aucun moment le prophète ou le précurseur d'un anti-roman, d'un « nouveau roman » dépouillé de ses éléments constitutifs — intrigue et personnages — et rejetant la signification à tous les niveaux, jusqu'à l'objet qui connaît, au contraire, chez lui, un trop-plein de signification. Puisque l'intervention du sacré dans le monde est toujours camouflée, l'objet lui-même peut devenir dépositaire du sens sacré. Il n'est opaque que pour celui qui ne sait pas voir. « Une pierre sacrée ne se distingue pas, apparemment, de toutes les autres pierres[91]. » Un récit récent de Mircea Éliade s'intitule *Ghicitor în pietre* (Devin dans les pierres) et son héros lit justement l'avenir d'un homme, dans la pierre dont il s'est approché sur une plage : « Quelques pierres me suffisent, dit Beldiman, sur le lieu où s'est assis l'homme ou à côté. Quelquefois, les pierres qui parlent se trouvent assez loin de l'endroit qu'un homme a choisi pour s'asseoir. Je les cherche des yeux et lorsque je les trouve, je comprends ce qui va arriver. Je comprends d'après leur forme, ou d'après certaines aspérités, ou d'après les couleurs de la pierre, plus sombre d'un côté, colorée de l'autre, striée, lumineuse. Et alors, je lis dans les pierres et je comprends ce qui va se passer avec l'homme qui s'est assis auprès d'elles ou quelquefois directement sur elles. Car, je l'ai appris, l'homme ne s'installe jamais au hasard. Chacun choisit selon son destin. Ne l'avez-vous pas remarqué ? On se dirige vers un endroit, il vous semble beau, on s'apprête à s'y asseoir et puis on trouve que la place d'à côté est plus belle encore. Mais lorsqu'on se met là-bas, quelque chose vous manque et on change à nouveau jusqu'à ce que tout devienne brusquement limpide. On s'étend et c'est comme si tout devenait clair et beau, comme si le monde vous appartenait. Vous avez trouvé la place qui vous était destinée, qui vous attendait[92]. »

A l'opposé du nouveau roman, la narration sera donc rétablie par Mircea Éliade dans tous ses droits, dans son entière dignité. Il se propose d'ailleurs d'écrire une étude qu'il voudrait intituler « De la nécessité du roman-roman » et note dans son journal en date du 5 janvier 1952 : « Montrer la dimension autonome, glorieuse, irréductible de la narration, formule réadaptée à la conscience moderne, du mythe et de la mythologie. Montrer que l'homme moderne, comme l'homme des sociétés archaïques, ne peut exister sans mythes, donc sans récits exemplaires. La dignité métaphysique de la narration, ignorée par les générations réalistes et férues de psychologie qui ont mis sur le premier plan l'analyse psychologique, puis l'analyse spectrale[93]. »

S'élevant contre les techniques de destruction, dont il s'était lui-même servi (« les fraudes du monologue intérieur et du film mental ») et même contre « l'univers kabbalistique du dernier Joyce »[94], Mircea Éliade y voit le signe de la régression dans le chaos dont témoigne l'aventure de l'art moderne : « Le sens m'en semble clair : nous refusons le monde et la signification de notre existence, tels que les ont connus et acceptés nos prédécesseurs, nous manifestons ce refus en abolissant le passé, en fracturant les formes, en aplatissant les volumes, en désarticulant tous les langages et notre idéal serait de pouvoir effacer jusqu'à ces ruines et ces fragments pour retourner au noir pur, à l'amorphe sans limites, à l'Unité du Chaos[95]. »

L'aventure de l'art moderne n'est-elle pas, en ce sens, « houliganique », ne participe-t-elle pas à cette « révolte des ténèbres » décrite par le jeune Mircea Éliade ? Mais ne comporte-t-elle pas, au moment même du refus, l'ouverture vers un autre monde, un monde renouvelé ?

« La régression dans le chaos n'est qu'un moment d'un processus plus complexe — continue Mircea Éliade. Aujourd'hui nous n'assistons pas seulement à la destruction des langages, comme aux temps du cubisme et du futurisme, mais surtout au désir de revenir vers le trop-plein des origines. Rares sont ceux qui se rendent compte de ce moment précosmogonique (...). Il est étrange que les critiques littéraires, bien qu'ils soient passionnés par les mythes archaïques et exotiques, ne se rendent pas compte des significations de leur propre passion, ne comprennent pas que le mythe est avant tout une narration (...). L'attraction de l'homme moderne pour les mythes trahit son désir caché d'écouter des histoires (...). Dans le jargon de la critique littéraire, cela signifie roman-roman[96]. »

Ce roman-roman, dont l'illustration la plus évidente demeure *Forêt Interdite*, Mircea Éliade l'a cependant abandonné depuis une dizaine d'années pour écrire de courts récits qui sont à son œuvre symphonique, le correspondant d'une très sévère musique de chambre, les quatuors de la pureté. Ce sacrifice n'est pas un désaveu. Dans le temps concentré, épuré, du récit, Mircea Éliade retrouve la source même du fantastique, découvert dans *Sarpele*, ce camouflage du miracle sous la banalité du quotidien. Certes, l'irrécognoscibilité du miracle formait la trame de tout son univers épique, nourri de signes. Si les récits nous en livrent l'essence, c'est peut-être dans la mesure où la banalité s'y fait plus épaisse, devient méthode de création. Un héros domine ces récits : l'homme banal. Petit-bourgeois, personnage des faubourgs bucarestois, ou paysan, il n'est pas tout à fait inédit dans la prose de Mircea Éliade. Mais tandis qu'avant, il ne représentait qu'un contrepoint pittoresque dans un univers dominé par les « intellectuels », il règne maintenant en maître. Et pour la première fois, c'est sur lui que fondent les miracles[97]. Le fantastique gagne en insolite car la banalité est cette fois double, elle gît dans l'objet ou le cadre, porteurs de sacré, et dans celui auquel il est révélé. La banalité nous entoure de toutes parts, elle est trop parfaite pour ne pas devenir suspecte. Le paysage lui-même en est transformé. Si cette Roumanie dans laquelle se passe l'action de la plupart des récits est plus réelle que la réalité, transparente jusqu'à l'évanescence, c'est qu'elle est devenue un espace peuplé de signes, qu'elle appartient à une géographie imaginaire[98].

Cette banalité, qui se trouve à la source même du

miracle, est renforcée par l'écriture de Mircea Éliade, d'apparence neutre, ignorant volontairement ce qu'il est convenu d'appeler le beau style. L'indifférence de Mircea Éliade à toute perfection de la forme — qui lui fut reprochée par la critique littéraire roumaine, lors de la parution de ses premiers romans — ne s'expliquent pas seulement par le sentiment que le temps lui était compté, par la hâte de bâtir une œuvre — et non de faire de « beaux livres[99] » —, elle est essentielle. Faire beau est pour lui le contraire de faire et l'idée même d'une métaphore lui semble participer du délire. Notant qu'il n'a jamais réussi la moindre métaphore, Mircea Éliade met en question le jeu mental qu'implique un tel exercice de style : « Comment peut-on surprendre une chose, comment peut-on la délimiter et l'évoquer d'une manière concrète si, au moment de « la mettre sur le papier », on ressent le besoin de la quitter, de la comparer avec autre chose, de la transfigurer ? (...) Je me demande surtout comment un écrivain n'est pas pris de vertige, assistant ainsi à la dislocation de ses objets mentaux pendant la composition. Ce n'est pas aussi simple de voir comment tout se transforme, se liquéfie, se vaporise : les objets apparaissent et disparaissant, appelés par d'autres objets et exprimés par autre chose que par leur aspect concret. Un fleuve épouvantable dans lequel tout se perd parmi les évocations, les allégories, les métaphores. Cette liberté qu'ont toutes choses de s'élargir à l'infini, de sortir de leurs limites, de courir vers le haut, vers le bas (...) cherchant un signe pour les exprimer, me semble hallucinante[100]. »

Mircea Éliade ne fera donc pas de style, mais ce manque de style est une conquête. Encore plus évidente dans les derniers récits par le langage prosaïque des personnages simples. On ne peut parler d'une banalité de l'écriture chez Mircea Éliade qu'à condition de voir le piège que cette banalité tend. Elle cache, elle aussi, un signe. S'il n'en était pas ainsi, pourquoi cette prose « sans style » serait-elle aussi difficilement traduisible ? Pourquoi sa limpidité, sa transparence, ses métaphores successives,

demeureraient-elles prisonnières du cercle magique
d'une seule langue : le roumain ?

Ce n'est pas le moindre des secrets qui jalonnent cette
voie royale vers le Centre qu'est l'œuvre de Mircea
Éliade.

VIRGIL IERUNCA.

NOTES

1. Dans *Amintiri I* (Mansarda), Colectia Destin, Madrid, 1966, p. 152.

2. Mircea Éliade ne peut manquer de s'étonner de la cécité de la critique littéraire à son égard : « J'ai lu les plus distrayantes interprétations de mes romans dans *Istoria Literaturii Române* de G. Calinescu ; on y parlait de mon « gidisme » bien que je n'aie découvert Gide que vers la trentaine », dans *Caete de Dor*, n° 7, Paris, juillet 1953, p. 5.

3. *Santier*, Editura Cugetarea, Bucarest, 1935, p. 52.

4. Le poète Mihai Eminescu n'avait eu accès à l'Inde qu'à travers Schopenhauer, le savant Hasdeu l'avait noyée dans son érudition flamboyante, pour Cosbuc, elle avait été matière à traductions poétiques.

5. Ce danger a existé du propre aveu de Mircea Éliade. Il écrira beaucoup plus tard, dans son *Journal* : « Ébloui par les "découvertes" que je fais à propos de mes romans, *Isabel* et *Lumina ce se stinge*. Ce dernier, illisible, monotone, raté, m'apparaît brusquement comme une réaction inconsciente contre l'Inde, un effort désespéré de me défendre contre moi-même car pendant l'été 1930, j'avais décidé de devenir « hindou », de me perdre dans la masse hindoue. Le mystère de *Lumina ce se stinge*, cet incendie incompréhensible qui se déclare dans la bibliothèque (...) n'était au fond que le « mystère » de mon existence dans la maison de Dasgupta ». (*Revista Scriitorilor Romani*, n° 5, München, 1966, p. 85.)

6. Celle de Papini, par exemple, l'était.

7. *Fragmentarium*, Vremea, Bucarest, 1939, p. 38.

8. *Cf.* à ce sujet l'étude de Mircea Éliade : *Probleme de cultura românesca* dans *Indreptar*, An I, n° 6, München, mai 1951.

9. Dans *Caete de Dor*, n° 7, *op. cit.*

10. *Ibid.*, p. 1.

11. *Ibid.*, pp. 1-2. Sur le rôle du folklore, comme instrument de connaissance, Mircea Éliade avait insisté auparavant. Ainsi dans *Insula lui Euthanasius* (Fundatia Regâla Pentru Literatura Si Arta, Bucarest, 1943, p. 47) : « Les croyances folkloriques semblent être un immense dépôt de documents d'étapes mentales, aujourd'hui dépassées. » Et dans *Fragmentarium* (*op. cit.*, p. 60) : « Rares sont les folkloristes qui comprennent que la mémoire populaire a gardé, comme une grotte, des documents authentiques, représentant les expériences mentales que l'actuelle condition humaine rend non seulement impossibles, mais aussi, incompréhensibles. »

12. Dans *Caete de Dor*, n° 9, Paris, décembre 1955, p. 11.

13. En français dans le texte.

14. Dans *Revista Scriitorilor Romani*, n° 5, *op. cit.*, p. 94.

15. Depuis *Forêt Interdite* (publiée dans la collection « Du monde entier », traduction Alain Guillermou, chez Gallimard, Paris, 1955, et dont le titre original en roumain est *Noaptea de Sânziene*, Mircea Éliade n'a plus écrit que de courts récits en roumain.

16. Dans *Revista Scriitorilor Romani*, n° 5, *op. cit.*, p. 95.

17. *Domnisoara Christina* (éd. Cultura Nationala, Bucarest, 1936), l'histoire d'une jeune morte, vampire qui s'éprend d'un humain, digne de la caméra d'un Dreyer, illustre assez bien la manière dont Mircea Éliade entend se servir du folklore et le servir. Dans une étude sur les thèmes folkloriques et la production littéraire (in *Insula lui Euthanasius, op. cit.*, p. 371), il mettait en garde contre la transposition des motifs folkloriques. La seule démarche valable lui semblait être une approche de la source même de la production folklorique qui est « la présence fantastique, une expérience irrationnelle ».

18. Dans des souvenirs intitulés *Bucarest, 1937*, et publiés dans *Fiinta Romaneasca*, n° 5, Paris, 1966, Mircea Éliade revient sur ce sujet qui lui tient à cœur : « *Sarpele* est mon seul livre écrit sans plan, sans savoir quel serait le déroulement de l'action, et sans connaître la fin. C'est sans doute un pur produit de l'imagination. Je n'ai rien utilisé de ce que je savais et de tout ce que j'aurais pu savoir sur le symbolisme ou la mythologie du serpent » (p. 63).

19. Dans *Caete de Dor*, n° 7, *op. cit.*, p. 10.

20. « La même dialectique soutient *Forêt Interdite* (...) mais cette fois, il n'est plus question des significations profondes du Cosmos, mais du "chiffre" des événements historiques » (in *Fiinta Romaneasca*, n° 5, *op. cit.*, p. 64).

21. Dans le volume *Nuvele*, Colectia Destin, Madrid, 1963.

22. *Ibid.*

23. Dans *Fiinta Romaneasca*, n° 4, Paris, 1966.

24. Dans *Fiinta Romaneasca*, n° 5, *op. cit.*, p. 64.

25. *Journal* en date du 6 avril 1952 dans *Caete de Dor*, n° 9, *op. cit.*, p. 23.

26. Dont l'originalité surprend même la critique littéraire occidentale qui ne dispose pourtant pas de tous les romans de Mircea Éliade en traduction. Ainsi Jean Mistler écrira lors de la parution de *Minuit à Serampore* — titre français du recueil de récits intitulés en roumain *Secretul Doctorului Honigberger* (Stock, Paris, 1956) : « Mircea Éliade, aidé par son excellent traducteur, M.A.M. Schmidt, me semble tracer là une nouvelle voie au fantastique. Après Hoffmann et Poe, qui lui avaient génialement annexé les altérations de la personnalité, il lui ouvre le vaste champ des mystiques orientales » (dans *L'Aurore* du 24 juillet 1956, Paris).

27. Dès *Isabel si apelele Diavolului* (Ed. Nationalà-Ciornei, Bucarest, 1930, p. 112) l'écoulement intolérable du temps hante le personnage principal : « Je vivais de longues agonies en ressentant cruellement le

temps passer ; la lente mort des choses, l'écoulement distinct des instants m'empoisonnaient, me blessaient, minaient la base de l'existence, troublaient l'axe, creusaient des fossés à droite et à gauche (...). Je ne pouvais marcher dans les rues, car je sentais les gens mourir instant après instant. »

28. Dans *Santier (op. cit.)*, roman indirect mais en fait journal camouflé, ces lignes révélatrices, à la page 30 : « Cette nuit, je me suis débattu pendant une heure dans mon lit. Je sentais, avec une extraordinaire sensibilité, lucidité, attention, clarté, je sentais le temps courir autour de moi. Chaque instant enterrait le précédent, tout ce qui nous charmait ou nous troublait n'était qu'éclat éphémère. La crise continue maintenant encore lorsque j'écris. Le temps, le temps m'obsède jusqu'à la neurasthénie (...). Lorsque je prends conscience du temps qui s'écoule sans qu'aucune force puisse l'arrêter, je tremble. Ou je deviens fou, ou je dois accomplir d'urgence une grande action. »

29. « D'où surgissait cette vision apocalyptique ? se demandera plus tard Mircea Éliade. En tout cas, pas de la situation politique de la Roumanie ou de l'Europe. Au début de 1928, il n'y avait pas beaucoup de gens à vivre dans la terreur d'une guerre imminente. D'ailleurs, j'ignorais presque entièrement la situation intérieure et internationale. Ma peur était d'un autre ordre. Je craignais que le temps ne nous soit hostile (...) Sur un autre plan, c'était cette même « lutte contre le sommeil » que je menais depuis le lycée, lorsque je m'étais rendu compte que, pour tout ce que j'avais à faire — des milliers de livres à lire, tant de disciplines à étudier — seize heures ne suffisaient pas. Cette fois, il ne s'agissait plus seulement de moi. Je me sentais responsable de toute la « jeune génération », que j'imaginais appelée à de grands destins » (dans *Amintiri, op. cit.*, p. 153).

30. Dans *Caete de Dor*, n° 9, *op. cit.*, p. 15.

31. *Forêt Interdite, op. cit.*, p. 65.

32. *Ibid.*, p. 460.

33. *Ibid.*, p. 507.

34. La mémoire « psychologique » doit elle-même être supprimée pour échapper au Temps. Mircea Éliade l'affirmait déjà en 1934 dans un livre d'essais, *Oceanografie* (Ed. Cultura Poporului, Bucarest, 1934, p. 191) : « Apprenons donc à ignorer le temps, à ne pas craindre ses implications. Supprimez toute trace de mémoire sentimentale, supprimez les contemplations évanescentes, les souvenirs d'enfance, les automnes, les fleurs pressées, les nostalgies. »

35. Stéphane dit encore dans *Forêt Interdite* (p. 544) : « Au fond, je pense qu'on a tort de croire l'Histoire solidaire de la mémoire. L'Histoire modifie perpétuellement les souvenirs, leur accorde sans cesse des valeurs nouvelles, négatives ou positives, jusqu'à ce que, au bout du compte, elle les annule. C'est ce qui s'est passé, par exemple, avec le christianisme. »

36. Cette différence est soulignée par Robert Kanters, après la lecture de *Forêt Interdite* : « Proust tente de se libérer du présent ou, si l'on veut, de rendre le temps présent. Stéphane veut se libérer du Temps lui-même,

sortir du ventre de la baleine, et la retrouver — l'éternité. » (Dans *La Tour Saint-Jacques*, n° 3, Paris, mars-avril 1956, p. 86.)

37. Dans *Caete de Dor*, n° 9, *op. cit.*, p. 27.

38. Dominique Aury insiste dans un article intitulé « La Forêt profonde » (dans La nouvelle *N.R.F.*, 4ᵉ année, n° 39, Paris, 1ᵉʳ mars 1956), sur ce rapprochement entre *Forêt Interdite* et le *Descends, Moïse* de Faulkner.

39. *Cf.* à ce sujet l'étude de Mircea Éliade. *Gaderea în istorie* dans *Indreptar*, An II, n° 11 et 12, München, octobre-novembre 1952, et An III, n° 1, décembre 1952.

40. « La formule est inexacte et injuste. Les Roumains n'ont pas saboté l'histoire. Ils l'ont affrontée et lui ont résisté de toutes leurs forces. S'ils avaient voulu la saboter, ils n'auraient pas mené cinquante à soixante guerres par siècle (...). Ceci ne signifie pas un sabotage de l'histoire mais, tout au plus, la malchance d'accomplir une mission historique de sacrifice. » (Dans *Indreptar*, An II, n° 11, *op. cit.*)

41. Dans *Revista Scriitorilor Romani*, n° 2, München, 1963.

42. Dans *Revista Scriitorilor Romani*, n° 5, *op. cit.*, p. 92.

43. « Le mépris suppose une vision antihistorique. Se désolidariser des événements, croire dans les significations (...). Une attitude antihistorique, c'est-à-dire une attitude apocalyptique. Les événements ne créent pas l'histoire, l'histoire ne signifie pas un progrès ; le monde avance par intermittence, le monde peut donc connaître une fin, une fin précipitée » (dans *Fragmentarium*, *op. cit.*, p. 138).

44. Dans *Caete de Dor*, n° 8, Paris, juin 1954, p. 27.

45. *Isabel si apelele Diavolului*, *op. cit.*, p. 97. Même démarche dans *Solilocvii* (Ed. Cartea cu Semne, Bucarest, 1932, p. 55) : « Sortir de soi et de son destin. D'où le désir de participer à une vie super-individuelle, d'où la soif d'expérience fantastique, de symbole. »

46. *Journal* en date du 5 juillet 1949, dans *Caete de Dor*, n° 9, *op. cit.*, p. 9.

47. *Nunta în cer*, Ed. Cugetarea, Bucarest, 1939.

48. « Dans la poésie primitive, l'amour n'est jamais ''naturel'', il est la conséquence d'un charme ou du caprice divin (...). L'homme primitif ne veut pas se perdre. Tout ce qu'il pense et désire, est centré sur l'ontologie. Il se veut réel, il se veut entier. Si le rite lui demande quelquefois d'abandonner son humanité, c'est pour le solidariser avec la réalité absolue. En tout cas, il ne s'abandonne pas pour un de ses semblables, pour un autre fragment vivant et dérisoire » (*Journal* dans *Caete de Dor*, n° 8, *op. cit.*, p. 27).

49. *Ibid.*

50. *Intoarcerea din Rai*, Editura Naţională-Ciornei, Bucarest, 1934, p. 150.

51. *Ibid.*, p. 314.

52. Il est significatif que deux romans de Mircea Éliade indiquent de par leurs titres mêmes cette incapacité de l'être humain de réaliser un amour sur terre : *Intoarcerea din Rai* (Retour du Paradis) dont le héros, Pavel Anicet, cherche dans la mort l'ultime solution au déchirement de

l'amour, et *Nunta în cer* (Noces au Paradis) où le couple se défait et la femme disparaît, probablement dans la mort, pour avoir voulu vivre cette expérience paradisiaque sur terre.

53. Cette révélation de l'amour comme méthode de connaissance, Mircea Éliade dit la devoir à Nae Ionescu qui enseignait à l'Université de Bucarest la logique et qui a été le maître-ès-inquiétude de toute une génération : « L'une des premières choses que j'ai apprises de Nae Ionescu a été justement l'amour comme instrument de connaissance ». (*Journal* dans *Caete de Dor*, nº 7, *op. cit.*, p. 11.)

54. Le donjuanisme ou l'ascèse. Deux comportements apparemment contraires, en fait ayant le même but : la dissolution de l'amour, soit par son éclatement, soit par son refus. Le personnage qui assume le mieux la condition « ascétique » dans l'œuvre de Mircea Éliade, David Dragu le *Huliganii*, veut lui aussi préserver son intégrité. Chez les héros de Mircea Éliade la dichotomie don Juan-ascète, n'est pas nécessairement antinomique. Dans ces premiers romans, on pourrait parler d'une expérience ascétique de don Juan.

55. *Isabel si apelele Diavolului*, *op. cit.*, pp. 82-83.

56. Dans son *Journal* de 1942, Mircea Éliade revient sur ces premiers romans : « Je me rends compte, cette fois, de la totale absence de problème moral, dans ces livres. Les personnages font ce qu'ils veulent, sans aucune résistance, les femmes cèdent facilement, personne ne se marie, personne ne fait d'enfant (...). La vérité c'est que chez moi l'obsession du métaphysique et du biologique ne laisse plus de place à une autre problématique. L'Éros chez moi (celui que j'étais, il y a huit ou dix ans) avait une fonction métaphysique. L'amour engage et sanctionne sans la présence indispensable de la société, des institutions (...). Autre chose encore : je suis demeuré marqué par le lexique et le symbolisme de la mystique hindoue (vaishnava) qui exprime l'amour mystique en termes d'adultère et non de mariage, justement pour signifier la transcendance de toute expérience mystique, son essence « étrangère » au monde (...). Mes personnages tombent amoureux et font l'amour n'importe comment et avec n'importe qui, parce que moi, leur auteur, je suis intéressé exclusivement par cette expérience de l'amour qui révèle un destin et non ses conséquences sociales » (dans *Caete de Dor*, nº 8, *op. cit.*, p. 25).

57. « La nature humaine — pense Pavel Anicet — est si fondamentalement tragique, qu'elle vous force à vous diriger sans cesse au moins dans deux directions parallèles, sinon opposées (...). On est macéré, on vit dans une continuelle nostalgie du paradis de l'Unité, de l'amour absolu. » (*Intoarcerea din Rai*, *op. cit.*, p. 375.)

58. *Forêt Interdite*, *op. cit.*, p. 475.

59. Rares sont les romans de Mircea Éliade qui échappent à cette implacable dualité. Elle est cependant absente du roman d'amour par excellence : *Maitreyi* dans lequel Gaston Bachelard voyait une « mythologie de la volupté » (*cf. Journal*, Mircea Éliade dans *Caete de Dor*, nº 7, *op. cit.*, p. 11). Cette unicité de *Maitreyi* dans l'œuvre romanesque de Mircea Éliade tient peut-être au fait que la dualité surgit ici de la conception que se font de l'amour les deux personnages. Pour l'héroïne hin-

doue, l'amour représente une intégration dans le Cosmos tandis que le héros est incapable d'échapper à sa condition déchirée d'Européen. Et ceci, sans aller jusqu'à trouver, comme le faisait un exégète de Mircea Éliade en Roumanie, des traces de tantrisme dans *Maitreyi*. Le tantrisme a tenté le romancier dans une autre œuvre, dans le récit fantastique *Minuit à Serampore*. Pour la conception cosmique de l'amour, voir dans *Maitreyi* le serment d'amour qui lie l'héroïne à son amant et la délie du monde, serment qu'elle prête au Cosmos, dans son entier (*Maitreyi*, éd. Cultura Nationala, Bucarest, 1933, p. 135. Ce roman a été traduit par Alain Guillermou en français et a paru, sous le titre *La Nuit bengali* chez Gallimard, Paris, 1950).

60. « On ne rencontre un tel amour qu'une fois dans la vie, dit Hasnas. Il appartient dans un certain sens au miracle, et c'est peut-être pourquoi il apparaît comme un hasard inséré dans des événements totalement frivoles et manquant de signification » (*Nunta în cer, op. cit.*, p. 265).

61. Mavrodin, dans le même roman : « La présence de la femme aimée — qui est pour tout homme démoniaque, qui est éparpillement et désagrégation —, je la sentais cette fois comme un accomplissement angélique de mon être. » (*Op. cit.*, p. 65.)

62. *Op. cit.*, p. 91.

63. *Ifigenia*, Editura Cartea Pribegiei, Valle Hermoso, 1951. C'est une Iphigénie originale, ensorcelée par la mort, amoureuse de la mort et qui n'attend que de la mort son accomplissement dernier.

64. *Huliganii*, Ed. Nationala Ciornei, Bucarest, 1935, p. 212.

65. *Intoarcerea din Rai, op. cit.*, p. 377.

66. *Oceanografie, op. cit.*, p. 271.

67. *Intoarcerea din Rai, op. cit.*, p. 417.

68. Dans *Domnisoara Christina* ce n'est pas le thème du vampire qui tente Mircea Éliade, mais le « drame » sans issue du mort-jeune qui ne peut se détacher de la terre, qui s'entête à croire à la possibilité de communiquer avec les vivants, espérant même pouvoir aimer comme aiment les êtres humains « dans leur modalité incarnée », le drame d'un « esprit qui refuse d'assumer sa modalité propre d'être » (*Fiinta Romaneasca*, nº 5, *op. cit.*, pp. 57-58). Une telle mort représente un danger de corruption spirituelle pour les vivants, avec lesquels le mort rebelle entre en communication, comme la fillette d'une dizaine d'années, Simina, la nièce de Christina, que sa familiarité avec l'esprit de sa tante transforme en monstre.

69. Forêt près de Bucarest.

70. *Caete de Dor*, nº 9, *op. cit.*, p. 31.

71. Nous retrouvons cette conception de la mort conquise par étapes de connaissance chez un autre héros de Mircea Éliade, Pavel Anicet : « Avec chaque acte d'entendement nous avançons dans la mort, avec chaque acte d'entendement nous avançons dans la paix » (*Intoarcerea din Rai, op. cit.*, p. 373).

72. *Caete de Dor*, nº 7, *op. cit.*, p. 11.

73. Le sérieux appartient à l'adolescence. Petru Anicet, dans *Huliganii*, le dit clairement : « Il me semble qu'à mesure qu'ils vieillissent les gens

deviennent de moins en moins sérieux. C'est la jeunesse qui connaît le vrai sérieux. » Être sérieux signifie pour les adolescents de Mircea Éliade « aller jusqu'au bout, quoi qu'il advienne ». (*Op. cit.*, pp. 246-247.)

74. Cf. *Lumina ce se stinge*, Ed. Cartea Romanesca, Bucarest, 1934.

75. On a parlé en Roumanie de « l'expérientialisme » de Mircea Éliade. Lui-même a écrit : « la seule liberté, je la conçois par l'expérience, car je ne peux échapper à certaines choses qu'en les regardant en face et je ne peux connaître le véritable amour qu'en le dépassant » (*Oceanografie, op. cit.*, p. 70).

76. *Op. cit.*, p. 176.

77. *Op. cit.*, p. 152.

78. Dans *Solilocvii* (*op. cit.*, p. 83) Mircea Éliade nous avertit : « Ce livre n'a ni début, ni fin. Il aurait pu très bien commencer à la dernière page. Car, comme une pensée, Solilocvii ne prouve rien, ne détruit rien, n'épuise rien. »

79. Il n'y a qu'un communiste dans *Huliganii* : Emilian. Et il ne l'est que parce que les communistes sont, à ce moment-là, les seuls à descendre dans la rue, les seuls qui lui donnent l'occasion de tenir un revolver et de s'en servir. Même s'il le fait mal, même si de l'avoir fait le rend malade, dans sa fièvre et tout au long de cette maladie, il saura au moins ceci : il a tiré. « Peu importe qui fait la révolution (...). Ce qui l'intéresse c'est le geste de la révolte, le courage de descendre dans la rue, de frapper, de tuer » (*op. cit.*, p. 231).

80. *Op. cit*, pp. 235-236.

81. *Op. cit.*, p. 170.

82. L'assimilation d'un personnage à son créateur est toujours sujette aux plus graves malentendus. D'autant plus celle de Mircea Éliade adolescent à ses « houligans » dont tout, sauf une communauté de génération, le sépare. Ceci est vrai aussi des autres romans de jeunesse, même de ceux qui, se passant aux Indes et ayant presque l'aspect d'une confession, comme *Isabel si apelele Diavolului*, peuvent le plus prêter à confusion. « Ce qui est curieux, c'est que, bien qu'apparemment autobiographique, ce roman était entièrement inventé » (*India la 20 de ani* dans *Fiinta Romaneasca*, n° 2, Paris, 1964, pp. 37-38).

83. *Fiinta Romaneasca*, n° 5, *op. cit.*, p. 53.

84. En 1952, dans son *Journal*, Mircea Éliade dénonce « la prétentieuse facilité du monologue intérieur » dont il s'était lui-même servi (*Caete de Dor*, n° 9, *op. cit.*, p. 18).

85. *Ibid.*, pp. 10-11.

86. *Isabel si apelele Diavolului*, *op. cit.*, p. 96.

87. *Patul lui Procust* de Camil Petrescu.

88. Et Mircea Éliade ajoute : « Un peuple — par son folklore et son histoire — crée des mythes. Une littérature — surtout la littérature épique — crée des personnages mythes » (*Fragmentarium*, *op. cit.*, p. 85).

89. *Ibid.*, pp. 112-113.

90. *Scriitor la Bucaresti* in *Cuvantul in Exil*, numéros 48-50, Freising, mai-juillet 1966.

91. *Caete de Dor*, n° 7, *op. cit.*, p. 10.

92. *Ghicitor în pietre* in *Nuvele, op. cit.*, pp. 67-68.

93. *Caete de Dor*, n° 9, *op. cit.*, p. 19.

94. *Ibid.*, p. 19.

95. *Carnet de Vara 1957* in *Caete de Dor*, n° 13, Paris, juin 1960.

96. *Ibid.*, p. 27. Dans sa préface à l'édition portugaise de *Forêt Interdite*, Mircea Éliade reviendra sur cette « défense et illustration » du roman-roman. (*Cf. Bosque Prohibido*. Traduction de Maria Leonor Buesco, Editora Ulisseia, Lisboa, 1963.)

97. Stéphane dans *Forêt Interdite* demeurait à l'écoute des signes, en intellectuel tourmenté par les significations. Gavrilescu, le petit professeur de piano du récit *La Tiganci*, traverse les rites de passage de la mort en état d'hébétude, ce qui exclut toute tentation de déchiffrement. Le marchand de bestiaux de *Douasprezece mii capete de vite*, est victime d'un retour en arrière du Temps, comme le héros de *Minuit à Serampore*, mais à la différence de ce dernier, il est incapable de s'interroger sur son aventure. (Dans *Nuvele, op. cit.*)

98. Mircea Éliade écrit, le 24 juillet, dans son *Journal* : « Movila, Tuzla et Constanta de *Ghicitor în pietre* appartiennent à une géographie mythique, ne "ressemblant" presque pas à ces localités, telles qu'elles étaient, vers 1939. Je ressens de plus en plus le besoin que la littérature se libère du concret géographique et historique. Le Bucarest de *Pe Strada Mântuleasa*, bien que légendaire, est plus "vrai" que la ville que j'ai traversée, pour la dernière fois, en août 1942 » (*Revista Scriitorilor Romani*, n° 1, München, 1962, p. 16).

99. En marge de ces critiques, Mircea Éliade note : « Je savais, d'autre part, que pour l'instant je ne pouvais écrire qu'en état de fièvre, hâtivement, presque frénétiquement ; qu'en soi cette manière d'écrire n'était pas impropre à la création littéraire. (Dostoïevski a écrit ou dicté plusieurs de ses romans de la même manière.) Et puis, je savais encore que je n'avais pas beaucoup de temps devant moi. Je me dépêchais donc (...). Dans la mesure où, à cet âge, un auteur est capable de comprendre l'intention de son propre acte créateur, j'inclinais à croire que ce n'était pas la perfection formelle qui pourrait sauver mes œuvres de la caducité » (*Cuvântul in Exil*, n° 48-50, *op. cit.*).

100. *Ibid.*

CHAMANISME ET LITTÉRATURE

Jean Biès

Bien qu'elle relève d'une discipline apparemment étrangère à la nôtre, l'œuvre de Mircea Éliade fait *éclater* la critique littéraire et l'engage dans une série de méta-morphoses décisives. L'histoire des religions, l'étude comparative des mythologies et des rituels initiatiques, la découverte des spiritualités asiatiques donnent à l'appro-che circonstanciée des œuvres une orientation radicale-ment différente ; plus encore le chamanisme, défini comme « une des techniques archaïques de l'extase, à la fois mystique, magie et ''religion'' dans le sens large du terme[1] ». A l'inverse des systèmes réductionnistes, cette nouvelle critique se propose de remonter à l'âge pré-lit-téraire pour y discerner les origines premières de la créa-tion artistique, et de « démystifier » les univers et les lan-gages apparemment profanes de la littérature et de l'art modernes, en y retrouvant tout ce qu'ils comportent encore de « sacré », s'agit-il même d'un « sacré ignoré, camouflé ou dégradé[2] ».

Ce renouvellement est un retournement, qui remet la littérature et les arts dans leurs droits à l'*essence*. Ce désir d'y déchiffrer des « scénarios initiatiques » dénote non seulement une revalorisation de l'initiation en tant que processus de régénération et transformation spirituelle, mais aussi une certaine nostalgie pour une expérience équivalente[3] ». Il nous fait donc renouer avec l'homme archaïque que l'artiste n'a jamais totalement renié, nous conduit du même coup aux origines de l'humanité et au fond même de sa psyché. Ce n'est pas pour rien que le mythe universel d'Orphée revient fréquemment dans les écrits d'Éliade, puisqu'il « présente plusieurs éléments qui se laissent comparer à l'idéologie et à la technique chamanique » : Orphée descend chercher aux Enfers l'âme de la femme aimée ; il détient des formules dont il dompte les fauves, il est médecin, poète, « héros civilisateur ». Il sera démembré ; sa tête servira d'oracle[4]. — Passant du mythe à l'épopée, Éliade relève dans le cycle arthurien le thème du Pont-de-l'Épée que Lancelot doit franchir, et qui se retrouve dans plusieurs traditions[5]. — Passant de l'épopée au roman, il y retrouve les mêmes structures chamaniques. Alors qu'il semblerait que le monde actuel soit pauvre en mythes, ceux-ci, même laïcisés, s'y rencontrent partout : les « archétypes mythiques » survivent dans les grands romans modernes[6]. Éliade voit dans *Séraphita* « la dernière grande création artistique européenne au centre de laquelle se trouve le motif de l'androgyne : exemple de « coïncidence des contraires » tel que le concrétise ailleurs le *maithuna* tantrique[7]. Citant une page de Proust, où le romancier évoque le renouveau annuel, il constate que les images et les expressions employées correspondent aux comportements de l'homme archaïque[8]. Surtout, il se montre sensible aux intuitions de J. Verne. Dans le *Voyage au centre de la Terre*, il relève les égarements à travers le labyrinthe, la descente au monde souterrain, le passage des eaux, l'épreuve du feu, la rencontre avec les monstres, l'épreuve de la solitude et des ténèbres, l'ascension triomphante, conclut que « l'aventure est proprement initiatique[9] ». Enfin, considérant la poésie, Éliade constate que le Surréalisme a fortement

développé les thèmes mythiques et les symboles primordiaux[10]. Nombre d'exercices surréalistes ayant pour but
de réaliser la coexistence des états de veille et de sommeil, ou celle du conscient et de l'inconscient, « rappel-
lent certaines pratiques yogiques et zen[11] ».

En fonction des principes établis par Éliade, nous nous
proposons de suggérer à sa suite quelques autres exemples classiques tirés de nos littératures et pouvant contribuer à leur illustration... Il serait ridicule de préciser que
leur liste n'en est pas exhaustive : il n'est pas exagéré de
dire qu'il n'est presque aucune œuvre, romanesque, dramatique ou poétique, qui ne recèle des éléments, plus ou
moins discernables, affaiblis, déformés, toujours susceptibles cependant d'entrer dans les catégories initiatiques
énoncées.

Si la littérature moderne se présente à nos yeux
comme une énorme masse de langage désacralisé, un
continent d'idées et de sentiments issus d'une mentalité
policée, humaniste, moraliste et rationaliste, il n'en est
pas moins vrai qu'au sein même de cette masse, des éléments épars constituent de véritables réminiscences chamaniques, remontant à travers des couches d'oubli et
perçant les strates de conditionnements multiples. Pierres précieuses sur la montagne, un vers isolé, une image,
un rapport de termes, un objet évocateur encore saturé
de magie, un fragment de mythe seront autant de relais
entre la préhistoire et l'âge contemporain, autant de
points de repère entre nous et nous. Mais n'est-ce pas le
propre du créateur de jouer ce rôle médiumnique dans
l'éternelle ambiguïté de l'Entre-Deux littéraire, et d'être
le modeste véhicule d'une pensée qui le déborde de toutes parts ? « C'est un fait, écrit Éliade, que la plupart du
temps, un auteur n'épuise pas la signification de son
œuvre[12]. »

Éliade discerne dans le processus chamanique trois
étapes principales : l'*initiation*, comportant la descente
aux Enfers et les épreuves successives ; — l'*obtention
des pouvoirs*, dont la maîtrise du feu et la compréhension du langage animal ; — l'*inspiration poétique*, en tant

qu'énoncé prophétique et ascension au Ciel. Ce sera satisfaire au besoin de clarté de cet exposé que de nous référer à ce schéma tout au long de nos investigations.

L'initiation

On peut dire de la littérature qu'elle n'est rien d'autre que l'immense répertoire des souffrances humaines, le catalogue de toutes les *descentes*, parfois aggravées de déchéances, des purifications de toutes sortes, des mises à l'épreuve physiques et morales, des mises en jugement, des remises en question, des séparations, des ruptures, des meurtres, jusqu'à la mort même du héros. On peut soutenir que la littérature ne se justifie qu'en fonction du malheur humain, et n'apparaît qu'une fois franchi le seuil de l'*illud tempus* primordial. Diderot ne prétendait-il pas que l'art ne peut pas exister au « siècle d'or » ?... Pour nous en tenir au genre le plus fréquenté du public, que sont, à la suite de l'*Iliade*, de l'*Odyssée* et de l'*Énéide*, des œuvres telles que *Les Misérables*, les différents romans de *La Comédie humaine*, des *Rougon-Macquart* et des *Hommes de bonne volonté*, sinon des remodelages et des adaptations des mythes antiques, retraçant les combats de l'âme contre les difficultés, les ruses, les revirements du destin ? Nous ne pouvons que renvoyer à ces œuvres exemplaires, ainsi qu'à celles qui leur sont apparentées, et proposer comme personnages témoins Jean Valjean, Gwynplaine, Birotteau, Julien Sorel, Emma Bovary, Coupeau, Jean-Christophe ou Manon Lescaut.

Parmi tant d'épreuves, certaines sont à peine adaptées au goût du jour. C'est le cas pour *La Légende de saint Julien l'Hospitalier*, de Flaubert. Avant de devenir un saint — c'est-à-dire d'accomplir son « vol magique » — le jeune châtelain doit s'alléger de toute une série de crimes, allant du massacre d'animaux innocents (d'où surgira le cerf-totem et rédempteur), jusqu'à l'assassinat de ses propres parents. Les sacrifices d'animaux, remémoration solennelle du « meurtre primordial », ne parviennent pas ici à gommer la situation antérieure, celle des sacrifices humains : la mort des parents semble la concrétisation d'une obsession, d'une idée-force. Une autre image de la descente aux Enfers est l'engloutissement par un monstre, dont le prototype est l'aventure de Jonas dans le ventre de la baleine. Ce rite de mort et de résurrection a pour but de réintégrer l'état embryonnaire, de retourner au Chaos originel. Cette « régression dans l'indistinct primordial » entraîne la dissolution de l'ancienne personnalité et régénère l'initiable[13]. Ce qu'illustre bien une page célèbre des *Misérables*, où Jean Valjean traverse les égouts (les « intestins de Léviathan »), portant Marius sur ses épaules. Tel est aussi le sens profond de *La Grande Beuverie* de Daumal, qui allie à une satire toute guénonienne du monde moderne le récit d'un voyage cathartique au fond de soi. Les monstres à affronter ont laissé au vestiaire leurs masques d'animaux pour devenir obstacles sociaux ou psychologiques, revers de fortune, entités. Ils subsistent pourtant quelquefois sous leur forme native, — la pieuvre de Gilliatt, celle de Nemo, — ou même, grâce à des élargissements épiques où Zola est passé maître, créent une nouvelle mythologie à partir des réalités modernes.

Les dépouillements ascétiques ont été pour la plupart relégués dans la littérature édifiante, qui les exprime avec la plus grande retenue et sans le lyrisme de Hamlet, — « *Poor Yorek !* ». Chez Bossuet, la contemplation de la mort — tellement familière au chamanisme et à la méditation tantrique, et correspondant au dépassement de la condition humaine[14] — profite d'une périphrase de Tertullien pour se dérober à tout développement intempestif. Un peuple mondain et pudique conçoit mal de telles indiscrétions sur soi-même, ou alors, c'est dans l'exaltation auto-érotique de Narcisse... Cependant, la considération de son squelette ou de son cadavre, qui date de Villon et des danses macabres, s'insinue dans nos Lettres par rapides allusions. Dans ses « Derniers vers », Ronsard ose se voir et se dire tel qu'il est :

> « *Je n'ai plus que les os, un squelette je semble,*
> *Décharné, dénervé, démusclé, dépoulpé...* »

Baudelaire va plus loin qui, dans « Une charogne », se laisse aller à contempler la décomposition de ses propres amours.

Le rituel tantrique de dépècement — le *tchoed* tibétain — qui complète l'initiation et consiste à offrir sa propre chair à dévorer aux démons, est, lui aussi, d'une « structure nettement chamaniste[15] ». Le futur chaman se voit en rêve torturé et coupé en morceaux. L'hagiographie chrétienne n'est pas sans présenter avec lui certaines similitudes. Le Christ, symbolisé par le pélican, s'y prête au même supplice ; et dans « La Nuit de Mai », le pélican lui-même — mais le chaman n'est-il pas un oiseau ? — se sacrifie pour nourrir ses petits : symbole du poète qui sert à la foule des « festins humains ». Dans *La Tentation de saint Antoine*, de Flaubert, déjà cité, le héros, mêlé aux martyrs et jeté aux bêtes, « croit sentir leurs dents féroces, leurs griffes, entendre ses os craquer dans leurs mâchoires ». Mais ce sont surtout les tiraillements internes des tentations qui constituent le *tchoed* d'Antoine : luxure, doute, orgueil intellectuel, désirs de pouvoirs psychiques. Cette épreuve de démantèlement, subie par bien d'autres personnages littéraires, peut l'être aussi par bien des auteurs : Éliade cite le cas du Gœthe de la période *Sturm und Drang*, traversant une série d'expériences tumultueuses de type chamanique : instabilité psychomentale et morcellement du corps[16]. Elle peut aussi concerner le langage. Éliade constate que les différents arts ont abouti à sa destruction, laquelle équivaut à la « régression au Chaos », première phase d'un processus plus complexe tendant à la recréation de l'univers. « Les artistes modernes ont compris qu'un vrai recommencement ne peut avoir lieu qu'après une véritable fin[17]. » Il est aisé de citer ici l'entreprise de *subversion* du surréalisme.

Mais l'ultime aboutissement de la descente aux Enfers a été réalisé par les écrivains nihilistes, chantres de la

« mort de Dieu » et lointains descendants de ces « primitifs » qui ne reconnaissent, à la rigueur, d'existence qu'au *deus otiosus* : Sartre, Camus, Vian, Bataille, qui, à l'instar de Milton et de Swift, sont descendus dans les profondeurs, mais qui, à la différence de Virgile, de Dante, de Bunyan, n'ont pu en remonter, interrompant en sa moitié le processus initiatique. C'est du fond de cet abîme que l'âme moderne rêve du « bon sauvage » et crie sa nostalgie de l'*illud tempus* primordial et béatifique, auquel font allusion « le vert paradis des amours enfantines » ou « La Vie antérieure », et tant de pages d'écrivains à la recherche de leur enfance, de *René* au *Grand Meaulnes* et du *Livre de mon ami* au *Petit Prince* [18].

L'obtention des pouvoirs

L'initiation du chaman permet à son âme de sortir d'elle-même et de s'envoler [19]. Les notions de « vol » et de « danse » sont des expressions figurées de l'ascension extatique, c'est-à-dire d'un voyage dans les régions psychiques d'ordinaire inaccessibles. L'imitation chorégraphique d'un animal, dont Éliade parle à propos de rites chinois, serait à retrouver dans les bals masqués et costumés, dont la littérature n'est pas exempte. Même vidée de sa signification rituelle, il subsiste bien un peu de cela dans la fête des fillettes déguisées, à laquelle assiste Meaulnes, au cœur du vieux manoir solognot. Le symbolisme des vêtements n'est pas sans rejoindre celui que leur confère la *Bhagavad-Gîta* ; mais surtout le choix que fait le jeune homme parmi les habits d'une vieille époque rappelle la vision bouddhique du choix d'une autre incarnation.

L'extase provoquée par les sons du tambour est assimilée à une chevauchée fantastique ; le tambour du chaman altaïque est appelé « cheval [20] ». « Le coursier, écrit Éliade, est l'animal chamanique par excellence : le galop, la vitesse vertigineuse sont des expressions traditionnelles du "vol", c'est-à-dire de l'extase [21]. » Le cheval réalise la « rupture de niveau » souhaitée, le passage d'un monde à un autre. C'est ce qu'indique la transposition mythologique de Pégase, transportant les poètes sur l'Hélicon ; et l'on pensera ici au tumultueux poème que Hugo lui consacre au début des *Chansons des rues et des bois*. Cette pièce offre quelques curiosités ou *coïncidences*, que ne pouvait déceler son auteur. Hugo mentionne Orphée ; il fait une allusion directe à l'expérience onirique : « le pré, couleur de songe ». Ce pré est qualifié de « charmant », c'est-à-dire pourvu de « charmes » ; mais « charman (t) » est lui-même l'anagramme phonétique du sanskrit *çraman (a)*, qui, par l'intermédiaire du pâli *samana*, a donné le toungouse *shaman*[22]. Enfin, le poème est écrit en vers de huit syllabes ; Éliade constate que « le cheval octopode est typiquement chamanique[23] ».

Du caractère psychopompe du chaman dérivent les thrènes proférés par les pleureuses, voyantes, poétesses du monde archaïque, dont les « visions » et les « rêves » sont autant de révélations mystiques[24]. De là dérive à son tour la poésie lyrique célébrant la mémoire des disparus, et dont les titres sont innombrables, depuis *La Jeune Tarentine*, où nymphes et néréides frappent leur sein — geste rituel — jusqu'à *Ophélie*, dont le cœur « entendait la voix de la Nature ».

Dans le poème de *Paroles*, « Chanson des escargots qui vont à l'enterrement », Prévert redécouvre — à son insu — tout à la fois le thème des chamans psychopompes, souvent représentés, dit Éliade, par des animaux, celui de la mort automnale (le retour à la Terre-Mère, porteuse de germes), et de la renaissance (« Les feuilles qui étaient mortes sont toutes ressuscitées »), le thème de l'ivresse sacrée et celui de la communion des bêtes et des plantes, la valeur magique de la coquille, en corrélation avec le symbolisme funéraire, et celle de la Lune, lien organique avec les eaux et la végétation, principe de régénération périodique[25]. Certains animaux, dit Éliade, en deviennent « symboles » ou « présences » : « Leur forme ou leur mode d'être évoquent le destin de la lune. » Éliade cite même l'exemple de l'escargot, apparaissant et disparaissant dans sa coquille[26]. Mais « aucune disparition n'est décisive : la mort des formes vivantes n'est qu'un mode — latent et provisoire — d'existence[27] ». Cette phrase pourrait servir de commentaire au poème, qui n'est finalement rien d'autre qu'un hymne à l'immortalité.

A mesure que la rationalité s'est emparée de la création littéraire, le thème des pouvoirs merveilleux et légendaires — les *siddhi* énoncées par Patanjali[28] — s'en est peu à peu retiré pour se réfugier dans les contes de fées. Des vestiges en subsistent néanmoins dans la littérature réputée sérieuse, où ils sont d'ailleurs souvent présentés sur un mode humoristique. Ainsi du *Passe-Muraille* de M. Aymé, dont le « don singulier » fait partie des pouvoirs yogiques répertoriés, et se retrouve dans l'état de quatrième dimension du *Bardo*. Le thème de l'« invisibilité » des *yogîn* a été repris par Gide dans son *Roi Candaule*. L'anneau dont Candaule fait don à Gygès permet de fondre à la vue de tous « comme un grain de sel[29] ». Un autre pouvoir encore, l'« accomplissement de tous les désirs », le *kâmâvasâyitra*, est fréquent dans les contes de fées. La première phrase qui ouvre le recueil des frères Grimm (« Le Roi-Grenouille »), est celle-ci : « Dans l'ancien temps, quand les désirs s'exauçaient encore... » Ce pouvoir trouve sa formulation moderne dans *La Peau de Chagrin*, où Raphaël de Valentin voit tous ses vœux réalisés. (L'histoire se double d'ailleurs d'un aspect proprement yogique de renonciation, quand le héros de l'histoire s'efforce de ne plus éprouver aucun désir.) Mention spéciale doit être faite du *Conte cruel* où, dans une variante magique du mythe d'Orphée, Villiers nous montre le comte d'Athol, usant de sa femme morte comme diagramme et support de concentration — le *Yidam* des Tibétains — réussissant à la visualiser et à lui donner consistance jusqu'à ce que, à l'instant où il croyait l'étreindre, elle s'évanouisse à jamais.

Éliade rapproche la « maîtrise du feu » de la notion de *tapas*, « effort ascétique », attestée dès le *Rig-Vêda*[30]. Le pouvoir qu'a le chaman de marcher nus-pieds sur des charbons ardents n'est pas sans rappeler l'ordalie. Nous assistons dans *Tristan et Iseut* à l'un de ces « jugements de Dieu » qui fait écho en Occident à l'ordalie de Sîtâ dans le *Râmâyana* : soupçonnée d'avoir trompé le roi Marc, son époux, Iseut la Blonde devra plonger ses bras dans la braise. Elle marche neuf pas en tenant la barre de fer rougie, et quand elle ouvre les paumes, chacun voit que « sa chair était plus saine que prune de prunier ». Plus près de nous, la « maîtrise du feu » perd sa littéralité pour renaître dans la métaphore. Maintenant ses sentiments sous le contrôle de la raison, le héros cornélien sait dominer la « flamme » dont il « brûle ». Le vocabulaire et l'idéal même de la Préciosité ne sont pas sans rappeler certains mythes cosmogoniques. Éliade cite l'exemple de Prajâpati créant le monde en s'échauffant par le *tapas*. L'union de l'amour et de l'ascèse, héritée de la poésie courtoise dont les sources initiatiques ont été démontrées, se retrouve entre autres dans les rigueurs imposées par la Dame à son amant ; ainsi, la longueur des fiançailles — synonyme au moins théorique de la chasteté [31].

L'identification aux animaux est l'un des résultats majeurs du processus chamanique. « Qu'il soit ''Ancêtre'' ou ''Maître de l'Initiation'', l'animal symbolise une liaison réelle et directe avec l'au-delà [32]. » S'être identifié à tel animal traduit une transformation magique aboutissant à une « sortie de soi-même » et à l'acquisition d'un mode d'être surhumain. « En devenant cet animal mythique, l'homme devenait quelque chose de beaucoup plus grandiose et bien plus puissant que lui-même. Il est permis de penser que cette projection dans un Être mythique, centre à la fois de la vie et du renouvellement universel, provoquait l'expérience euphorique qui, avant d'aboutir à l'extase, révélait le sentiment de sa force et réalisait une communion avec la vie cosmique [33]. » Cette identification est matérialisée par le fait que le chaman revêt la peau de l'animal qu'il imite. On pense ici à Héraclès portant le pelage du lion de Némée, dont « l'Ane vêtu de la peau du Lion » est une résurgence caricaturale. Fables et apologues ne font d'ailleurs que reprendre à leur niveau, d'ordre moral, la fonction de mythe, héritant ainsi de la valeur initiatique qu'il possède dans les civilisations traditionnelles. Il y a incontestablement dans *Les Métamorphoses* d'Ovide le souvenir de ces transformations animales. Kafka n'a fait que reprendre le thème sur un mode tragique dans sa célèbre transformation de Grégoire en insecte. Le « curieux » des *Caractères*, Diphile, s'était déjà assimilé à ses canaris : « Lui-même il est oiseau, il est huppé, il gazouille, il perche ; il rêve la nuit qu'il mue ou qu'il couve. »

La parfaite imitation des animaux consiste aussi à comprendre leur langage et à le parler, c'est-à-dire à connaître les « secrets de la Nature » et être capable de prophétiser. L'imitation du cri assure en particulier une nouvelle dimension de la vie, dont « la spontanéité, la liberté, la "sympathie" avec tous les rythmes cosmiques, et, partant, la béatitude et l'immortalité[34] ». Elle restaure le Paradis, où les animaux et les hommes vivaient dans une paix réciproque, « le temps que les bêtes parlaient », comme elles parlent encore dans *Le Roman de Renart*, les *Fables* de La Fontaine, ainsi que dans les diverses tentatives, peu concluantes, — de V. Khlebwikov, qui vécut parmi les chamans bouriates, et I. Isou, fondateur du lettrisme. On peut d'ailleurs se demander si les animaux de la fable ne sont pas en réalité des chamans chamanisant. Éliade donne l'exemple du chaman altaïque cacardant comme l'oie, lors du sacrifice du cheval[35]. Il y a des souvenirs de ce langage dans les deux comédies d'Aristophane, *Les Oiseaux (Epopoï, popoï, popopopoï)*, et *Les Grenouilles (Brékékékex, coax, coax)*.

Ce genre d'animalisation rencontre peu de succès auprès de la critique, portée à n'y voir qu'une régression, passe même souvent pour artificiel. Mais la critique discerne-t-elle l'antique origine, renouvelée par la mythologie païenne et le bestiaire chrétien, d'expressions telles que « tigre altéré de sang », ou « il est doux comme un agneau », etc., et saisit-elle le lien existant encore entre les phantasmes animaliers du poète et son *underground* archaïque ?... Dans *Les Contemplations* (« Ibo »), V. Hugo est-il aussi ridicule qu'on le prétend ? Ne ressemble-t-il pas plutôt au chaman malais feulant comme le tigre, quand il s'exclame :

> « *Et si vous aboyez, tonnerres,*
> *Je rugirai...* » ?

L'inspiration poétique

Éliade attribue une origine extatique à un grand nombre de « sujets » et de « motifs épiques », ainsi qu'à de nombreux clichés et personnages de la littérature épique : tous matériaux empruntés aux récits de chamans narrant leurs voyages et leurs aventures dans les mondes surhumains. « Il est probable, écrit-il, que l'euphorie pré-extatique a constitué une des sources du lyrisme universel. » Habité des esprits auxiliaires, retrouvant dans la transe le langage des animaux, le chaman obtient un « état second » qui « met en branle la création linguistique et les rythmes de la poésie lyrique[36] ». L'extase chamanique en tant qu'expérience concrète d'une « mort rituelle », du « dépassement de la condition humaine profane », a donc son prolongement dans l'état inspiré des poètes, dans ces heures de tourment et de grâce dont eux-mêmes ont fait confidence et qui les relient aux âges primordiaux de l'humanité, au-delà des alluvions successives qui ont obscurci la route du retour aux sources.

Il y a encore trace de cela dans les conceptions dionysiaques de l'inspiration occidentale, celle d'un Claudel retrouvant l'antique « fureur » pressentie par la Pléiade et que celle-ci appelait la « félicité de nature ». La première « Ode » dit l'impatience de l'Esprit à envahir le poète, la « jubilation orchestrale » des Muses. Plus clinique et autobiographique, le témoignage de R. Rolland dans *Jean-Christophe* (« L'Adolescent »). Rolland écrit du jeune musicien : « Une angoisse le pénétrait, son dos frissonnait, sa peau se hérissait, il se cramponnait à la table, afin de ne pas tomber. Il était dans l'attente convulsive de choses indicibles, d'un miracle, d'un Dieu », jusqu'à l'« éblouissement » final. Allant plus loin dans ce sens avec moins de rhétorique, Breton préconise dans le *Second Manifeste* la libération inconditionnelle des « produits de l'activité psychique » et de « *la vie passive de l'intelligence* ». L'inspiration n'est autre pour lui qu'une « prise de possession totale de notre esprit ».

L'extase chamanique abolit le temps profane, et du même coup, l'Histoire, pour restaurer la liberté et la béatitude primordiales. Le chaman s'envole vers l'atemporalité originelle dont parlent les mythes, recouvre par le rythme du tambour l'existence paradisiaque. Et cela, soit qu'il remonte matériellement au Ciel pour s'entretenir avec les dieux — ce fut l'apanage des premiers chamans, dont la nostalgie s'éprouve dans les voyages aériens d'un Cyrano de Bergerac — soit qu'il se contente plus communément de se déplacer *en esprit* — ce qui est le cas des chamans d'après la Chute et des poètes leurs descendants. A propos de ce caractère purement symbolique du vol magique, Éliade écrit qu'il traduit « l'intelligence, la compréhension de choses secrètes ou de vérités métaphysiques [37] ». Dans l'un ou dans l'autre cas, le symbolisme des pas correspond à l'ascension au Ciel, et « recouvre très exactement celui des "marches" ou des encoches de l'arbre chamanique [38] ». Éliade mentionne les « sept pas » du Bodhisattva comme dépassement de la condition humaine [39]. Un vers tel que celui de Heredia dans *Les Trophées* (« Stymphale ») :

« *L'Archer superbe fit un pas dans les roseaux* »

pourrait illustrer, lui aussi, cette marche solennelle et plastique vers le Centre — les roseaux sont des symboles de l'*Axis Mundi* — auquel ajouter le symbolisme de l'arc et des flèches.

C'est au même symbolisme que se réfère Daumal quand, évoquant le bruit des pas dans la neige *(Tyak ! Tyak !...)* il retrouve curieusement le cri du chaman sibérien *(Tchok ! Tchok !)* durant son voyage céleste [40]. Tout

Le Mont Analogue abonde d'ailleurs en éléments chamaniques. Signalons à titre d'exemples suggestifs le symbolisme de la montagne insulaire, Axe du Monde[41], l'utilisation de la corde reliant le ciel à la terre[42], le navire,
réplique de la « barque funéraire » conduisant les âmes
vers leur patrie d'origine[43], le renversement des saisons
et des pôles[44], l'entrée au Mont Analogue lors d'un « instant paradoxal » et privilégié[45], le *péradam*, fort proche
des cristaux de roche qui « octroient la faculté de s'élever
au Ciel[46] », la pluie, « hiérophanie aquatique », purifica-
trice et régénératrice, d'où sort « l'homme nouveau[47] ».
Tout cela est d'autant plus admirable que, si Daumal, dès
l'époque du *Grand Jeu*, s'est intéressé à la « mentalité
primitive », au « folklore », aux traditions initiatiques de
l'humanité, et s'est même proposé d'atteindre à une
« métaphysique expérimentale », il n'a pu connaître les
travaux d'Éliade, arrivé en France un an après sa
mort.

La récitation des mythes, et par suite des poèmes, projette récitants et auditeurs dans un « temps sacré », les
introduit dans un « instant paradoxal », non mesurable,
car sans durée. Ce temps qualitatif, le poète le recrée à
partir du rythme, qui rend de nouveau perceptible l'alternance des respirations cosmiques et individuelles. La
rythmisation de la respiration opérée par le *prânâyâma* et
ordonnant le monde intérieur du *yogîn* en l'aidant à con-
centrer sa pensée et la circulation des forces psycho-
mentales, est à rapprocher des effets du rythme poétique.
Nul poète plus que Péguy n'a réussi chez nous à rendre
effective cette « sortie hors du temps » par le caractère
invocatoire et litanique de ses vers, nul n'est mieux parvenu à suspendre le vol du temps pour nous faire émerger à l'éternel présent.

Mais le poète se fait aussi contemporain de la Création ; son œuvre reproduit le processus cosmogonique.
Éliade remarque que Mnémosyne, personnification de la
Mémoire, est la mère des Muses. Possédé par elles, le
poète s'abreuve directement à la « science de Mnémosyne », c'est-à-dire à la « connaissance des origines » : la

genèse de l'univers, la généalogie des dieux, la naissance de l'humanité. Grâce à la « mémoire primordiale », il accède aux réalités premières[48]. « Le poète découvre le monde comme s'il assistait à la cosmogonie. » Et encore : « D'un certain point de vue, on peut dire que tout grand poète *refait* le monde[49]. » Familier du « paradis des archétypes », le poète, en créant lui-même un cosmos en miniature — son poème — imite le geste archétypal du Démiurge, accompli *in illo tempore*. Comment ne pas citer les noms de Du Bartas composant *La Semaine*, de Péguy composant *Ève*, et de Supervielle, *La Fable du Monde*, ni évoquer la poétique de Claudel, synthèse de la foi et de l'acte scripturaire, se proposant une *mimêsis* de Dieu, tendant à dresser l'inventaire du monde et à le parachever au besoin de son chant ?...

Il se pourrait bien que se situe à ce niveau la valeur thérapeutique de la poésie, puisque redevenir contemporain de la Création, c'est « revivre l'état de plénitude initiale », c'est renaître et « récupérer la somme au moment de sa naissance ». Remonter ainsi le temps, c'est d'abord remonter le cours des existences antérieures, les revivre, donc les comprendre, et brûler la somme des actes karmiques accumulés[50]. Cette minutieuse remémoration de nos vies passées est l'œuvre d'un pouvoir yogique, la « huitième des forces de sagesse[51] ». Elle n'est pas sans rappeler l'entreprise de Proust qui, à travers une individualité en perpétuelles transformations, — vision toute bouddhiste du moi au sein d'un univers évanescent —, remonte le « temps perdu » à bord de sa mémoire, ressuscite ses vies antérieures à l'intérieur d'une seule et même vie.

Éliade retrouve dans les joutes oratoires la transposition de combats mythico-rituels et cosmogoniques ; elles réitèrent la lutte primordiale contre les « forces de résistance ». « Les concours entre poètes constituent un *acte créateur*, donc une rénovation de la vie, et coïncident avec le rituel d'hiver, (le festival du Nouvel An)[52]. » Éliade en rapproche le couple des opposés *yang-yin* de l'ancienne Chine, lié à l'opposition complémentaire des deux sexes. « Dans les fêtes collectives de printemps et d'automne, les chœurs antagonistes, alignés face à face, se provoquaient en vers[53]. » L'aboutissant de ces luttes rituelles, c'est dans les *Bucoliques* de Virgile qu'il faudrait le retrouver — *amant alterna Camenae* — timidement reprises plus tard dans nos Églogues, Bergeries et Pastorales. Ce serait aussi dans les ballets de parole des comédies de Molière, dans les stichomythies de la tragédie classique. Mais alors, la polarité n'est pas plus abolie ni transcendée par le glaive du dénouement que l'épée d'Alexandre ne résout vraiment le nœud gordien en le tranchant, tandis que dans Virgile, si l'aménité toute conventionnelle des bergers est loin de la férocité verbale des moines tibétains dans leurs controverses théologiques, un « troisième terme » existe, l'arbitre, tel Palémon, qui, en proclamant vainqueurs Damète *et* Ménalque, réalise « l'union des contraires », comme le réalisait l'hiérogamie réconciliatrice dans la Chine taoïste.

Mais recréer le monde, c'est d'abord recréer le verbe, « abolir le langage courant, de tous les jours, et inventer un nouveau langage, personnel et privé, en dernière instance *secret*[54] ». Éliade développe ailleurs la même idée : « La poésie refait et prolonge le langage ; tout langage poétique commence par être un langage secret, c'est-à-dire la création d'un univers personnel, d'un monde parfaitement clos[55]. » C'est ainsi que — pour reprendre des noms précédemment cités — Proust multipliera dans son style prismatique les incises, miroitements, reflets, correspondances, aussi minutieusement agencés que les mosaïques byzantines ou les marqueteries de l'architecture musulmane. Péguy, en répétant à satiété les mêmes mots, opérera le miracle de les recharger de puissance et de grâce, de leur rendre leur brillance originelle au lieu de les user définitivement. Claudel, quant à lui, et à l'inverse de ce que préconise Éliade, aura recours au vocabulaire commun, mais en le transfigurant. (« Ce sont les mots de tous les jours, et ce ne sont point les mêmes... ») De leur côté, Mallarmé et Valéry, en se mettant en quête de l'essence du verbe par une ascèse totale, rendront

« un sens plus pur aux mots de la tribu », aboutiront, l'un, à une « langue immaculée », l'autre, à un « langage dans le langage »... Éliade continue ainsi : « L'acte poétique le plus pur s'efforce de recréer le langage à partir d'une expérience intérieure qui, pareille en cela à l'extase ou à l'inspiration religieuse des "primitifs", révèle le fond même des choses[56]. » C'est d'une telle expérience initiale que naissent la vocation de l'écrivain, et avec elle, le germe de l'œuvre. On connaît l'épisode célèbre de la madeleine, chez Proust, sorte de gustation *primale* et de fulguration d'où surgira la cathédrale du *Temps perdu* et *retrouvé*, la rencontre par Péguy de Jeanne d'Arc, qui ne cessera de l'inspirer, la visitation dont le jeune Claudel, à Notre-Dame, sera l'objet. On pourrait y ajouter l'éveil de la vocation historique d'Augustin Thierry, lisant à quinze ans le bardit des Francs dans *Les Martyrs*, ou encore, l'extase de Rolland sur le Janicule, celle de Rilke à Duino, et tant d'autres *nuits* illuminatives qu'il serait aisé de recenser.

Plus sensible que d'autres aux données fondamentales de l'existence humaine — « la solitude, la précarité, l'hostilité du monde environnant » — le chaman préfigure le poète des temps modernes, tout en étant encore le « poète blanc » dont Daumal a tenté de se rapprocher : son « euphorie pré-extatique » correspond à ce que l'auteur des *Pouvoirs de la Parole* nommait « l'émotion centrale ». Éliade précise que le chaman n'est pas un névropathe, « il est avant tout un malade qui a réussi à guérir, qui s'est guéri lui-même[57] ». La période de désorientation, d'aspect souvent psychotique, que traverse le futur chaman, correspond à une véritable confrontation avec l'inconscient, avec « l'ombre », dirait Jung. C'est bien aussi l'épreuve que connaît le poète, sans être toujours en mesure de résister à cet assaut des ténèbres du dedans. Le futur chaman cherche alors la solitude, aime flâner, rêveur, dans les bois, peut avoir des visions. Un écho s'en retrouve dans le « vague des passions » de René, tourmenté par la quête d'un « bien inconnu », en proie à des désirs contradictoires, errant par les landes désertes, suivant des yeux les oiseaux de passage (invite au vol magique), et « comme possédé par le démon de (son) cœur ». Ce besoin de retraite du poète est, lui aussi, une résurgence chamanique. A la tente, à la hutte, à la yourte du chaman a succédé de nos jours la tour de l'écrivain, que Jung, décrivant la sienne à Bollingen, qualifie de « lieu de maturation » et de « sein maternel ». Contentons-nous de rappeler, parmi tant de « demeures inspirées », la tour de Montaigne en son château du Périgord, celle de Vigny au Maine Giraud, celle de Chateaubriand à la Vallée aux Loups, celle d'Emmanuel au mas d'Eygalières, et toutes les variantes possibles, comme l'Arche de Proust ou le *look-out* d'Hugo à Hauteville-House.

Chamans et poètes sont également unis par la puissance de l'imagination, « portion essentielle et imprescriptible de l'homme », qui « baigne en plein symbolisme, et continue de vivre des mythes et des théologies archaïques ». Éliade insiste sur l'importance de l'imagination « pour la santé même de l'individu, pour l'équilibre et la richesse de sa vie intérieure[58] ». Il remarque que l'instruction des chamans a souvent lieu au cours des rêves, qui font rejoindre « la vie sacrée par excellence ». Il serait aisé d'en rapprocher les poétiques fondées sur l'onirisme depuis Nerval. Mais l'imagination peut être suractivée par certains artifices, dont l'usage de l'opium et autres narcotiques, auxquels ont recours chamans et *yogîn*[59]. Et, ajouterons-nous, bon nombre de poètes, qui, pour des motifs divers, ont recours à l'opium, au canabis, au hachisch, plus récemment au L.S.D.[60]

Les chamans sont les défenseurs de la communauté, les « champions anti-démoniaques par excellence ». Ils défendent la vie, la santé, la fécondité ; ils sont des « spécialistes du sacré », et comme le *bateau ivre*, ils voient quelquefois « ce que l'homme a cru voir ». Ils sont des « élus », et comme tels, accèdent à une zone du sacré fermée aux autres hommes. « Ils sont séparés du reste de la communauté par l'intensité de leur propre expérience religieuse. » Ils se singularisent par certains traits qui

266

représentent les signes d'une « vocation[61] ». Tous ces traits pourraient être comparés avec succès à ce qui caractérise d'ordinaire le poète des temps modernes, soit que celui-ci se présente comme un « mage » utile à la vie de la cité, guidant les peuples vers la Lumière, soit que, irrémédiablement « maudit », il reste relégué dans la marginalité.

Cet aspect utilitaire du chamanisme n'est pas constant. « Nombre de chamans battent du tambour et chantent aussi pour leur propre plaisir[62]. » Cette autonomie nous achemine déjà vers une poésie plus profane, vers la littérature au sens où nous l'entendons aujourd'hui, et contient en germe la théorie d'une poétique désintéressée, plus formelle, la théorie de l'art pour l'art.

Telles sont quelques-unes des suggestions que l'on peut faire à partir des données mêmes de l'œuvre d'Éliade, concernant une neuve approche de la littérature. Cette application fait de lui l'initiateur d'une véritable *critique initiatique*, origine d'un complet renouvellement, à la fois dans le sens d'un élargissement des horizons intellectuels et de leur approfondissement. « Si l'art — et en premier lieu l'art littéraire, la poésie, le roman — connaît une nouvelle Renaissance de nos jours, elle sera suscitée par la redécouverte de la fonction des mythes, des symboles religieux et des comportements archaïques[63]. »

La *critique initiatique* révèle aux créateurs d'autres réserves d'inspiration, en les faisant sortir des étroites barrières de l'espace humaniste et en leur proposant une gamme d'interprétations et de traitements inédits. Prenant l'exemple du mythe d'Orphée tel que l'a transmis la mythologie grecque, Éliade souhaite que désormais, le poète s'informe aussi de ses versions étrangères et prenne en considération les mythologies sibériennes, polynésiennes, amérindiennes[64]. Ce qui vaut pour le mythe d'Orphée vaut évidemment pour l'ensemble des autres légendes exotiques.

Cette critique réconcilie, d'autre part, l'homme avec son inconscient, où survivent « les symboles et les scénarios initiatiques[65] ». « L'inconscient, comme on l'appelle, est beaucoup plus "poétique" — et, ajouterions-nous, plus "philosophique", plus "mystique" — que "la vie consciente"[66]. » Sous cet aspect, les recherches d'Éliade rejoignent celles de Jung, auxquelles elles renvoient d'ailleurs fréquemment.

La *critique initiatique* ne confirme pas seulement le lien entre l'artiste et son âme; elle l'aide à reprendre conscience de ce qu'il est réellement, un témoin privilégié, apparemment anachronique, de la plus ancienne humanité, établissant le relais entre l'*illud tempus* fabuleux et plérômatique, et le *hic et nunc* qui est notre lot. L'abîme n'existe pas vraiment entre les sorciers paléolithiques et nos *poetry-men*. Ceux-ci maintiennent ouverte, sous la surface même d'une hérédité multiple, l'obscure circulation de la continuité humaine, reliant les vivants d'aujourd'hui à leurs plus lointains ancêtres. Ils sont ceux en qui affleure plus qu'en tout autre le souvenir des origines et des archétypes. Or, c'est bien ce souvenir que l'homme est tenu de garder pour « connaître la *vérité* et participer à *l'Être* », remonter à l'éternel, transcender les contraires qui tissent la condition humaine. Les poètes sont les chamans des temps modernes — ce qui explique au mieux leur inadaptation foncière.

Enfin, la *critique initiatique* permet d'entrevoir les bases de ce qu'Éliade nomme un « nouvel humanisme, à l'échelle mondiale », tenant compte, en les récapitulant, des différentes données des cultures archaïques, des apports des zones profondes d'une psyché recouvrée : images, rêves, mythes et symboles, souvent incompris mais toujours présents. Dans ce vaste travail de remises à jour et de convergences, le poète doit pouvoir jouer, à travers des dangers et des difficultés qui ne lui sont pas épargnés, un rôle déterminant, celui qui a toujours été le sien : rappeler les hommes à la mémoire et puiser les signes d'une nouvelle aurore dans les profondeurs mêmes des « commencements absolus ».

JEAN BIÈS.

1. *Le Chamanisme*, p. 15. — Dans *Fragments d'un Journal*, p. 106, M. Éliade écrit : « J'aimerais bien que ce livre, *Le Chamanisme et les techniques archaïques de l'extase*, fût lu par les poètes, les dramaturges, les critiques littéraires, les peintres. Qui sait s'ils ne tireraient pas mieux profit de cette lecture que les orientalistes et les historiens des religions ?... »

2. *La Nostalgie des origines*, p. 247.

3. *Op. cit.*, p. 246.

4. *Le Chamanisme*, p. 308.

5. *Op. cit.*, p. 377.

6. M. Éliade cite dans *La Nostalgie des origines*, p. 243, la thèse de L. Cellier consacrée au *Roman initiatique en France au temps du Romantisme*, et le *Nerval* de J. Richer, qui a révélé l'ésotérisme d'*Aurélia* à partir du *descensus ad inferos* orphique.

7. *Techniques du Yoga*, pp. 236-237. — Nous voudrions remarquer que Balzac a situé son histoire sous le cercle polaire, où alternent de longs jours et de longues nuits. Or, il est dit du *yogîn* qui a unifié en lui le Soleil et la Lune qu'il revit « les Jours et les Nuits » cosmiques du Grand Temps.

8. *Fragments d'un Journal*, p. 390.

9. *Op. cit.*, p. 232. Il parle d'un « document exceptionnel », d'un « inépuisable trésor d'images et d'archétypes ».

10. *Mythes, rêves et mystères*, p. 35.

11. *La Nostalgie des origines*, p. 138. Voir aussi *Fragments d'un Journal*, pp. 62-63 : Breton s'est proposé le même but que les *yogîn*, les adeptes du tantrisme et tant d'autres « mystiques » orientaux.

12. *Images et Symboles*, p. 30.

13. *Mythes, rêves et mystères*, pp. 268 *sq*.

14. *Le Chamanisme*, p. 341.

15. *Op. cit.*, même page. L'auteur renvoie aux *Jataka*, où le Bouddha, dans ses vies précédentes, livre son corps à des animaux affamés.

16. *La Nostalgie des origines*, p. 245.

17. *Aspects du mythe*, pp. 92 *sq*.

18. Dans *La Nostalgie des origines*, pp. 201-202, Éliade cite les écrivains américains.

19. *Le Chamanisme*, p. 359.

20. *Op. cit.*, p. 320.

21. *Op. cit.*, pp. 134-135.

22. *Op. cit.*, p. 385.

23. *Op. cit.*, p. 365.

24. *Op. cit.*, p. 285.

25. *Images et symboles*, pp. 164 *sq*.

26. *Traité d'histoire des religions*, p. 147.

27. *Op. cit.*, p. 220.

28. Voir *Le Yoga*, pp. 94 *sq*.

29. Sur l'explication de l'invisibilité, voir *Techniques du Yoga*, pp. 202-203.

30. *Le Chamanisme*, pp. 209 et 323.

31. *Op. cit.*, p. 323.

32. *Op. cit.*, p. 89.

33. *Op. cit.*, p. 359.

34. *Op. cit.*, même page.

35. *Op. cit.*, p. 161 : *Ungaigakgak ungaigak, kaigaigakgak, kaigaigak.*

36. *Op. cit.*, pp. 396-397.

37. *Op. cit.*, p. 373. — M. Éliade renvoie au *Rig-Vêda* : « L'intelligence est le plus rapide des oiseaux », et au *Pançavimça - Brâhmana* : « Celui qui comprend a des ailes. » Nous disons encore « avoir des ailes », pour exprimer la rapidité de la pensée, ainsi que l'allégresse.

38. *Op. cit.*, p. 314.

39. *Op. cit.*, p. 318.

40. *Op. cit.*, p. 163.

41. Voir *Images et symboles*, p. 198.

42. Voir *Le Chamanisme*, p. 337.

43. Voir *op. cit.*, p. 281.

44. Voir *op. cit.*, p. 234.

45. Voir *Images et symboles*, p. 97.

46. Voir *Le Chamanisme*, p. 123.

47. Voir *Images et symboles*, pp. 200 *sq.*

48. *Aspects du Mythe*, p. 149.

49. *Mythes, rêves et mystères*, p. 36.

50. *Op. cit.*, pp. 50 et 52.

51. *Le Yoga*, pp. 184 et 331.

52. *La Nostalgie des origines*, pp. 315 *sq.*

53. *Op. cit.*, pp. 331-332.

54. *Mythes, rêves et mystères*, p. 36.

55. *Le Chamanisme*, p. 397.

56. *Op. cit.*, même page.

57. *Op. cit.*, pp. 39-40. M. Éliade cite le cas du chaman yakoute Tüsput, qui avait besoin de chamaniser. « Restait-il longtemps sans le faire, il ne se sentait pas bien. » De combien d'écrivains ne pourrait-on pas en dire autant, de Balzac à London et d'Hugo à Éliade lui-même avouant : « Il me semblerait m'être volé moi-même, si je laissais passer une journée entière sans avoir écrit une seule ligne. » (*Fragments d'un Journal*, p. 36). C'est le *nulla dies sine linea* dont parlait Pline l'Ancien à propos d'Apelle.

58. Voir ce qu'il en dit dans *La Nostalgie des origines*, p. 13, insistant sur l'*imitation* des Images, et dans *Mythes, rêves et mystères*, pp. 130-131, en référence aux psychologies des profondeurs, qui ont reconnu, écrit-il, « à la dimension de l'imaginaire la valeur d'une dimension vitale ».

59. *Le Chamanisme*, p. 311.

60. Citons quelques noms à titre documentaire. Pour le xixᵉ siècle, Gautier, Nerval, Baudelaire, Maupassant, Rimbaud, Jarry, Quincey, Coleridge, Poe, Whitman ; pour le xxᵉ siècle, Magre, Loti, Farrère, Apollinaire, Jacob, Cocteau, Vaché, Daumal, Gilbert-Lecomte, Michaux, Cendrars,

Malraux, Vailland, Artaud, Huxley, Ginsberg, Leary, Kerouac, Burroughs.

61. *Le Chamanisme*, p. 24.

62. *Op. cit.*, p. 153.

63. *Fragments d'un Journal*, p. 352. M. Éliade ajoute plus loin : « Il se pourrait que mes recherches soient considérées un jour comme une tentative de retrouver les sources oubliées de l'inspiration littéraire. »

64. On sait l'attrait que le mythe d'Orphée a exercé sur les artistes ; Rilke, Cocteau, Emmanuel, Apollinaire, Politien, Henderson, sans parler de tant de tableaux, de Rubens à Chagall, et de tant d'opéras, avant et après Gluck. Signalons que dans l'*Orfeo* de Monteverdi et Striggio (1607), le dénouement est heureux, — ce qui marque une rupture avec la tradition grecque et rapproche cette œuvre, d'une façon bien inattendue, des mythes polynésien et central-asiatique.

65. *La Nostalgie des origines*, p. 247.

66. *Images et symboles*, p. 15.

LA LITTÉRATURE
SOUS LA LUMIÈRE DES MYTHES

Simone Vierne

Dire que la lecture critique des œuvres littéraires a changé depuis cinquante ans, grâce à l'apport d'autres disciplines — psychanalyse, sociologie, linguistique notamment — c'est presque énoncer une vérité de La Palice. Tout le monde en est d'accord, si tout le monde ne l'est pas sur la pratique qui en est faite. Discrètement, mais avec de plus en plus de force et d'évidence, les recherches de Mircea Éliade dans le domaine de l'histoire des religions, du mythe et du symbole ont attiré l'attention de ceux qui cherchent à saisir le travail de l'imaginaire dans la création littéraire. Je me souviens des cours de Léon Cellier, lorsque j'étais son étudiante à la faculté des lettres de Grenoble. C'est lui qui prononça le premier, pour moi, le nom d'Éliade — avec ceux de Bachelard et Mauron. Ce n'était pas chose courante, à l'Université, dans les années 50. Depuis, avec la création du Centre de recherches sur l'imaginaire de Chambéry, dirigé par Gilbert Durand, il est devenu habituel, dans nos séminaires, de nous référer à ses œuvres. J'ai pour ma part une énorme dette envers lui, car il m'a permis de mettre au point une méthode d'exploration des romans de Jules Verne, que Léon Cellier m'avait suggérés comme sujet de thèse. C'est en partant de cette expérience personnelle que je me propose de montrer l'importance des travaux d'Éliade pour celui qui étudie la littérature.

On peut sans doute s'insurger contre la tendance d'une partie de la critique littéraire à aller chercher hors d'elle-même, et notamment hors des structures du langage, une mise au jour de la signification du texte. C'est d'abord que le texte n'est pas seulement textualité, même dans les œuvres les plus modernes. Il entretient des rapports avec le temps où il a été écrit, les structures sociales et les événements historiques dont celui qui écrit a été environné. Aussi bien serait-il vain, de la même manière, de penser que l'écriture n'est qu'une « traversée » de la langue. Proust n'est pas Anatole France (même s'il l'admire...) : ce sont deux êtres humains dotés d'une psyché particulière. Aucune n'est tout à fait la même, ni tout à fait une autre, si toutes ont les mêmes pulsions. De même que les mêmes conditions socio-historiques ne produisent que quelques écrivains — ou peintres, musiciens — parmi la masse d'hommes qui les connaissent, les forces latentes de l'inconscient personnel font que par exemple des écrivains qui ont des problèmes avec l'*imago* maternelle — Musset, Baudelaire, Proust — écrivent différemment, parce que leurs problèmes ne sont pas réductibles les uns aux autres, et ils sont les seuls à écrire parmi tous ceux qui ont éventuellement les mêmes problèmes. L'écriture a pourtant une racine qui plonge à un niveau plus collectif. Car elle participe du « *muthos* », le mythe, la Parole, qui est lui-même une forme de ce que C.G. Jung appelait l'inconscient collectif. En tant qu'*homo sapiens*, l'écrivain exprime toujours, de façon plus ou moins latente, ces structures qui sont celles de l'espèce. L'homme en général peut les exprimer par le truchement des religions et des croyances, comme par celui des fantasmes personnels. C'est là que se rejoi-

274

gnent les recherches apparemment si éloignées d'un Mircea Éliade, s'appuyant essentiellement sur des rituels, des récits mythiques de tous les temps et de tous les pays, et celles des chercheurs littéraires. Éliade, le disait d'ailleurs fort bien, notamment à la fin de *Naissances mystiques* (pp. 256-263, « Motifs initiatiques et thèmes littéraires ») et par de nombreuses allusions dans ses autres œuvres. Mais notre point de vue est évidemment axé différemment, puisqu'il tente d'éclairer les œuvres littéraires par les mythes, et non de confirmer la persistance des mythes ou le retour des mythes dans les œuvres d'art. Il s'agit de montrer, plutôt, que celles-ci doivent une partie essentielle de leur statut et de leur valeur à leur fidélité à une structure profonde de l'imaginaire, qui est présente aussi dans le mythe et dans les symboles. Ce qui leur confère d'ailleurs un caractère sacré : lire n'est pas seulement un exercice intellectuel, c'est mourir un peu — à soi et au monde profane.

Mes objectifs se sont concentrés tout naturellement sur le mythe initiatique[1], parce qu'il était le plus évidemment repérable dans un grand nombre d'œuvres — romans et poèmes — à partir du XIXe siècle. L'écrivain de cette période conte toujours, peu ou prou, l'Aventure sacrée de qui cherche, en mourant, à renaître immortel, à s'assurer du moins cette permanence de l'être, qui transcende la malheureuse condition de l'homme voué à la destruction.

Le romantisme allemand a, plus que tout autre peut-être, suivi cette voie : que l'on songe à *Henri d'Ofterdingen* de Novalis, ou au *Vase d'or* d'Hoffmann (entre tant d'autres). Dans le plus évident texte initiatique du romantisme français, *Aurélia* de Gérard de Nerval, l'expérience vécue de la folie est donnée expressément comme initiatique — ce que confirment les images symboliques des rêves — et une assurance d'immortalité : «(...) je compare cette série d'épreuves que j'ai traversées à ce qui, pour les anciens, représentait l'idée d'une descente aux enfers. » Tels sont les derniers mots. Peut-on penser que Gérard de Nerval ne jugea cependant pas suffisantes, au bout de quelque temps, les convictions qu'il avait acquises, ni de n'avoir fait de cette expérience spirituelle qu'une œuvre littéraire, de sorte qu'il chercha à rejoindre directement et rapidement l'étoile morte, un soir, rue de la Vieille Lanterne ?

Quant au premier de tous les romans de la civilisation occidentale, reconnu du moins comme genre en tant que tel, *Les Métamorphoses ou l'Ane d'or* d'Apulée, il est le récit de trois degrés initiatiques auxquels accède le héros, qui, mauvais sujet au début de l'histoire (et pour cela puni et transformé en âne), deviendra à la fin prêtre d'Isis, dépositaire *hic et nunc* du Sacré.

Léon Cellier avait bien montré que *L'Homme qui rit* de Hugo, *Consuelo* de G. Sand, étaient de grands romans initiatiques. On se reportera à son article fondamental dans les *Cahiers internationaux de symbolisme*[2]. Léon Cellier rendait d'ailleurs hommage à Mircea Éliade qui se réjouissait — un peu vite à son avis — de ce que les critiques littéraires soient de plus en plus attirés par les implications initiatiques des œuvres littéraires modernes. Il rappelait en outre que la dégradation du mythe — son passage du religieux au conte, à la légende ou à l'œuvre littéraire — n'empêchait nullement la présence *active* de sa structure ; non seulement celle-ci est repérable, mais le mythe et le symbole « ont le privilège de délivrer leur message et de remplir leur fonction alors même que leur signification échappe à la conscience » (*op. cit.*, p. 23). Inconscience du lecteur « qui consomme des romans sans savoir que cette lecture remplit une fonction essentielle de la psyché » (*ibid.*). Et plus encore lorsque, enfant, il lit des bandes dessinées, très souvent construites sur le schéma initiatique, comme je l'ai montré pour l'une d'entre elles, *Rahan, le fils des âges farouches*[3] ; tout autant lorsque, adulte il voit « innocemment » au cinéma *2001, l'Odyssée de l'espace* (Stanley Kubrick, d'après le roman d'A.C. Clarke, U.S.A., 1968). Inconscience aussi, bien souvent, de l'écrivain[4] qui « perpétue sans le vouloir un enseignement traditionnel » (*ibid.*, p. 23). Dans les deux perspectives, ce qui est *en jeu*, c'est le dynamisme des structures profondes de l'inconscient, et ce qui est *l'enjeu*, c'est une lecture autre, riche, « instauratrice » et non réductrice, sans exclusion d'ailleurs des autres lectures possibles et souhaitables[5].

Mais ce qu'a apporté Éliade va plus loin que cette conviction, somme toute sensible sans grande contestation par chaque lecteur. S'appuyant sur une documentation ethnographique très riche, ses synthèses offrent au littéraire le support nécessaire pour mener à bien un travail qui ne soit pas de simple « humeur ». Pour ma part, j'ai d'abord dégagé, grâce à *Naissances mystiques*, ouvrage de base confirmé par les travaux de Jaulin et Zahan[6], le scénario initiatique et ses diverses réalisations symboliques dans les rituels, scénario immuable dans sa structure s'il est très varié dans ses actualisations[7]. Grâce à cet ouvrage aussi, qui m'a d'ailleurs poussée à en lire bien d'autres (sur Éleusis, Mithra, la franc-maçonnerie, l'alchimie, car c'est là aussi l'un des aspects féconds de l'œuvre d'Éliade), j'ai pu établir qu'il y avait, sous la multiplicité apparente, trois degrés initiatiques, progressive appropriation du Sacré par le myste. La pratique rituelle intègre en outre un certrain nombre de thèmes toujours présents sous une forme ou une autre : la transmission du sacré par des moyens non rationnels, la présence obligée d'un père initiatique, différent du père biologique, la sélection des élus sur des critères sociologiques qui ont toujours un support mystique, le secret initiatique si bien gardé par Éleusis notamment, qui se traduit aussi par le nouveau nom, le langage ésotérique, l'interdiction absolue de toute communication au profane de ce qui a été vu, appris, dit, durant les cérémonies sacrées. Or, pour qu'on puisse parler de roman initiatique, il m'a semblé indispensable qu'une lecture attentive découvre, sous le tissu romanesque qui se réfère toujours à une *mimesis* du réel (fût-ce en la niant, par exemple dans le fantastique, car la négation est aussi une référence), les structures de ce scénario et de ces thèmes symboliques. Qu'ils soient actualisés au niveau de l'écriture de façon souvent très dégradée par rapport au mythe religieux ne change rien, on l'a vu. Au contraire, la « distance » permet de mesurer d'autres données — historiques et personnelles.

L'œuvre de Jules Verne, ainsi éclairée, s'est révélée un merveilleux objet d'étude. Il est vrai — mais je l'ignorais à l'époque — que cet objet n'avait pas échappé à l'attention d'Éliade. En juillet 1957[8], il a été frappé par l'aspect initiatique de *Voyage au centre de la Terre*, « fasciné par la hardiesse des symboles », et il juge « admirablement précise et cohérente la mythologie à peine camouflée par le jargon scientifique de Jules Verne ». Deux ans plus tard, parlant de cet « extraordinaire roman » avec Guy Dumur, il assure qu'on pourrait tirer une passionnante thèse de doctorat sur l'univers imaginaire de Verne — ce que Guy Dumur le poussait à faire lui-même. Léon Cellier y songeait depuis longtemps lui aussi (au moins depuis 1955) et il m'en confia le travail en 1964. De même, en 1961, un psychologue suisse, A. Corboz, s'amusait dans un numéro d'*Action et Pensée*[9] à traiter les mythèmes de ce même *Voyage* comme ceux d'un « quelconque » mythe scandinave, ou indien, ou néo-calédonien... Curieuses rencontres, indices d'un intérêt nouveau pour ce qui touche à l'Imaginaire dans la création littéraire.

Je pense en tout cas n'avoir pas trahi la pensée d'Éliade en analysant les romans de Jules Verne comme des romans de la Quête, fidèles aux structures dynamiques de l'imaginaire au point que, sans du tout forcer le sens, on retrouve dans les trois quarts de ses œuvres[10] le scénario initiatique, réalisé avec de multiples variations : le si fascinant roman déjà cité, *Voyage au centre de la Terre* (son second roman) dont le titre même est assez explicite, mais aussi bien ce voyage dans le monde sacré et « séparé » que constitue le périple du *Nautilus* dans *Vingt Mille Lieues sous les mers*. On peut même retrouver les divers degrés initiatiques qui permettent une classification des romans. Le premier degré initiatique est symbolisé surtout par des voyages de découvertes — du père dans *Les Enfants du capitaine Grant*, de divers points suprêmes et notamment le pôle Nord dans *Les Aventures*

278

du capitaine Hatteras) par exemple — ; ce degré est ouvert à un grand nombre. Le second degré présente un héros qui a déjà un certain accès au Sacré (à la Connaissance) et dont les épreuves prennent essentiellement la forme de la lutte contre le Monstre (tel le célèbre *Michel Strogoff,* mais on retrouve ce combat dans bien d'autres romans, *Les Cinq Cents Millions de la Begum, Le Château des Carpates, Le Secret de Wilhelm Storitz,* etc.). Le dernier degré est réservé à un très petit nombre d'élus : le héros, dans un lieu sacré (île ou mine...) atteint l'initiation suprême qui fait de lui le représentant sur la terre de la Divinité (ainsi dans *L'Ile mystérieuse,* où Nemo, devenu la « Providence », confie son secret et son trésor à Cyrus Smith).

L'étude des héros fait apparaître que leur « vertu » n'est pas d'ordre purement moral, ni leurs capacités d'ordre psychologique : ils ont les qualités qui assurent l'atteinte du Sacré. Et cela permet surtout de distinguer initiés et profanes, et initiés des divers degrés. L'étude des symboles de la révélation qu'apporte le Voyage — princesse, trésor, père, point suprême[11], maîtrise du temps et de l'espace — confirme cette présence contraignante et créatrice à la fois du mythe. Il suscite et infléchit l'invention des aventures. Il fait de cette œuvre, apparemment et consciemment (et par contrat dûment passé entre l'écrivain et l'éditeur Hetzel) didactique, pédagogique, un ensemble mythologique moderne. Moderne aussi par une dérivation du sens du mythe. Le fait de pouvoir se reporter à de nombreux rituels, grâce à Éliade, est fort utile. Car dans les romans de J. Verne, il arrive souvent que l'initiation échoue. Et si un groupe très restreint y parvient, comme dans *L'Ile mystérieuse,* au lieu de transmettre le secret à d'autres élus, comme cela est indispensable sur le plan religieux, le groupe continue à vivre replié sur lui-même. Le groupe plus étoffé des *Indes noires* mène une vie idyllique *dans* la mine d'Écosse, sans jamais chercher à revoir le soleil, comme si l'initiation n'aboutissait pas à la renaissance. Comme si la renaissance en ce monde moderne du positiviste

XIXe siècle était impossible. On sent chez Jules Verne, grand rêveur d'aventures, une tendance régressive personnelle que de nombreux symboles et thèmes attestent, et un pessimisme croissant, notamment devant la science menaçante et devant la sottise des hommes dès qu'ils forment des sociétés importantes (voir sur ce point le très clair roman de *L'Ile à hélices*). Mais ce pessimisme est déjà présent dans l'un des premiers romans, *Hatteras*, dont le héros devient fou. Peut-être est-ce en cela qu'il nous fascine d'autant plus, en notre XXe siècle qui a appris à être plus sceptique encore sur les bienfaits de la technique... Aussi, dans bien d'autres œuvres de notre époque, le secret n'est-il pas révélé : dans *Le Roi pêcheur* de J. Gracq, le Graal ne se manifeste pas, et ceux qui devraient le désirer le plus se contentent de leur vie de mort-vivant ; le Roi fait tout pour empêcher Perceval de « poser la question ». Si on espère que se révélera l'Inconnu, comme dans *Le Désert des Tartares* de Buzzati, le destin lui-même s'y oppose.

La « lecture initiatique » éclaire donc bien des œuvres modernes, à commencer par le poème d'Eliot, *The Waste Land*, déjà signalé par Éliade *(Naissances mystiques)*. J'ai déjà donné un exemple pris dans la littérature de grande diffusion. C'est que cette production destinée à la « masse » est sensible aux demandes de l'imaginaire, et y répond avec une sorte de naïveté — d'où la constance du scénario initiatique dans le roman policier et le roman de science-fiction. Naïveté plus suspecte dans le roman récent : les jeunes auteurs ont lu... Éliade, et Bachelard, et Jaulin, sans compter Freud et C.G. Jung. Quoi qu'il en soit, il est assez étonnant et à tout prendre assez réconfortant de constater, dans le roman le plus récent, ce retour en force de la pensée mythique. Elle est évidente (et avouée) dans ceux de Michel Tournier. Et on la retrouve aussi très clairement inscrite — et plus précisément la structure initiatique et ses motifs, dans *Le Maître d'heures* de C. Faraggi, et dans *Les Flamboyants* de Patrick Grainville. Par la « lecture initiatique » s'enrichit la lecture de nombreux textes, même, plus inattendu, de ceux de Zola, dont les romans ne sont pas les miroirs du temps, ou du moins pas seulement. Animés d'un souffle épique, ils transmutent les éléments du réel social. Ainsi *Germinal*, au titre symbolique, montre un myste avalé par un monstre dévorant, la mine, qui se nomme, et ce n'est pas un hasard, le Voreux ; plongé dans une eau quasi mortelle, il ressuscite cependant ; c'est la jeune fille qui meurt à sa place, lui permettant de dépasser le stade pré-sacré où elle l'aurait retenu. Et une fois *revenu à la vie*, il commence une *nouvelle vie*, portant à ses frères la bonne parole (syndicale) ; il part dans le matin, ayant, comme le grain, subi la mort qui seule permet de germer, nouvelle plante, néophyte. Ce sont ces lectures mythocritiques, pour employer le terme forgé il y a quelques années par Gilbert Durand, qui ont été rendues possibles par les travaux de Mircea Éliade. Lectures qui enrichissent le lecteur, lui donnant, à lui aussi, la chance de faire, par la lecture même, le parcours qui permet, pour un moment au moins, la mort au monde profane et l'accès au Sacré de l'Art, le Voyage au centre du livre et de soi.

SIMONE VIERNE.

NOTES

1. *Rite, roman, initiation*, P.U.G., Grenoble, 1973. Cette thèse secondaire était un essai de méthodologie, pour servir de préface à ma thèse principale, *Jules Verne et le roman initiatique*, Paris, Sirac, 1973.
2. Bruxelles, 1964.
3. Paru d'abord dans l'hebdomadaire *Pif*, nº 1298, Paris, éd. Vaillant. Depuis repris en volumes séparés, devant le succès. Analyse du premier épisode dans notre ouvrage cité ci-dessus, pp. 129-230.
4. Souvent, car c'est de moins en moins vrai. Kubrick a nettement indiqué le sens initiatique de son œuvre dans une interview au *Nouvel Observateur* du 23 septembre 1968.
5. Voir dans *Recherches et Travaux*, publication de l'U.E.R. de lettres, Université de Grenoble III, nº 15, mon article : « Idéologie, écriture et mythe dans *Châtiments* de V. Hugo. »
6. R. Jaulin, *La Mort Sara*, Paris, Plon, 1967 ; D. Zahan, *La Viande et la Graine, mythologie dogon*, Présence Africaine, 1969.

7. Voir le tableau dans *Rite, roman, initiation, op. cit.*, p. 55.

8. Voir *Fragments d'un Journal*, Gallimard, 1973, pp. 232 et 280-281.

9. Article de A. Corboz dans *Action et Pensée*, Genève, sept. 1961 : « Au milieu de la nuit, j'ai vu le soleil resplendir... »

10. Certains, écrits sous la contrainte d'une production intensive, ne sont initiatiques que par « sursauts », des passages devenant tout à coup riches en résonances symboliques ; par exemple, au milieu de la description réaliste et purement satirique d'un « voyage organisé », l'évocation de l'Atlantide (thème obsédant chez Verne), dans *L'Agence Thomson and C°*.

11. L'expression est de Michel Butor, dans un article de *Arts et Lettres*, 1949, repris dans *Répertoire I*, éd. de Minuit, 1960, « Le Point suprême et l'Age d'or ».

MYTHES ET SYMBOLES

Jacques Masui

Mircea Éliade n'est pas seulement un grand historien des religions, un mythologue et un orientaliste. Il est aussi un philosophe de l'histoire. Le sait-il ? Il est probable qu'il s'en défendrait et cependant, dans plusieurs de ses livres récents, il dépasse à dessein, ou malgré lui, l'examen critique des documents étudiés pour tenter certaines appréciations de valeur, certaines explications en profondeur, au sujet de l'histoire et du temps, qui franchissent singulièrement les limites de ses spécialités. Peut-être est-ce là la raison de l'attrait que son œuvre exerce sur le profane ?

Bien que très digne serviteur de la science, aux disciplines de laquelle il demeure rigoureusement attaché, M. Éliade a su élever très haut le sujet de ses études. Il est fort rare d'ailleurs de trouver, aussi harmonieusement associées, l'érudition la plus vaste à l'intuition la plus fine, une méthode de travail efficace et sûre à un style souple, précis, sachant exprimer l'essentiel.

Dans les brèves réflexions qui suivent nous n'aurons, certes, pas la prétention de juger en spécialiste l'œuvre récente de M. Éliade. Nous laisserons à d'autres le soin d'une analyse à laquelle rien ne nous prépare. Nous nous limiterons aux résonances philosophiques, aux implications métaphysiques qui se dégagent de ses derniers livres[1]. Elles sont de la plus grande importance et nécessitent un examen fort attentif.

Peut-être est-ce le fait d'être né dans les marches de l'Europe, au sein d'une communauté orthodoxe, il semble que jamais M. Éliade ne s'est senti satisfait par la seule pensée philosophique occidentale. Fervent de la pensée grecque, mais d'un hellénisme qui n'oublie pas ses attaches orientales, très jeune il acquit la conviction « que la philosophie occidentale risque, si on peut dire, de se « provincialiser » : d'abord en se cantonnant jalousement dans sa propre tradition, et en ignorant, par exemple, les problèmes et les solutions de la pensée orientale... ». Dès lors, il conclut à la nécessité de pénétrer la pensée asiatique et il décida de l'apprendre sur place. Les trois années qu'il passa dans l'Inde lui permirent non seulement de perfectionner le sanskrit mais également les problèmes de la spiritualité indienne, notamment à l'université de Calcutta, où régnait alors Das Gupta, historien de la philosophie de grande valeur.

De retour en Europe il publiait, en 1936, peu de temps avant de devenir professeur d'histoire des religions à l'université de Bucarest, une thèse (écrite directement en français) qui attira tout de suite l'attention des spécialistes.

Par vocation, M. Éliade est un historien des religions mais, dirions-nous, dans la *perspective orientale*. Au point de départ de ses recherches, se situe une vaste enquête aux sources de la manifestation religieuse la plus antique et la plus riche qui ait jamais été « élaborée » : le *yoga*. C'est le sujet de sa thèse : *Essais sur les origines de la mystique indienne*[2]. Il n'existe à notre connaissance aucun autre ouvrage aussi complet ni aussi riche sur un sujet qui a été trop souvent, hélas, desservi par ses exégètes[3].

Déjà, dans ce premier livre, M. Éliade montrait un penchant très marqué pour la métaphysique, se doublant d'une grande sensibilité poétique que l'on n'est guère accoutumé à trouver sous la plume d'un savant. Cet essai devait être repris plus tard sous une forme abrégée : *Techniques du yoga*, paru en 1949. Mais dès son retour en Roumanie M. Éliade songeait à une grande histoire des religions, envisagée sous une nouvelle forme, en étudiant par *l'intérieur* la phénoménologie de l'expérience religieuse. Il commença bientôt à réunir les matériaux pour ce travail que la guerre devait interrompre. Entretemps, il donnait plusieurs essais importants dans *Zalmoxis*, revue internationale d'études religieuses, créée par lui et publiée conjointement à Bucarest et à Paris, entre 1938 et 1942. Établi en France après la guerre, il mettait enfin la dernière main à cette Histoire, qu'il termina en 1948.

Le temps n'est plus où l'on considère l'homme des sociétés archaïques et le « primitif » comme des sauvages. Il n'y a pas longtemps encore un grand savant français, après avoir élaboré durant de longues années une doctrine affirmant que tous les primitifs appartenaient à une phase *prélogique* de la vie de l'humanité, devait reconnaître que cette notion ne répondait pas à la réalité. Il avouait avec une admirable sincérité qu'ils vivaient dans un monde tout aussi logique que le nôtre mais que pour en saisir la signification et la valeur il était nécessaire de reviser de fond en comble toutes nos conceptions sur leur mentalité[4]. Le travail est en marche et les résultats acquis sont bouleversants. Ils n'ont pas encore atteint le philosophe mais le moment n'est pas éloigné où une immense revalorisation s'imposera avec une force accrue. Dans cette voie, Mircea Éliade aura été un pionnier. Le matériel qu'il a rassemblé et l'interprétation qu'il en donne, ouvrent la voie à une vaste synthèse dont les conséquences pourraient renouveler et l'histoire de la culture et les origines de la métaphysique, de la théologie, etc.

En spécialiste de l'histoire des religions, il s'est cantonné dans l'étude de l'expression du « sacré » : les mythes, les symboles, les images. Il le fait suivant deux perspectives : la première est un examen des données accumulées par l'histoire des religions afin de dégager les grands thèmes fondamentaux et la *structure* des mythes et des symboles. Le but est de découvrir les *archétypes* qu'ils recouvrent et qui forment la trame de la vie individuelle et sociale des sociétés archaïques, traditionnelles, primitives. Cet examen est avant tout scientifique et analytique. M. Éliade y excelle grâce à une méthode de travail fort efficace et des connaissances linguistiques étendues. Parmi ces œuvres se range naturellement le *Traité d'histoire des religions.*

La seconde perspective est l'étude du phénomène religieux en soi, les techniques de l'extase, les méthodes d'ascétisme et de réalisation, toujours dans les mêmes sociétés. Dans cette catégorie de travaux prennent place la thèse sur le *Yoga* et *Techniques du yoga* et enfin : *Le Chamanisme,* où il s'est efforcé de présenter dans ses divers aspects historiques et culturels une des techniques archaïques de l'extase, à la fois mystique, magie et « religion » dans le sens large du terme. Cet ouvrage, comme le *Traité,* marque, de l'avis des spécialistes, une date dans l'histoire de la science des religions.

Ainsi qu'il l'écrit dans l'Avant-Propos : « Nous avons affaire, dans le cas du Chamanisme, à tout un monde spirituel qui, bien que différent du nôtre, ne lui cède ni en cohérence ni en intérêt. Nous osons penser que sa connaissance s'impose à tout humaniste de bonne foi ; car depuis quelque temps déjà, on n'en est plus à identifier l'humanisme avec la tradition spirituelle occidentale, si grandiose et fertile qu'elle soit. »

Dans ce travail comme dans toute son œuvre, M. Éliade élargit l'examen des problèmes aux dimensions de la planète et il le fait avec une indépendance digne de tous éloges. Il dépasse les « provincialismes », pour s'installer sur une hauteur où l'œil peut embrasser la totalité de l'histoire de la culture. Il n'est à l'aise que dans le général (malgré une analyse serrée du particulier) et son dessein initial est la recherche des grandes constantes archétypales, valables pour l'humanité entière et révélatrices du point d'insertion de l'homme dans l'universel.

Cependant, comme nous l'avons dit, M. Éliade ne se borne pas à l'examen critique des formes. De temps à autre, il fait une incursion dans un domaine beaucoup plus vaste et tente, à partir de ses spécialités, d'interpréter pour l'homme actuel certains mythes significatifs des sociétés archaïques et le symbolisme religieux universel.

A la faveur de ces tentatives (*Le Mythe de l'éternel retour* ou *Images et Symboles*) se dessine à travers l'ontologie archaïque une grandiose philosophie de l'histoire ou plutôt, de la méta-histoire, qui ne doit plus rien aux philosophes historicistes du siècle dernier, bâtisseurs de systèmes abstraits... M. Éliade doit à l'Inde de n'accorder que peu de poids aux théories « personnelles ». Il puise essentiellement dans les faits, dans le concret exemplarisé : les mythes et les symboles.

A première vue, une telle démarche peut sembler paradoxale : comment la mythologie et la symbolique peuvent-elles renouveler entièrement nos conceptions de l'histoire ? « Chez les premiers historiens du monde ancien, le « passé » n'offrait de sens que dans la mesure où il était un exemple à imiter, par suite, une *somme* pédagogique de l'humanité tout entière » (*Traité*, p. 367). On oublie trop souvent que l'histoire est beaucoup moins une suite d'événements heureux ou malheureux qu'une *biographie de l'homme*, une succession de tâtonnements et de réussites éphémères ou durables qui ont pour but la réalisation intégrale de son être dans le temps et dans l'espace.

Cette notion de biographie de l'homme semble d'ailleurs s'imposer avec une nouvelle évidence et enrichit des disciplines telles que l'ethnologie, l'anthropologie, etc.

M. Éliade est probablement le plus remarquable représentant d'une tendance qui approche moins les phénomènes religieux par leur histoire que par la morphologie, par l'étude *interne* de leurs manifestations. Il se méfie de l'histoire qui nous éloigne de la nature réelle des choses, de l'histoire créant une existence illusoire, infiniment complexe, mais qui étouffe l'existence authentique, ontologique. L'histoire est a-métaphysique. Elle a, certes, permis une sorte d'épuration des formes mentales. D'admirables et de redoutables dialectiques ont été mises au point. L'intellect a été développé à un degré inouï, mais cependant l'homme naturel, dans sa structure et ses infrastructures, a peu changé. Cependant la civilisation matérielle a grignoté petit à petit la substance vivante qui nourrissait le centre de son être, auquel il n'accède plus qu'avec peine, alors qu'à la périphérie, elle faisait éclore une exubérance, une fantasmagorie de formes qui devaient l'emprisonner dans ses réseaux. Maintenant, constate M. Éliade, et il n'est pas le seul à le dire, nous aboutissons à la fin d'un cycle de l'histoire (c'est ce qui ressort du *Mythe de l'éternel retour*). Par une sorte de mouvement dialectique global, inhérent aux lois secrètes de l'univers, nous retrouvons graduellement par des études analogues aux siennes — à l'autre bout, l'archéologie ne répond-elle pas à la même impulsion ? — la nature de l'homme avant ou *hors* de l'histoire, comme si un nouveau départ culturel ou spirituel ne pouvait s'effectuer que par un retour préalable au primordial ? Toute « réalisation » spirituelle, toute « nouvelle naissance » ne contribuent-elles pas à restaurer en soi l'« état primordial », état de l'homme complet, « universel », comme dit la tradition islamique ?

Or, l'homme archaïque, comme celui des cultures traditionnelles qui lui fait suite, possède l'immense suprématie d'être *naturellement* un homme ontologique, apte à s'identifier au « centre ». Et M. Éliade n'a pas de tâche plus pressée que de chercher à recomposer, dans un langage qui nous soit accessible, les formes élémentaires de cette ontologie « primitive ».

On est loin des travaux de Frazer et de ses émules qui regardaient toutes les manifestations archaïques comme des divagations... Au contraire, il émerge aujourd'hui du monde archaïque et traditionnel une profonde sagesse, une connaissance non humaine et sans âge tout aussi impersonnelle que des lois scientifiques... C'est à cette émergence miraculeuse que M. Éliade nous convie. Avec lui nous remontons le temps et nous débouchons dans l'éternel présent du passé sans histoire, dans une époque à la fois très lointaine et éternellement proche, où l'homme a l'effroi de l'histoire, où toutes ses forces tendent à renouveler périodiquement le temps qui s'use, par des rites appropriés de « réjuvénation » qui seuls permettraient de maintenir intact le sacré.

Examinons dans leurs très grandes lignes les résultats de ce passionnant travail dont les courts essais réunis dans *Images et symboles*, constituent une excellente introduction. Avec *Le Mythe de l'éternel retour*, ils synthétisent souvent la pensée de l'auteur et explicitent davantage ce qui est exposé analytiquement dans les grands traités.

Le mythe est intimement lié à la notion de durée. Il constitue une défense contre le temps et son usure. Il sacralise l'histoire à laquelle il s'oppose, car il appartient à une autre catégorie : à l'éternel.

Le rôle du mythe (le récit d'un mythe) est de nous *réveiller*, de briser les écailles qui obstruent notre vision intérieure afin de nous faire voir les choses *telles qu'elles sont* et éloigner l'ignorance. Du même coup il nous ré-installe dans la Réalité masquée à chaque instant par *notre* temps, le temps profane, le temps relatif et mortel.

En définitive, la spiritualité, la réalisation métaphysique, est un problème intimement lié au temps (un poète qui fut aussi un mystique et un métaphysicien, Milosz, ne s'y était pas trompé).

A l'origine, dans les sociétés archaïques : une totale négation de l'histoire et par conséquent un statisme apparent. C'est le premier temps des nombreuses théories cycliques. Pour éviter la dégénérescence due à l'écoulement du temps, l'ensemble des archétypes mythiques qui soutiennent la vie de la collectivité, sont régulièrement régénérés. On renouvelle ainsi leur énergie, on restaure leur efficacité.

Cette régénération périodique et cette « rentrée » dans le temps sacré s'effectue par une réactualisation des « événements mythiques qui ont lieu *in principio* (...) dans un instant primordial et a-temporel, dans un laps de *temps sacré* ». Elle s'opère au cours de cérémonies d'un caractère particulier où, notamment, « en racontant un mythe, le temps profane est — au moins symboliquement — aboli : conteur et auditoire sont projetés dans un temps sacré et mythique » (*Images et symboles*, p. 74).

La différence fondamentale entre le monde archaïque et la société moderne tourne autour de la valeur du temps : « l'abolition du temps profane par l'imitation des modèles exemplaires et par la réactualisation des événements mythiques, constitue comme une note spécifique de toute société traditionnelle » (*ibidem*, p. 74). En définitive, « le mythe implique une rupture du Temps et du monde environnant ; il réalise une ouverture vers le Grand Temps, vers le Temps sacré » (*ibidem*, p. 75). S'identifier avec le temps c'est s'identifier avec la non-réalité, avec le mouvant, avec le devenir. Bien qu'appartenant au temps et accomplissant les œuvres temporelles nécessaires à la vie individuelle et collective, l'homme des sociétés traditionnelles s'efforce de briser régulièrement son identification au temps pour — grâce au mythe — retrouver le chemin du Centre, « son propre Centre, qui lui confère la réalité intégrale, la « sacralité » (*ibidem*, p. 68).

Durant des millénaires la vie des sociétés archaïques s'est poursuivie de cette manière, l'ordre sacré strictement maintenu sans faille, jamais troublé par aucune initiative personnelle. Mais vint un temps où un « développement » se fit jour, où des initiatives créatrices se manifestèrent, où enfin une culture véritable naquit, mais longtemps celle-ci demeura circonscrite dans les limites d'un sacré sous-jacent et devenu fécond, comme en Chine ou dans l'Inde, durant d'autres millénaires.

Il est très important de signaler que ce renouvellement continuel est possible grâce aux commencements an-historiques des mythes, dont l'origine est toujours *in illo tempore* et par conséquent, supra-humaine. Le temps est régénéré par une volonté unanime. A certains intervalles, les archétypes ou les *modèles exemplaires*, comme dit ailleurs M. Éliade, doivent refertiliser la société et du même coup l'individu, afin qu'ils n'entrent point en décadence. D'où l'idée de répétition ou *éternel retour* qui prit une telle importance chez les pré-socratiques.

Dans une phase ultérieure de la vie des sociétés archaïques, au fur et à mesure de l'enrichissement des formes mentales (nous ne parlerons pas encore de pensée discursive), l'homme traditionnel en vint insensiblement à accorder au temps une valeur propre que la régénération périodique n'atteint pas. En un mot, il considéra que le temps se déroule, semble-t-il, suivant une dialectique autonome, cependant que « par le simple fait qu'il est durée, il aggrave continuellement la condition cosmique et, implicitement, la condition humaine » (*Le Mythe*, p. 19). Toutefois, il est important de prendre connaissance de ce déroulement dialectique propre d'où est née une doctrine que l'on retrouve sous une forme ou sous une autre, dans toutes les grandes traditions : les cycles cosmiques, les âges de l'humanité. Ils sont, d'ailleurs, contenus en principe dans les « conceptions » de l'homme archaïque. On sait en quoi ils consistent : l'humanité passe d'un âge de vérité (où les mythes, le sacré, gardent leur valeur — où le temps ne « s'use » pas) à un âge de ténèbres, où tout se dégrade depuis le temps qui dévore l'homme, en s'accélérant sans cesse, jusqu'aux moyens d'accès vers le sacré que l'on n'atteint généralement plus que d'une manière fortuite... Alors, quand plus rien n'a de sens, un renversement s'effectue, par excès.

Si l'élaboration des cycles cosmiques, qui rend compte de l'usure du temps, modifie quelque peu la structure originelle des sociétés archaïques, un autre développement, non moins important, devait surgir un jour dans une tribu hébraïque. Abraham « inaugure une nouvelle dimension religieuse : Dieu se révèle comme personnel... Cette nouvelle dimension rend possible la "foi" au sens judéo-chrétien ». Dès lors, « l'événement historique devient une théophanie » qui servira d'assise à « la philosophie de l'histoire que le christianisme, à partir de saint Augustin, va s'efforcer de construire » (*Le Mythe*, p. 164, *passim*).

« Comme il s'agit d'une expérience totalement différente de l'expérience traditionnelle, puisqu'il s'agit de la "foi", la régénération périodique du monde se traduit dans le christianisme par une régénération de la personne humaine... Par conséquent, pour le chrétien lui aussi, l'histoire peut être régénérée, mais par chaque croyant en particulier... L'année liturgique chrétienne est d'ailleurs fondée sur une répétition *périodique* et *réelle* de la Nativité, de la Passion, de la mort et de la résurrection de Jésus, avec tout ce que ce cadre mystique implique pour un chrétien ; c'est-à-dire la réintégration personnelle et cosmique par la réactualisation *in concreto* de la naissance, de la mort et de la résurrection du Sauveur » (*Le Mythe*, pp. 192-194, *passim*).

L'un des fondements de l'expérience religieuse, sinon sa raison d'être essentielle, paraît donc bien être une *résistance au temps*, qui pousse irrésistiblement à la ré-intégration dans un « temps mythique » et édénique, chez l'homme archaïque ; tandis qu'à l'autre bout de la culture, dirons-nous, il conduit le mystique à l'union avec l'Absolu. Dans chaque cas il s'agit d'échapper à la brièveté de la vie par une ré-insertion dans un état qui transcende le temps et par conséquent, la mort. Ce n'est pas ici le lieu de développer comme il faudrait toutes les implications des recherches fondamentales de M. Éliade. Rappelons seulement ce qu'un maître métaphysicien traditionaliste recommandait lors d'une conférence à la Sorbonne en 1925 : « La première chose à faire pour qui veut parvenir véritablement à la connaissance métaphysique, c'est de se placer hors du temps, nous dirions volontiers dans le non-temps... » Et il ajoutait : « La réalisation de l'individualité intégrale est désignée par toutes les traditions comme la restauration de ce qu'elles appellent l'état primordial » (R. Guénon : *La Métaphysique orientale*, Paris, 1939, p. 17).

Mais revenons au problème du temps et de l'histoire : un moment vint où apparurent des « fondateurs de religions », notamment dans la tradition d'Abraham, qui donnèrent un sens à l'histoire en lui assignant un commencement absolu. C'est le cas du christianisme qui, bien plus que le bouddhisme et l'islam, possède un commencement absolu dans le temps. Quoique pétri de tous les mythes de l'humanité archaïque, qu'il reprend et revalorise, il représente une nouveauté capitale : il assigne un but à l'histoire. Il portait en lui cette tendance car déjà, pour la première fois, « *les prophètes valorisent l'histoire*, parviennent à dépasser la vision traditionnelle du cycle — conception qui assure à toutes choses une éternelle répétition — et découvrent un temps à sens unique (...). Pour la première fois, on voit s'affirmer et progresser l'idée que les événements historiques ont une valeur en eux-mêmes, dans la mesure où ils sont déterminés par la volonté de Dieu. Ce Dieu du peuple n'est plus une divinité créatrice de gestes archétypaux, mais une *personnalité* qui intervient sans cesse dans *l'histoire*, qui révèle sa volonté à travers les événements. Les faits historiques deviennent ainsi des « situations » de l'homme face à Dieu, et comme tels acquièrent une valeur religieuse que rien jusque-là ne pouvait leur assurer. Aussi est-il vrai de dire que les Hébreux furent les premiers à découvrir la signification de l'histoire comme épiphanie de Dieu, et cette conception, comme on devait s'y attendre, fut reprise et amplifiée par le christianisme » (*Le Mythe*, pp. 154-155).

Nous nous sommes permis cette longue citation car elle met l'accent sur l'événement capital de l'histoire humaine. Quoiqu'il y ait bien des correctifs à cette tendance foncière du judéo-christianisme, qui assigne une valeur au temps et un sens à l'histoire, il n'en demeure pas moins que « Moïse reçut la "Loi" à un certain "endroit" et à une certaine date, et Israël (comme fera plus tard le christianisme) tente de "sauver" les événements historiques en les considérant comme des présences actives de Iahvé ». L'histoire ayant un but, il devenait logique d'admettre le prophétisme et le messianisme. On connaît la suite... le Messie apparaît et le christianisme fonde sa philosophie sur la pensée grecque qui avait découvert les pouvoirs autonomes de la raison. Cette alliance devait modifier la face de la terre.

Cependant la nostalgie du paradis (car, ainsi que le montre M. Éliade, l'abolition du temps, le retour au commencement mythique — à cette époque où il existait une communication directe entre la terre et le ciel que le chaman restaure pour lui-même dans son extase — manifestent bien une nostalgie de l'éden), retrouva un regain de faveur plusieurs fois, au cours de la longue histoire du christianisme[5]. C'est l'annonce de la seconde venue du Christ, qui demeure très vivante dans l'orthodoxie ; c'est la Parousie finale (l'âge d'or n'est plus à l'origine mais en avant de l'histoire, qui s'accomplira en lui) et c'est surtout l'*Évangile éternel* de Joachim de Fiore qui, de nos jours, devait exercer une grande influence sur la pensée de Berdiaeff. Comme le rappelle M. Éliade, l'abbé calabrais partage l'histoire du monde en trois grandes époques inspirées et dominées successivement par une personne différente de la Trinité... Chacune de ces époques révèle, *dans l'histoire,* une nouvelle dimension de la divinité et, de ce fait, permet un perfectionnement progressif de l'humanité aboutissant, dans la dernière phase — inspirée par le Saint-Esprit — à la liberté spirituelle absolue » (*Le Mythe*, pp. 214-215).

Malgré la tentative de Joachim de Fiore, qui eut un grand retentissement dans la Chrétienté environ un siècle après sa mort, malgré tous les autres essais moins connus et souvent demeurés anonymes, la conception cyclique resta étrangère au christianisme qui imposa toujours davantage l'idée d'un temps irréversible. Aux yeux de M. Éliade ce qui le sauve c'est de transfigurer l'événement historique en hiérophanie. « En dépit de la valeur accordée au temps et à l'histoire, le judéo-christianisme n'aboutit pas à l'historicisme mais à une théologie de l'histoire. » L'historicisme qui a fleuri au siècle dernier, comme tel, « est un produit de la décomposition du christianisme ; il n'a pu se constituer que dans la mesure où l'on avait perdu la foi dans une transhistoricité de l'événement historique » (*Images et symboles*, pp. 223-224, *passim*).

Nous venons de toucher du doigt, semble-t-il, l'un des plus grands problèmes qui se posent à l'homme moderne : en conférant à l'histoire une valeur absolue (due à une dégradation de la théologie de l'histoire née du christianisme) ne se croit-il pas complètement maître de son destin et bâtisseur de la Parousie future, que Marx annonçait dans ses écrits de jeunesse ? De plus, l'eschatologie ne fut-elle pas, dès le temps des Hébreux, une « compensation » à la perte, à l'éloignement des archétypes originels ?

Ayant conquis la nature et l'espace, tout lui paraît possible... Et Dieu n'est-il pas mort ? Mais en même temps la pression historique ne permet plus aucune restauration d'un modèle transhistorique et l'on se demande comment, vidé de tout sacré, cet homme qui se sait et se veut un créateur d'histoire, pourra supporter ses catastrophes et ses horreurs ?

En fait, il les supporte de plus en plus mal : il commence à perdre sérieusement confiance. « La liberté de faire l'histoire dont se targue l'homme moderne est illusoire pour la quasi-totalité du genre humain. » D'ailleurs vis-à-vis de « l'homme traditionnel, l'homme moderne n'offre le type ni d'un être *libre*, ni d'un *créateur* d'histoire... Il lui reste tout au plus la liberté de choisir entre deux possibilités : 1° s'opposer à l'histoire que fait la toute petite minorité ; 2° se réfugier dans une existence sous-humaine ou dans l'évasion » (*Le Mythe*, p. 231, *passim*).

Il est clair que le regain d'études sur la mystique et l'attrait pour les choses de l'esprit qui se manifestent de nos jours en ordre dispersé, procèdent d'un besoin d'évasion mais également d'une soif de vérité, de retrouver les valeurs originelles, de remonter aux sources, de rejoindre le « centre » dont parle longuement M. Éliade dans le *Traité* et *Images et symboles*. Dans cette voie, ses travaux qui semblent à première vue très éloignés par leur objet des graves préoccupations de l'époque nous plongent, au contraire, au cœur des plus grands problèmes de notre temps et c'est en cela qu'il est bien un philosophe de l'histoire.

Nous ne pouvons terminer cette trop brève vue d'ensemble sur les perspectives philosophiques de l'œuvre actuelle de M. Éliade sans faire une incursion dans le domaine des symboles et des images auxquels il a consacré tant de pages.

Quand il écrit : « l'homme archaïque est sûrement en droit de se regarder comme plus créateur que l'homme moderne qui ne se définit créateur que de l'histoire », on est prêt à souscrire à cette affirmation si, toutes proportions gardées, l'on considère les « conditions » dans lesquelles il vivait.

L'homme moderne n'est véritablement grand que parce qu'il est maître de la quantité, qu'il manie comme un démiurge, mais en est-il de même pour la qualité ? Toutes les images sur lesquelles nous vivons aujourd'hui, tous les symboles dont nous nous servons, même lorsqu'ils se sont dépouillés de presque toute leur substance ou lorsqu'ils sont passés dans les mots de nos vocabulaires et que nous les véhiculons d'une manière abstraite dans notre mémoire, tout cela remonte à un passé infiniment lointain. « Dans un certain sens, on peut même dire qu'il ne se produit rien de neuf dans le monde, car tout n'est que la répétition des mêmes archétypes primordiaux » (*Le Mythe*, p. 134). Toutefois ceux-ci se dégradent ou demeurent cachés car il arrive que nous ne sachions plus les lire. Ils se dégradent de différentes manières, par exemple en légende épique, en ballade ou en roman ou encore ils peuvent « survivre sous la forme amoindrie de « superstitions », d'habitudes, de nostalgies, etc. Mais les modèles transmis du plus lointain passé ne disparaissent pas ; ils ne perdent pas leur valeur de réalisation... L'archétype continue d'être créateur alors même qu'il est « dégradé » à des niveaux de plus en plus bas (*Traité*, pp. 367-369, *passim*).

Ce qui est vrai pour les mythes l'est également pour les symboles. La perle est un excellent exemple. On peut poursuivre son symbolisme jusque dans la préhistoire, où depuis des millénaires, elle a servi de support à de multiples valences. A l'origine, le symbolisme de la perle était métaphysique mais il a été « ensuite interprété, diversement « vécu », pour se dégrader jusque dans les superstitions et dans la valeur économico-esthétique que représente pour nous la perle » (*Traité*, p. 376).

Il est important, avant tout, de prendre conscience de la valeur du symbole, de sa valeur intrinsèque, *archétypale*. Avec le mythe et l'image il appartient à « la substance de la vie spirituelle... La pensée symbolique est consubstantielle à l'être humain : elle précède le langage et la raison discursive. Le symbole révèle certains aspects de la réalité – les plus profonds — qui défient tout autre moyen de connaissance. Il répond à une nécessité et remplit une fonction : mettre à nu les plus secrètes modalités de l'être » (*Images et symboles*, pp. 12-15, *passim*).

L'étude du symbolisme permet de connaître l'homme, si l'on ose dire, à l'état pur ou tout au moins l'homme « qui n'a pas encore composé avec les conditions de l'histoire », qui parfois se révèle dans les rêves, les rêves éveillés et les images de nos nostalgies. « La désacralisation ininterrompue de l'homme moderne a altéré le contenu de sa vie spirituelle, elle n'a pas brisé les matrices de son imagination : tout un déchet mythologique survit dans des zones mal contrôlées » (*ibidem*, p. 20). La tâche actuelle est de remonter jusqu'aux origines des symboles et des images pour retrouver leur signification ontologique. M. Éliade y voit le point de départ possible de la rénovation spirituelle de l'homme moderne. Il n'a peut-être pas tort car nous aurons beau faire, l'empire du symbole est tel qu'on n'empêchera jamais cet homme « de continuer à se nourrir de mythes déchus et d'images dégradées ». Tant que nous nagerons dans leurs eaux fangeuses, que révèle la psychologie analytique, nous continuerons à nous éloigner des sources profondes de notre être. Nous devons réapprendre à nous servir du symbolisme si nous voulons exprimer à nouveau dans toute sa pureté et sa plénitude ce « centre » d'où émanent les archétypes, les modèles exemplaires, les images qui soutinrent l'ontologie archaïque sur lesquels se sont érigés toutes les grandes conceptions du monde et, finalement, la culture.

M. Éliade constate à ce sujet que « c'est justement (la) pérennité et (l') universalité des archétypes qui « sauvent » en dernière instance les cultures, tout en rendant possible une philosophie de la culture qui soit plus qu'une morphologie ou une histoire des styles » (*Images et symboles*, p. 228). Ce sont les images et les symboles qui conservent « ouvertes » les cultures. Ce sont elles, dans leur structure intime, ontologique, qui sont le fondement spirituel des cultures. « Si les images n'étaient en même temps une « ouverture » vers le transcendant, on finirait par étouffer dans n'importe quelle culture... A partir de toute création spirituelle stylistiquement et historiquement conditionnée, on peut rejoindre l'archétype... » (*ibidem*, p. 229). En définitive, c'est cela qui compte, car cette création pour être valable, grande et belle (comme la sculpture grecque : forme parfaite d'archétypes archaïques) doit puiser dans un monde transhistorique. L'imagination à l'état pur est véritablement divine ou, comme disait Berdiaeff, « c'est à travers l'imagination, à travers les visions divines qui apparaissent dans l'éternité, tout en étant leur propre réalisation, que Dieu crée le monde ». Et il ajoutait : « Les psychologues et les psycho-pathologistes contemporains attribuent également une importance primordiale à l'imagination, que ce soit dans un sens négatif ou positif. Ils ont découvert qu'elle joue dans la vie un rôle infiniment plus grand qu'on ne le croyait. C'est à travers elle que se créent les maladies et les psychoses et à travers elle que l'homme s'en guérit[6]. »

Rien ne montre mieux, nous semble-t-il, à côté des problèmes de culture et de philosophie de l'histoire, l'importance incalculable des mythes, des symboles et des images, non seulement pour la connaissance de l'homme et sa destination mais également pour sa régénération. Et lorsque Heidegger, impuissant à formuler une Métaphysique, estime, comme on l'écrivait récemment, qu'il n'y a de salut pour la philosophie occidentale qu'à la condition de renouer avec la pensée pré-socratique, cela signifie clairement que nous devons retourner humblement aux sources de l'ontologie traditionnelle si nous voulons reprendre possession de notre être intégral et refaire une culture[7].

JACQUES MASUI.

NOTES

1. *Le Mythe de l'éternel retour*, Gallimard, 1949-1950 ; *Traité d'histoire des religions*, Payot, 1949 ; *Le Chamanisme*, Payot, 1951, et *Images et symboles*, Gallimard, 1952.

2. Voir la nouvelle édition revue et complétée, aux Éditions Payot, Paris.

3. Signalons, aux Éditions des Cahiers du Sud, un important recueil d'études et de textes consacrés au *Yoga*, ses origines, ses méthodes et leur influence, etc.

4. *Cf. Les Carnets de Lévy-Bruhl*, Paris, 1949.

5. M. Éliade précise dans *Le Chamanisme*, que la transe chamanique ramène la situation de l'homme primordial : « durant sa transe, le chaman recouvre l'existence paradisiaque des Premiers Humains, qui n'étaient pas séparés de Dieu... en d'autres termes, il réussit à abolir l'histoire (tout le temps qui s'est écoulé depuis la « chute ») : *il revient en arrière*, il réintègre la condition paradisiaque primordiale. » Or, ajoute-t-il (*Images et symboles*, p. 219) : « d'après les Pères de l'Église, la vie mystique consiste dans un retour au Paradis. »

Nous nous contenterons de ces citations, ne pouvant nous étendre davantage, mais il est clair que les formes primitives de l'extase ouvrent un nouveau champ de recherche dans les études de mystiques comparées, champ d'un vif intérêt pour une juste évaluation de ce qui sépare et unit à la fois : chamanisme — initiation — yoga — mystique proprement dite (surtout chrétienne), etc. De nombreuses pages dans *Le Chamanisme* et *Images et symboles* y font allusion.

6. *Cf. Destination de l'homme*, Paris, 1933, p. 189.

7. Au moment de terminer notre article, paraissait, dans la « Bibliothèque de Philosophie Scientifique » (Flammarion), un livre de M. Georges Gusdorf, professeur à la faculté des lettres de Strasbourg : *Mythe et Métaphysique* (Introduction à la philosophie). Se basant sur les travaux des principaux ethnologues et mythologues contemporains, l'auteur tente une synthèse fort intéressante sur le progrès de la pensée humaine. Nous comptons pouvoir revenir sur ce travail qui, à notre connaissance, est l'un des premiers essais d'interprétation métaphysique des multiples recherches récentes sur le mythe.

IMAGINATION ET SENS

ATTITUDES « ESTHÉTIQUES »

Matei Calinesco

Le terme « esthétique » est employé ici dans un sens pleinement existentiel. Il renvoie certainement, mais de façon non exclusive, à l'expérience acquise par la pratique de l'art. Il existe, en effet, une *voie esthétique* qui permet d'appréhender le réel, de structurer l'expérience et qui parfois n'a que peu, sinon rien, en commun avec ce que nous rattachons habituellement au domaine de l'art. Benedetto Croce voit en Vico le véritable fondateur de l'esthétique moderne et cela bien que l'auteur de la *Scienza nuova* ne se soit guère spécifiquement attaché à définir le concept d'art, lui qui s'était essentiellement, sinon exclusivement, appliqué à saisir une *forma mentis* qu'il nommait « poétique » et qu'aujourd'hui nous appellerions « mythique ». Même si le point de vue de Croce semble quelque peu excessif, il est indéniable que le fondateur de l'étude moderne du mythe a joué, directement ou indirectement, un rôle de premier plan dans l'histoire de la conscience esthétique. En fait, quand Vico parle de

301

« poétique » au lieu de « mythique », il ne s'agit pas pour lui de synonymes. Ce choix de termes implique une conception complexe du poétique. S'opposant à la déjà puissante tradition cartésienne et rationaliste du début du XVIIIᵉ siècle, Vico a voué un culte fécond à l'imagination, à l'originalité (au sens étymologique du terme) et à l'ingénuité, de même qu'il a dévoilé les vertus inépuisables de la pensée mythique. Bien plus, pour Vico, la métaphore et le mythe étaient des *moyens de connaissance* ; la sphère du poétique se trouvait donc, non seulement élargie, mais encore investie, d'une dignité philosophique qui tranche fortement avec le statut que lui accorde l'esthétique rationaliste pour laquelle le poétique n'est qu'un simple « jeu de l'esprit » ou bien une forme du discours « orné ». De ce point de vue, Vico est peut-être le premier grand penseur moderne qui ait tenté une approche existentielle tant de la mythologie que de la poésie. Son anthropologie englobe une esthétique fondée sur un système de valeurs qui correspond à une *manière d'être*. Il ne me paraît donc pas que ce soit un hasard si le contact qu'il a eu avec les manifestations de la créativité « primitive » et religieuse a mené Vico à ses découvertes révolutionnaires. Il semble, en effet, que l'importance accordée par Vico à la notion de *richesse*, notion incluse dans sa conception de la pensée mythique, révèle un aspect majeur de son attitude esthétique même quand nous contestons cette vue du mythe, toute à base d'émotions et d'expressions, et cet historicisme qui est le sien, centré autour de l'idée de « corsi » et « ricorsi ».

D'une façon générale, je voudrais dire que sa « Weltanschauung esthétique » est caractérisée par la présence, sous des formes variées, de certains éléments : un sens profond de la multiplicité et de la diversité ; la conscience du réseau secret de relations unissant les divers phénomènes de la vie, mais aussi la perception très nette de ce que toute forme de réduction finit par tuer cette richesse vitale qui, en elle-même et par elle-même, est l'une des valeurs les plus précieuses qui soient ; enfin, un intérêt tout particulier pour l'« ambiguïté » ou polysémie considérée, elle aussi, comme détentrice de valeur (valeur, non chargée, faut-il le préciser, de la tension dramatique inhérente à toute pensée morale).

Voilà quelques-unes seulement des idées qui me viennent à l'esprit quand je parle de l'attitude esthétique propre à l'œuvre de Mircea Éliade, envisagée dans son ensemble. N'ayant pas l'intention d'étudier en détail ses écrits littéraires ni ses réflexions sur l'art ou la littérature, j'ajouterais néanmoins que cette partie de son œuvre peut être reliée de façon très précise au sujet que j'aborde ici. En Occident, Mircea Éliade est surtout, sinon exclusivement, célèbre comme savant et comme penseur. Il est « de l'avis quasi unanime, le plus écouté des spécialistes des religions à l'heure actuelle », comme l'écrit Harvey Cox dans un numéro de *New York Times Book Review*. Quant à son abondante œuvre littéraire, dont les thèmes et les structures pourraient éclairer certains des choix fondamentaux qui apparaissent dans ses travaux sur les religions, peu de lecteurs occidentaux connaissent son existence. Cela est peut-être dû, entre autres causes, au surprenant manque d'intérêt qu'Éliade lui-même porte à la publicité qui pourrait être faite autour de ses œuvres de fiction, manque d'intérêt en parfait contraste, d'ailleurs, avec sa passion pour l'écriture dont ses *Fragments d'un Journal* (1945-1969) témoignent abondamment. Il est, en effet, curieux de penser que parallèlement à une brillante carrière de savant dans la France d'après-guerre d'abord, aux États-Unis ensuite, Éliade a produit une imposante quantité d'œuvres de fiction et qu'il semble se contenter de les voir publier sous forme de quelques traductions (surtout françaises et allemandes) ou éditées dans leur version originale, en roumain, par des revues d'émigrés ou de petites maisons d'édition appartenant à des amis. Comme si l'expérience du succès qu'il a connu dès sa jeunesse en Roumanie, où il était célèbre et apprécié en premier lieu comme romancier, lui avait suffi et comme si cette expérience l'avait même rendu circonspect à l'égard des succès littéraires.

Je suis sûr qu'un jour l'œuvre littéraire d'Éliade sera appréciée par le large public de lecteurs qu'elle mérite. En attendant, le seul fait de connaître la passion qu'il éprouve pour la création littéraire et pour l'art en général, peut nous aider dans notre tentative pour cerner sa personnalité de penseur et les zones d'intérêt qui sont les siennes dans l'étude des religions. Son intérêt pour le mythe, l'usage particulier qu'il fait de l'herméneutique, cette croyance profondément enracinée qu'il a dans la valeur existentielle des images et des symboles, la qualité de l'attention qu'il porte aux structures narratives, tout cela découle, en grande partie, de son expérience esthétique et plus précisément créatrice. On ne saurait donc être surpris de découvrir que pour Éliade l'imagination artistique et la créativité religieuse présentent de nombreuses analogies qui justifient des approches profondément similaires. Et cela parce que l'art comme la religion traitent du SENS, question qui est au cœur même de toute l'œuvre d'Éliade, penseur, romancier et savant.

Dans une présentation récente de ses nouvelles où il est question de surnaturel et d'occulte, Éliade a élaboré une théorie très éclairante en indiquant que les éléments par lesquels ses nouvelles se rattachent à ce que l'on appelle la *littérature fantastique*, « mettent en lumière ou plus exactement engendrent des séries de "mondes parallèles" qui ne prétendent pas être les "symboles" d'une autre réalité... Chaque nouvelle sécrète son propre univers et la création, par des moyens littéraires, de ces univers imaginaires est comparable aux processus producteurs de mythes... On peut parler d'une certaine continuité entre le mythe et la fiction littéraire puisque l'un et l'autre reproduisent la création (ou "la révélation") d'un monde parallèle au monde quotidien ». Et dans cette même « Introduction », spécialement rédigée pour l'édition en langue anglaise de deux nouvelles déjà anciennes, *Minuit à Serampore* et *Le Secret du docteur Honigberger*, Éliade compare les problèmes auxquels se trouvent confrontés l'historien des religions et l'auteur d'œuvre de fiction et il précise que « l'un et l'autre ont affaire à des structures spatiales, sacrées et mythiques, différentes, à des temps différents et plus précisément à un nombre considérable d'*univers de significations* autres, étranges, énigmatiques ».

La confiance d'Éliade en la nature « créatrice » (et « révélatrice ») de l'imagination mythique, d'une part, littéraire d'autre part, semble être la conséquence de l'une de ses premières illuminations ou intuitions philosophiques, intuition qui est à l'origine de cette préoccupation de toute sa vie, à savoir « le miracle comme non décelable » (non reconnaissable, non identifiable). La première mention de cette idée du miracle qui est essentiellement non reconnaissable, je l'ai relevée dans l'un des aphorismes passionnés du temps de sa jeunesse, rassemblés en un recueil *Monologues*, paru en 1932. « Le problème, écrit Éliade, ce n'est pas que Dieu soit invisible, c'est qu'il est non reconnaissable. Dieu a fait en sorte qu'il soit impossible de le reconnaître nulle part. » Deux ans plus tard, dans *Océanographie* (1934), autre recueil de pensées et aphorismes, il va encore plus loin dans cette direction en envisageant une possible phénoménologie du miracle. Alors que dans le monde de l'antiquité grecque, le miracle se définissait en termes de *contraste* par rapport aux prévisions humaines, dans le monde chrétien, au contraire, le miracle est plutôt décrit comme un *contact*. Éliade considère alors que le miracle tend à devenir un élément intégré à la vie quotidienne ; rien de spectaculaire, nulle rupture entre le miracle et les plus humbles événements qui tissent notre vie. Si quelque contraste subsiste encore, il faut le chercher dans l'écart qu'il y a entre la façon *exceptionnelle* dont nous nous attendons à ce que se produise un miracle et la façon *non reconnaissable* dont il se produit. « Un miracle, affirme Éliade, se distingue d'un événement ordinaire (c'est-à-dire d'un événement que peuvent expliquer des causes naturelles, cosmique, biologique ou historique) par l'impossibilité où l'on est de l'isoler... Le non-reconnaissable est la forme parfaite de la révélation divine : le sacré ne se *manifeste* ni ne se rend plus guère présent par contraste ; il agit directement sur les hommes par contact ou union. »

Vingt ans plus tard, en 1953, alors qu'on l'interrogeait sur la façon dont il parvient à concilier son activité scientifique avec le propos, apparemment tout différent, qu'implique la création littéraire, Éliade fit remarquer que son œuvre romanesque tout autant que ses travaux sur les religions avaient essentiellement le même thème, c'est-à-dire, une fois encore, « l'irrécognoscibilité du miracle ». « Le savoir scientifique et la création littéraire, écrivait-il, nous amènent à être finalement confrontés aux mêmes problèmes : l'impossibilité de reconnaître le Transcendant qui se camoufle dans l'Histoire. » Le *Journal* d'Éliade renferme de nombreuses formules allant dans ce sens et nous commenterons plus loin certaines d'entre elles. Une des distinctions majeures que fait Éliade et qui sous-tend d'ailleurs toute sa pensée, apparaît clairement dans des passages semblables à ceux auxquels je viens de faire allusion : je veux parler de l'opposition entre l'*inconnaissable* et l'*indécelable* (le non-reconnaissable). La thèse agnostique selon laquelle la réalité finale est inconnaissable est remplacée ici par l'hypothèse d'une réalité non-reconnaissable, variante de la doctrine platonicienne de l'*anamnesis*. Au premier abord, cette distinction peut paraître bien mince, voire non fondée. Mais il nous faut alors souligner que ce qui est mis en cause dans le cas de l'agnosticisme, c'est la valeur de l'épistémologie (d'où une théorie toute relativiste du savoir), alors que dans le second cas, le savoir véritable est en principe accessible à quiconque peut le reconnaître ou bien le retrouver dans sa mémoire selon Platon. Cette seconde hypothèse correspond à une structure symbolique et est, en premier lieu, dirigée vers la découverte du *sens* véritable des innombrables signes qui constituent notre conscience. L'idée que le « Transcendant » se soit rendu lui-même « non-reconnaissable » — ce qui doit être entendu comme une métaphore philosophique non moins légitime que la métaphore psychologique de Freud sur la « censure » de la conscience —

conduit à une théorie de l'interprétation ou à une herméneutique travaillant sur les travestissements, variations et ramifications analogiques du sens. L'herméneutique peut être une méthode fort utile dans un nombre indéfini de cas théoriques et pratiques. L'usage particulier qu'Éliade a fait de l'herméneutique, qu'il nomme dans son *Journal* « l'herméneutique imaginative », est déterminé par sa conception du sacré et du profane et d'une façon plus générale, par sa théorie du « camouflage ». En anticipant sur ce qui sera discuté plus en détail un peu plus loin, je dirais que pour Éliade, le sens, qui atteint sa plénitude dans le sacré, est soumis à un processus d'occultation au sein de l'Histoire dont le déroulement linéaire et irréversible est exactement opposé au modèle circulaire et intemporel de la pensée mythique. Le sens se réfugie derrière des apparences qui ne signifient rien. Les signes, que personne ne peut plus déchiffrer, sont enfouis *parmi*, et non sous, les petits événements de la vie de chaque jour.

De ce point de vue, l'herméneutique, dont la tâche est de faire resurgir des univers de signification oubliés, peut être définie tout simplement comme la *science de la reconnaissance*. Le concept de « camouflage » apparaît également dans les écrits d'Éliade consacrés à l'histoire des religions. Ce concept a un rôle fondamental, par exemple, dans le dernier chapitre de *Aspects du mythe* (1963), chapitre intitulé de façon significative « Survivances et camouflages du mythe » et où il est question du mythe « non reconnaissable » dans les sociétés modernes, désacralisées. Mais ce problème est traité de façon plus directe, plus frappante quand Éliade réfléchit sur ses œuvres littéraires. En voici encore un exemple tiré des *Fragments d'un Journal* et daté du 28 décembre 1963 où l'auteur éclaire le propos qui est le sien dans la nouvelle qu'il est alors en train d'écrire, *Le Pont* : « Dans la nouvelle que je suis en train d'écrire, dit-il, je voudrais faire comprendre jusqu'à l'obsession son sens secret ! le *camouflage des mystères* dans les événements de la réalité immédiate. Faire ressortir, par conséquent, l'ambivalence de tout « événement », dans le sens que tout « événement » apparemment banal peut révéler tout un univers de significations transcendantes, et qu'un événement apparemment extraordinaire, fantastique, peut être accepté par ceux qui le vivent comme quelque chose qui va de soi et dont ils ne songent même pas à s'étonner. »

L'insistance d'Éliade sur cette « ambivalence », dans le passage cité et dans bien d'autres, est une autre clef nécessaire à la compréhension de ce que j'appellerais sa métaphysique ou même sa « théologie du sens ». Pour l'écrivain, comme pour le penseur, la question n'est pas tant d'aller au-delà du camouflage pour saisir la vérité « cachée » ou « principe », mais plutôt de devenir *conscient* de cette richesse intrinsèque à la nature même de ce qui est miraculeux, richesse qui ne pourrait exister sans la pluralité des significations, laquelle est justement issue du camouflage. Éliade semble croire que c'est le processus même par lequel le mystère, le transcendant ou le miracle deviennent non reconnaissables, qui engendre cette richesse d'univers de significations parallèles que l'interprète doit déceler, évaluer et révéler à la conscience claire. Paradoxalement le sacré se cache au moment même où il se révèle et inversement : « Là est la vraie dialectique du sacré : par le seul fait de *se montrer*, le sacré *se cache* » (*Fragments d'un Journal*, 1er octobre 1965). L'interprétation, suggère Éliade, doit préserver et même accroître la richesse, née de cette dialectique du non-reconnaissable. La valeur de l'herméneutique provient, entre autres, du fait qu'elle élargit le cercle de ce que l'on pourrait appeler « l'imagination sémantique » de l'homme. Avoir conscience de l'existence de cette richesse de signification et contribuer à l'augmenter encore, voilà, aux yeux de M. Éliade, la tâche essentielle de celui qui étudie les religions mais aussi celle du poète — en donnant au mot poète son sens premier de « fabricant ». L'intérêt particulier qu'il porte au sentiment religieux archaïque et au mythe est la conséquence directe de la passion, de l'obsession même de M. Éliade à l'égard de toute création : car le *mythe* raconte comment « ... une réalité est venue à l'existence, que ce soit la réalité totale, le Cosmos, ou seulement un fragment : une île, une espèce végétale, un comportement humain, une institution. C'est donc toujours le récit d'une création ; on rapporte comment quelque chose a été produit, a commencé à *être* » (*Aspects du mythe*, 1969). Mais le mythe n'est pas seulement le récit d'une création, il est aussi, en lui-même, création, « existence ». Tous les mythes sont vrais et, aussi paradoxal que cela puisse paraître, à la fois symboliquement et littéralement vrais. La vision d'Éliade sur la religion pourrait être qualifiée, de façon quelque peu schématique, de néoplatonicienne dans la mesure où toutes les religions, passées ou encore vivantes, ne sont, malgré leur infinie diversité, qu'*une*. Elles sont les émanations du même *Un* Créateur. Sa vision de la religion se fonde sur ce que j'ai déjà appelé une théologie du « sens ». Plus précisément c'est comme si le sacré ou Dieu (la créativité absolue) se manifestait à travers les « univers significations » innombrables et parallèles que l'homme, être historique, a tendance à ne savoir pas déceler. Ainsi, sommes-nous sans doute en droit de dire que pour Éliade le sacré est simplement ce qui fait sens, ce qui existe réellement, alors que le profane est ce qui n'a pas de sens, ce qui est *faux*, illusoire, trompeur.

A cet égard, la fiction en tant que substitut moderne du mythe, a pour fonction d'arracher le voile trompeur du non-sens. Comme il a été dit plus haut, il n'existe pas de différence substantielle entre l'imagination mythique et littéraire. Le roman, genre pour lequel Éliade montre une préférence marquée tout à fait explicable, est l'une des plus importantes activités du domaine culturel qui a pour fonction cachée de créer, d'amener des mythes dans notre monde. L'analogie entre le roman et le mythe repose essentiellement sur leur *structure narrative* commune. En dépit de nombreuses différences, tous deux sont des successions articulées d'images et de symboles même si dans le cas du roman les symboles ne sont pas reconnus comme tels. Imaginer et raconter des *histoires*, voilà bien le rôle des fabricants de mythes et des romanciers. La valeur quasi métaphysique qu'Éliade attache à la narration d'une histoire explique qu'il ait été, d'une façon tout à fait logique, un ennemi de l'« anti-roman » contemporain, de ce roman qui, quelles qu'en soient les raisons, ne remplit pas sa mission narrative. Réaliste ou fantastique, psychologique ou anti-psychologique, traditionnel ou novateur quant à l'écriture, le roman perd tout simplement sa raison d'être dès qu'il ne raconte plus une histoire. Raconter revêt aux yeux d'Éliade une signification ontologique : les événements imaginaires qui composent une histoire peuvent enrichir d'une façon effective et le rendre plus riche de sens. Cette conviction, plusieurs fois exprimée dans le *Journal*, apparaît dans le passage suivant : « Le roman *doit* "raconter" quelque chose, parce que la narration (c'est-à-dire l'invention littéraire) enrichit le Monde, ni plus ni moins que l'Histoire. Le fait qu'il se passe quelque chose, qu'il se passe toutes sortes de choses est tout aussi significatif pour le destin de l'homme que le fait de vivre dans l'Histoire ou d'espérer la modifier » (*Fragments d'un Journal*, 19 septembre 1964).

C'est pourquoi le roman a pour fonction de nous dire que toutes sortes de choses *ont lieu* (croyables et incroyables, attendues et inattendues, importantes et sans importance, tragiques et comiques, etc.). La conception d'Éliade en matière d'invention littéraire et d'imagination en général semble fort bien correspondre à la formule de « réalisme symbolique ». Nous vivons dans un monde d'images et ces images, que sont-elles d'autre que la surface des *symboles* ? Le réel est profondément symbolique dans son essence, mais dans notre habitude à ne considérer que la surface des choses, nous ne parvenons même pas à nous rendre compte que *quelque chose* est là, derrière cette surface. De ce point de vue le « réalisme », dans l'acception courante du terme, ne saurait être rien d'autre qu'une forme de fausse connaissance.

« L'existence la plus falote, écrit Éliade dans l'avant-propos d'*Images et symboles*, fourmille de symboles, l'homme le plus "réaliste" vit d'images... Les symboles ne disparaissent jamais de l'*actualité* psychique. » Ces images aux fonctions symboliques multivalentes et vraiment inépuisables ne peuvent ni ne doivent être évoquées en des termes purement « analytiques ». Pour comprendre le rejet d'Éliade vis-à-vis de « l'analyse » appliquée aux images et aux symboles, il ne serait peut-être pas inutile de reprendre ici la célèbre distinction faite par Dilthey entre *explication* et *compréhension*, l'explication étant le propos légitime des *sciences exactes* par opposition au *Geistwissenschaften* où l'emploi des méthodes explicatives ne peut que nous empêcher d'atteindre le but tout différent qui est celui de la compréhension. En remplaçant explication par « réduction », et compréhension par « intégration », nous pouvons aisément pressentir le choix qui est à la base de la théorie de l'interprétation de Mircea Éliade. Pour lui, l'interprétation, correctement utilisée, est entièrement opposée à toute forme de pensée directement ou indirectement réductrice. Interpréter une image ce n'est donc pas lui « découvrir » une signification unique *vraie* et *généralisable* mais c'est au contraire explorer et révéler ses multiples niveaux de signification, c'est mesurer sa profondeur et la transmettre dans toute sa richesse symbolique.

Grâce à l'interprétation, la richesse latente de l'image est ramenée à la surface et rendue accessible à la conscience. Ainsi, nous pourrions dire que loin de diminuer « l'ambiguïté » perceptible de presque toute image quand on la considère avec un certain degré d'*attention*, l'interprète ne fait que ce qu'il faut faire s'il réussit à accroître cette « ambiguïté ».

Il est important de remarquer que la conception qu'Éliade a de l'image comme réalité symbolique est largement esthétique par l'importance accordée à l'ambiguïté vue comme un temps primordial dans la dialectique du « signifiant » et du « signifié ». Pour bien saisir ce point et pour mettre en lumière les principaux arguments de l'herméneutique d'Éliade, il paraît utile de discuter la relation qu'il établit entre l'image (autrement dit, et dans ce contexte, le signifiant) et ce qu'elle signifie.

Tout d'abord, je pense qu'en étudiant le symbolisme religieux, Éliade a toujours été conscient des dangers qu'il y a à réduire l'infinie complexité du sens de chaque image particulière à un signifié réductible à l'analyse et univoque. Si pour des propos purement linguistiques l'hypothèse de l'arbitraire du signe est acceptable, l'étude de symboles plus complexes devient quasiment impossible si l'on n'admet pas un degré certain — aussi obscur soit-il — de « motivation sémantique » dans la relation signifiant-signifié. Cette motivation, qui englobe les éléments à la fois conscients et inconscients et qui est l'aboutissement d'un large ensemble de phénomènes culturels non homogènes, il est pratiquement impossible de l'expliciter complètement. Néanmoins plus l'on considère de près un symbole, dans l'une ou l'autre de ses illustrations concrètes, plus on ressent de façon évidente qu'il correspond à une motivation profonde, aussi invisible ou « non reconnaissable » soit-elle. L'interprétation ne doit pas aller à l'encontre de cette intuition mais au contraire la justifier et la rendre même encore plus intense car en matière de religion et de littérature le signifié *per se* — aussi complexe soit-il — est toujours infiniment moins important que sa relation au signifiant. Si l'on admet que le sens n'a rien à voir ni avec le signifiant ni avec le signifié considérés séparément, mais au contraire qu'il réside dans la manière dont ils sont liés l'un à l'autre, on peut comprendre l'affirmation apparemment paradoxale selon laquelle l'interprétation révèle et même accroît les richesses cachées de l'objet auquel elle s'attache (j'insisterais sur le fait qu'interpréter est parfois le contraire, mais toujours beaucoup plus que simplement déchiffrer ou « décoder »). D'une manière générale, dans l'interprétation des symboles religieux ou poétiques, il importe avant tout de savoir que le sens n'est à identifier à aucune de ses projections possibles sur « l'écran » du signifié. Ces projections (ou constructions), qui peuvent se compléter l'une l'autre, mais qui peuvent aussi s'exclure mutuellement en termes logiques, modifient, chacune à sa manière, notre perception du signifiant. La conscience de cette relation progressivement et mutuellement enrichissante entre signifiant et signifié, le sens de la *coincidentia oppositorum*, notion à laquelle se réfère souvent Éliade, l'expérience enfin de ce que l'on pourrait appeler « l'énergie sémantique », voilà quelques-uns des résultats qui viennent récompenser l'effort interprétatif.

La critique constante et conséquente d'Éliade à l'égard de la psychanalyse freudienne est intéressante à discuter dans ce contexte. Cette critique ne mésestime en rien l'importance et le rôle prépondérant dans l'histoire de l'herméneutique moderne de la psychanalyse comme théorie et pratique de l'interprétation. Mais Freud, explique Éliade, n'a pas réussi à se libérer de certains des préjugés qui sont à la base du positivisme. C'est ainsi que dans sa tentative de démontrer que la sexualité est la cause qui détermine toute la vie psychique, le fondateur de la psychanalyse commet l'erreur méthodologique d'envisager la sexualité comme une entité *isolée*. Freud travaille sur le concept utopique de « sexualité pure ». Mais il n'existe pas de « sexualité pure », réplique Éliade, il n'est que de penser à sa fonction précisément *cosmologique* par laquelle l'acte sexuel acquiert le sens d'une « action intégrale » et devient aussi « moyen de connaissance ». Et cela n'est qu'un des nombreux aspects de la sexualité.

Pour en venir au point central de l'argumentation d'Éliade contre la psychanalyse orthodoxe (Éliade est par ailleurs un grand admirateur du dissident C.G. Jung), examinons de plus près la façon dont il discute la théorie freudienne de base du complexe d'Œdipe. Comme on pourra le voir, c'est dans cette discussion qu'Éliade expose le plus clairement sa position sur les problèmes de l'interprétation et du sens.

Selon Éliade, l'attirance que l'enfant mâle éprouve envers sa mère ne doit pas être analysée « telle quelle » mais présentée « en tant qu'image ». « Car, écrit-il, c'est

313

l'image de la mère qui est vraie, et non pas telle ou telle mère, *hic et nunc*. » Traduire de telles images par des termes concrets c'est, pour Éliade, une illusion ; tout comme sont illusoires les efforts de la psychanalyse pour élucider le problème de « l'origine » des images. Relisons le passage suivant figurant, lui aussi, dans l'avant-propos d'*Images et symboles* : « Philosophiquement, ces problèmes de "l'origine" et de la "vraie traduction" des Images sont dépourvus d'objet. Il suffira de rappeler que l'attirance maternelle, interprétée sur le plan immédiat et "concret" — comme le désir de posséder sa propre mère — *ne veut rien dire en plus de ce qu'elle dit* ; au contraire, si l'on tient compte qu'il s'agit de l'Image de la Mère, ce désir veut dire beaucoup de choses à la fois, puisqu'il est le désir de réintégrer la béatitude de la Matière vivante encore non "formée", avec tous ses clivages possibles, cosmologique, anthropologique, etc. Car les Images sont par leur structure même *multivalentes*. Si l'esprit utilise les Images pour saisir la réalité ultime des choses, c'est justement parce que cette réalité se manifeste d'une manière contradictoire, et par conséquent ne saurait être exprimée par des concepts. (On sait les efforts désespérés des diverses théologies et métaphysiques, aussi bien orientales qu'occidentales, pour exprimer conceptuellement la *coincidentia oppositorum*, mode d'être facilement, et d'ailleurs abondamment, exprimé par des Images et des Symboles.) C'est donc l'Image comme telle, en tant que faisceau de significations, qui est *vraie* et non pas *une seule de ses significations* ou *un seul de ses nombreux plans de référence*. Traduire une Image dans une terminologie concrète, en la réduisant à un seul de ses plans de référence c'est pis que la mutiler, c'est l'anéantir, l'annuler comme instrument de connaissance. »

Cette longue citation ne laisse guère subsister de doutes sur l'opposition d'Éliade à la séparation artificielle de l'image d'avec ses nombreux plans de référence. Les images sont *intraduisibles* et c'est justement parce que leur sens est multivalent qu'elles sont de précieux « instru-

ments de connaissance ». Pour la psychanalyse orthodoxe, images et symboles ne sont jamais importants en
eux-mêmes, ce qui importe réellement c'est de percer les
apparences trompeuses afin de découvrir le véritable
contenu qu'elles dissimulent. L'apport fondamental de
Freud à la psychologie aura été d'étendre le domaine de
ce qui fait sens. Dans *L'Interprétation des rêves*, la *Psy-
chopathologie de la vie quotidienne*, et ailleurs, il a été
démontré qu'un grand nombre de phénomènes apparemment dépourvus de sens, traditionnellement écartés par
les psychologues comme étant non pertinents, avaient un
sens insoupçonné et parfois même impérieux. Jusqu'ici,
il semble certain qu'Éliade serait d'accord avec les principales hypothèses et la direction empruntée par la
démarche psychanalytique. Comme nous l'avons indiqué,
ce qu'Éliade conteste c'est le caractère finalement positiviste de la doctrine freudienne. Pour clarifier la position
d'Éliade il nous faut répéter que pour lui l'interprétation
ne se justifie que dans la mesure où elle résiste à toute
tentation de réduction, où elle est conçue comme une
activité totalisante, comme une tentative pour atteindre
le tout organique dont telle ou telle image ou symbole
particulier n'est qu'une partie. En tenant compte avant
tout de la multiplicité et de la complexité, la tâche de
l'interprétation sera donc de restaurer ce sens de la totalité qui disparaît non seulement dans l'expérience quotidienne mais aussi — et avec des conséquences spirituelles autrement plus graves — dans le monde parcellaire
de la science où l'unité ne peut être recouvrée qu'au
terme d'une réduction conceptuelle. Alors que l'analyse
divise, décompose, sépare et isole, l'interprétation, elle,
relie dans un sens *religieux* (de *religo* : relier), comble les
vides, intègre. Elle offre à l'esprit la possibilité de contempler les univers de significations dans leur infinie
complexité, leur inépuisable richesse.

Cette conception de l'interprétation comme une
démarche totalisante est clairement exprimée dans l'important essai qui termine *Méphistophélès et l'Androgyne*.
L'étude de symbolismes « en apparence hétérogènes mais

structurellement solidaires », explique Éliade, « n'implique pas la réduction de toutes les significations à un dénominateur commun. On n'insistera jamais assez sur ce point, que la recherche des structures symboliques n'est pas un travail de *réduction* mais d'*intégration*. On compare et on confronte deux expressions d'un symbole non pas pour les réduire à une expression unique préexistante mais pour découvrir le processus grâce auquel une structure est susceptible d'enrichir ses significations. » Centrées autour de la question du sens, la philosophie du symbolisme que développe Éliade s'oppose non seulement aux différentes doctrines réductrices, comme on l'a vu dans la critique d'Éliade envers la psychanalyse, mais aussi aux conceptions et aux méthodes qui sont celles de l'étude structuraliste de la mythologie et d'une façon plus générale à l'anthropologie religieuse. Éliade est bien évidemment conscient de la nouveauté et de l'importance de certaines des positions du structuralisme contemporain, notamment de son *courage théorique* (si vivifiant quand on le compare à l'empirisme étroit de la traditionnelle école anglo-américaine d'anthropologie) et aussi de la critique tout à fait cohérente que le structuralisme formule à l'encontre de l'historicisme authropologique européen. Ce qu'Éliade estime difficile à accepter dans le structuralisme d'un Lévi-Strauss, par exemple, c'est son caractère néo-positiviste, ce postulat selon lequel « la science est déjà faite dans les choses » et « la logique déjà inscrite dans la nature ». « C'est-à-dire, écrit Éliade, dans un essai intitulé *Modes culturelles et histoire des religions* (1966), que l'homme peut être compris sans qu'il soit tenu compte de sa conscience. *La Pensée sauvage* nous présente une pensée sans penseur, une logique sans logicien. Cela est à la fois un néo-positivisme et un néo-nominalisme, mais aussi quelque chose de plus. C'est une réabsorption de l'homme par la nature — non pas, bien sûr, par la nature dionysiaque ou romantique ni même par l'énergie érotique aveugle, passionnée dont parle Freud — mais par la nature telle qu'elle apparaît dans le prisme de la physique nucléaire et de la cybernétique, une nature réduite à ses structures fondamentales. » La raison principale du désaccord d'Éliade avec la méthode structuraliste semble néanmoins résider ailleurs. Il est utile de rappeler ici la conception de Lévi-Strauss pour qui la pensée mythique est du « bricolage » et l'intérêt à peu près exclusif non pas aux sens en tant que tels, mais aux instruments et aux fonctions qui assurent la *production* du sens. Pour Lévi-Strauss, dont le système illustre la notion d'*homo significans*, l'ensemble des mythes fonctionne essentiellement comme le langage, sa fonction spécifique étant de « signifier la signification ». Comme le langage, la pensée mythique emprunte à la Nature les éléments qui la composent et comme dans le cas du langage « ce qui compte c'est l'instrument et non pas l'objet du sens ». Je pense donc que c'est cette extension du formalisme linguistique à l'étude du mythe (avec les conséquences inévitables que cela entraîne) qui est en contradiction directe avec la « théologie » du sens d'Éliade. On pourrait dire finalement que le structuralisme opère sur la base d'un autre type de réduction, moins facile à reconnaître du fait qu'il n'est pas « substantiel » mais « fonctionnel ». Le structuralisme reconstitue le mécanisme de la production du sens en utilisant le modèle linguistique mais il évite, d'une part la question de *ce que* signifient ces divers mythes, images et symboles (en dehors du simple fait qu'ils « signifient la signification »), et d'autre part cette autre question, nécessairement contenue dans la première, sur la valeur qu'ils peuvent avoir à travers des cultures, des époques et des sociétés différentes. De telles questions sont, pour le structuralisme, scientifiquement non pertinentes ou même anti-scientifiques. Un autre trait caractéristique du structuralisme est d'établir une parfaite « homologie » entre pensée mythique et pensée scientifique. La pensée mythique est exactement régie par les mêmes lois et processus que la pensée scientifique — cela est illustré par la célèbre comparaison de Lévi-Strauss entre le « bricolage » et la « construction de machines ». Voici la conclusion de son étude *La Struc-*

ture des mythes : « Les pages qui précèdent conduisent à une autre conception. La logique de la pensée mythique nous a semblé aussi exigeante que celle sur quoi repose la pensée positive, et, dans le fond, peu différente. Car la différence tient moins à la qualité des opérations intellectuelles qu'à la nature des choses sur lesquelles portent ces opérations. »

Non seulement une telle approche ne se contente pas d'abolir les distinctions traditionnelles du type de celles de Lévy-Bruhl entre la mentalité magique ou « prélogique » des primitifs et la pensée « logique » de l'homme civilisé, mais elle ne laisse tout simplement aucune place à quelque forme d'herméneutique que ce soit. Lévi-Strauss, d'une façon très nette, rejette l'idée qu'aucun des éléments qui constituent un mythe puisse avoir un sens par lui-même. En étendant au domaine de la mythologie le principe saussurien du caractère arbitraire des signes linguistiques, Lévi-Strauss spécifie que c'est bien la *combinaison* des différentes « unités constituantes » (mythèmes) et non ces unités par elles-mêmes qui produisent du sens. Travailler sur des images, des symboles ou des motifs mythologiques pour en découvrir le sens, c'est être victime d'une grave erreur de conception. La théorie jungienne de l'archétype est un exemple de ce type d'erreur : « Selon Jung, des significations précises seraient liées à certains thèmes mythologiques, qu'il appelle des archétypes. C'est raisonner à la façon des philosophes du langage, qui ont été longtemps convaincus que les divers sons possédaient une affinité naturelle avec tel ou tel sens... » Il est bien évident que les concepts de « sacré » et « profane » ne sauraient avoir de place dans un tel système.

Pour qui voudrait considérer avec un certain recul les personnalités d'Éliade et de Lévi-Strauss, il serait tentant de distinguer deux manières opposées d'envisager le monde. Ce qui me frappe chez Éliade c'est qu'il est un penseur pour qui la diversité est si précieuse en elle-même que toute tentative pour la réduire — pour un propos théorique, pratique ou pour tous les deux — ne peut être qu'illégitime. Sa conception de l'intégration implique une conscience esthétique de la multiplicité. L'intérêt qu'il porte à la religion primitive et la méthode qu'il utilise dans ce domaine sont extrêmement caractéristiques : à la différence de la plupart des anthropologues modernes des religions, il ne se sert pas du mythe pour démontrer une thèse ou une autre ; ce qu'il tente de faire c'est d'arriver au sens perdu ou « non reconnaissable » du mythe comme à l'une des manifestations du sacré. Le penseur s'engage dans une quête ardue dont le but final est la *reconnaissance* et la *restitution*. Cela implique, d'une façon consciente ou non, que l'on fasse confiance à la diversité des moyens tant rationnels qu'intuitifs qui permettent d'atteindre le savoir qui enrichit vraiment. Les expressions comme « instrument de connaissance » ou « moyen de connaissance » reviennent avec une fréquence remarquable dans les travaux d'Éliade. Je ne pense pas qu'Éliade soit, comme certains l'ont dit, une sorte d'irrationaliste néo-romantique. Il n'a jamais nié la valeur de la connaissance scientifique, encore qu'il soit un adversaire convaincu du « mythe scientifique », de cette foi, parfaitement irrationnelle, dans l'aptitude de la science à résoudre n'importe quel problème, de même qu'il conteste à l'esprit scientifique tout monopole attitré dans les domaines du savoir.

Éliade semble suggérer que c'est justement le « mythe scientifique », mythe moderne, qui est responsable de ce qu'un grand nombre d'autres « instruments de connaissance » ne soient plus « reconnaissables » par l'homme. Ici, Éliade se montre parfaitement cohérent avec cette conviction profondément enracinée qui est la sienne et selon laquelle la réalité est irréductiblement constituée de plusieurs visages. Son intolérance ne se manifeste que lorsque Éliade se trouve lui-même confronté à l'intolérance de certains dogmes intellectuels sectaires.

La pensée d'Éliade est remplie d'admiration pour la diversité des processus à l'œuvre dans la nature et dans l'esprit ; bien plus, elle développe aussi un sens de l'émulation pour toutes les formes de créativité possibles, ce qui peut justifier une forme particulière d'expansion intellectuelle. Cette dernière qualité suffit pour qu'on le distingue de ses collègues appartenant au domaine hautement spécialisé qui est celui de l'anthropologie religieuse. Le culte d'Éliade pour la vitalité et l'énergie, sa foi invincible en « la fécondité en soi » selon l'expression de E.M. Cioran dans le portrait si pénétrant qu'il trace d'Éliade, tout cela constitue un ensemble de qualités qui déconcertent dans le monde érudit, et dans cette atmosphère culturelle essentiellement pessimiste, voire apocalyptique qui est la nôtre. De la philosophie de Lévi-Strauss n'est pas absente une certaine dose d'amertume métaphysique. Paradoxalement c'est l'inventeur de *l'homo significans* qui découvre dans le même temps ce que l'appellerais « la misère » du sens. Rejoignant, et d'une façon surprenante, le message pessimiste de Bouddha, Lévi-Strauss conclut au caractère « destructif » de tout savoir, et au fait que l'esprit qui connaît est confronté en fin de compte et de manière inévitable à l'absence du sens. Ce mouvement est parallèle à celui du monde lui-même au fur et à mesure qu'il approche du stade ultime — l'inertie. Vers la fin de *Tristes Tropiques*, Lévi-Strauss écrit : « Qu'ai-je appris d'autre, en effet, des maîtres que j'ai écoutés, des philosophes que j'ai lus, des sociétés que j'ai visitées, et de cette science même dont l'Occident tire son orgueil, sinon des bribes de leçons qui, mises bout à bout, reconstituent la méditation du Sage au pied de l'arbre ? Tout effort pour comprendre détruit l'objet auquel nous nous étions attachés, au profit d'un effort qui l'abolit au profit d'un troisième et ainsi de suite jusqu'à ce que nous accédions à l'unique présence durable qui est celle où s'évanouit la distinction entre le sens et l'absence de sens : la même d'où nous étions partis. » Cette facilité à accepter les conclusions de la sombre philosophie bouddhiste (au contraire de la philosophie implicite de l'hindouisme traditionnel de laquelle Éliade est si proche) peut expliquer chez Lévi-Strauss cette conscience très aiguë des contradictions non seulement au niveau intellectuel mais aussi au niveau social — d'où sa tendance au radicalisme. « Entre la critique marxiste qui affranchit l'homme de ses premières chaînes — lui enseignant que le sens apparent de sa condition s'évanouit dès qu'il accepte d'élargir l'objet qu'il considère — et la critique bouddhiste qui achève la libération, il n'y a ni opposition ni contradiction. Chacune fait la même chose que l'autre à un niveau différent. » A la lumière de telles considérations, il n'est pas étonnant que le structuralisme ait été l'une des sources des récentes philosophies de « la mort de l'Homme » dont l'anti-humanisme théorique de Marx lui-même pourrait être une autre illustration comme l'a montré Louis Althusser, philosophe qui se situe en dehors du structuralisme. De telles tendances ne sont pas sans lien avec cette « déshumanisation de la pensée à l'œuvre » dans la conviction de Lévi-Strauss pour qui « la science est déjà faite dans les choses ». Par rapport à ce type d'orientations Éliade peut apparaître comme un penseur beaucoup plus traditionnel, ce qui est la preuve d'un courage intellectuel remarquable dans ce monde esclave de la mode. En tout état de cause, il existe une coupure très nette entre l'anti-vitalisme et l'anti-humanisme qui sont à la base du structuralisme (et le technologisme qui en est la conséquence) d'une part, et le vitalisme évident qui sous-tend la philosophie d'Éliade d'autre part, vitalisme qui peut être une des origines de sa passion pour tout ce qui est continuité, croissance, développement et finalement de sa conception du « temps sacré » considéré comme « retour éternel ». A maintes reprises on a souligné que le structuralisme, qui est apparu comme une réaction contre l'historicisme positiviste, était essentiellement une méthode a-historique : les structures étant de toute évidence des ensembles synchrones, le structuralisme ne saurait, théoriquement, rendre compte de ce qui change. (Dans la pratique, le penseur structuraliste est sans cesse confronté aux problèmes de changement, de transition, d'évolution ou d'involution qu'il traite, quand il ne peut les éviter, selon la philosophie de l'histoire qui lui est propre ; car cette philosophie de l'histoire est, en dernier ressort, affaire de choix personnel ; il n'y a rien dans la méthode structurale qui indique une direction plutôt qu'une autre ou qui limite la liberté de choix en ce domaine.) Dans ce cas, Lévi-Strauss et Éliade, l'un comme l'autre, refusent clairement l'historicisme du XIXᵉ siècle. C'est peut-être la raison pour laquelle Éliade a souvent été considéré comme une sorte de structuraliste « *sui-generis* » — Harvey Cox forge l'étrange et déconcertante appellation de « néo-hindo-structuraliste » pour caractériser sa pensée. Il est vrai qu'Éliade conçoit l'histoire des religions comme la science des « modèles » religieux, lesquels sont le résultat d'une dialectique du sacré et du profane (la dissension fondamentale étant celle qui sépare le temps sacré, reversible et essentiellement *continu* du temps historique, irréversible et essentiellement *discontinu* ; d'où ce problème de la conscience du temps — central dans la pensée d'Éliade — qui ne joue aucun rôle particulier dans la pensée de Lévi-Strauss, laquelle est axée sur des catégories *spatiales*).

Cette étude ne prétend nullement être un compte rendu, même fragmentaire, de l'apport d'Éliade en tant que philosophe, spécialiste des religions ou écrivain. Comme je l'ai indiqué en commençant, notre propos aura simplement été d'éclairer sa personnalité aux multiples facettes par la lumière de son expérience et de son activité esthétiques que je considère comme étant d'une importance capitale dans toute son œuvre. La description de ses options théoriques fondamentales, l'analyse de son point de vue sur le symbolisme et sur le sens (ce que j'ai appelé « sa théologie du sens »), l'examen de son attitude à l'égard de certaines questions essentielles et des courants intellectuels de notre temps, son refus constant des méthodes réductrices, sa défense de la créativité et de la diversité face à l'impérialisme scientiste, tout cela contient un nombre suffisant d'éléments qui permettent de justifier mon affirmation sur le fait que la *Weltanschauung* d'Éliade est essentiellement esthétique. Son attitude par rapport à la religion est particulièrement significative à cet égard. Je ne me réfère maintenant ni à sa contribution dans le domaine de l'érudition, laquelle est extraordinairement étendue et consistante, ni à l'originalité de sa philosophie de la religion comparée à d'autres philosophies contemporaines. Ce que j'aimerais envisager ici c'est la relation *existentielle* d'Éliade à la religion. Certains de ceux qui ont étudié ses travaux sur les religions ont souligné son ouverture d'esprit, sa profonde tolérance, le peu d'intérêt qu'il porte aux conflits religieux et aux côtés sombres de la religion (fanatisme, destruction, mortifications des mystiques, obsession du péché et de la mort). E.M. Cioran insiste sur cet aspect dans *Débuts d'une amitié* : « Tout ce qui est négatif, tout ce qui incite à l'autodestruction sur le plan tant physique que spirituel, lui était alors et lui est toujours étranger. C'est de là que vient son inaptitude à la résignation, au remords, à tous les sentiments qui impliquent impasse, marasme, non-avenir. De nouveau, je m'avance peut-être trop, mais je crois que s'il a une parfaite compréhension du péché, il n'en a pas le sens : il est pour cela trop fébrile, trop dynamique, trop pressé, trop plein de projets, trop intoxiqué par le possible. » Telle est, admirablement exprimée, la vue d'un moraliste qui brosse *via negationis* le portrait d'un *type* que sans aucun doute nous pourrions appeler l'*homo aestheticus*. S'il en est ainsi, nous pouvons dire qu'Éliade nous présente une vision essentiellement esthétique de la religion. Est-il nécessaire de mettre en garde contre cette habitude, erronée et trop répandue, d'utiliser l'épithète « esthétique » pour dénoter — ou connoter — une contemplation gratuite, extérieure ? J'espère que cette étude ne laissera guère de champ à une telle possibilité. Une attitude réellement esthétique implique une dimension *existentielle*, voilà qui est évident dans les grands thèmes d'Éliade.

Pour conclure, je serais tenté de définir la métaphysique implicite dans l'œuvre d'Éliade comme une *ontologie esthétique* fondée sur l'idée de créativité et dans laquelle l'imagination est à la fois instrument de connaissance et manière d'être. C'est seulement par l'imagination que l'on peut arriver à retrouver cette créativité universelle qui constitue l'inépuisable et dynamique *sens de la vie*. A l'inverse, l'arbitraire — qui est une forme de l'absence de sens — est un ambassadeur de la mort. Dans un monde où le Transcendant est devenu « non reconnaissable », la mort, elle aussi, a ses déguisements. Le scientifique, et plus précisément le mécanique, sont les déguisements dont se pare la mort.

MATEI CALINESCO.
Texte traduit par
M.F. Ionesco.

LITTÉRATURE FANTASTIQUE :
MÉTAPHYSIQUE ET OCCULTE

William A. Coates

Mircea Éliade est une figure unique dans le monde des lettres. Il est connu en tant que savant et grand érudit, une autorité de premier plan dans le domaine de l'histoire des religions et des religions comparées. Dans sa Roumanie natale, il compte surtout pour son activité strictement littéraire. Cette dichotomie vient en grande partie de la barrière du langage. Depuis ces trente dernières années, pendant lesquelles Éliade vécut en exil, son œuvre scientifique a été écrite exclusivement dans des langues occidentales, principalement en français, les plus récentes en anglais ; mais aucune de ces œuvres n'a été traduite en roumain. Pourtant, les œuvres littéraires écrites en exil sont toutes en roumain ; parmi celles-ci cinq seulement, donc une faible partie de sa production jusqu'à ce jour, ont été traduites en Occident. Il est vrai que ses premiers travaux scientifiques étaient tous en roumain (sans qu'aucun ait été traduit) : durant les vingt-cinq premières années de pouvoir communiste en Roumanie, toute l'œuvre d'Éliade, littéraire et scientifique, a été négligée ; c'est seulement maintenant que son œuvre littéraire commence à être publiée et appréciée. Il faut préciser d'autre part, qu'une trop infime partie de son œuvre littéraire fut traduite en Occident pour qu'on puisse, ne connaissant pas le roumain, avoir une idée juste de l'étendue et de l'importance de sa production littéraire. La dichotomie linguistique détermine ainsi une dichotomie dans la connaissance de son œuvre pour la plupart des lecteurs d'Éliade. De cette situation résultent deux réputations distinctes. Éliade n'est pourtant qu'un seul homme, et non pas deux ; ses œuvres littéraires et scientifiques doivent être considérées comme un tout. Il n'est certainement pas un savant qui écrit une œuvre littéraire pour se divertir de ses travaux plus érudits, les deux modes de création lui conviennent également et lui sont nécessaires au même titre, pour ce qu'il a à dire. Dans ses *Fragments d'un Journal,* il écrit : « Il est probable que toute une série de questions, de mystères et de problèmes que mon activité théorique m'interdisait, cherchait une expression dans la liberté d'une œuvre littéraire. » L'œuvre littéraire d'Éliade n'est pourtant pas simplement un auxiliaire de son activité scientifique, un mode d'expression de plus pour ses activités professionnelles. Il a créé une littérature de haut niveau que l'on peut apprécier indépendamment de son œuvre scientifique, à côté de laquelle elle peut prendre place sur un pied d'égalité.

Il va de soi que les mêmes préoccupations et les mêmes thèmes reviennent dans les deux aspects de son œuvre. Éliade se préoccupe avant tout de la nature réelle de l'homme et sa place dans l'univers. Dans certains cas, il a été plus à même d'explorer les aspects d'un problème dans une œuvre littéraire que dans un ouvrage scientifique, malgré toute l'envergure des champs d'investigation de ceux-ci. Ainsi une de ses premières œuvres, *La Nuit bengali,* est un roman sur l'amour et la sexualité. Éliade lui-même en a parlé, de manière caractéristique, comme de « ce fragment d'une mythologie de la volupté ». Un roman ultérieur, *Huliganii,* (« Les Houligans ») traite des désillusions de la jeunesse, de la révolte et du nihilisme ;

ses jeunes Roumains des années trente paraîtraient tout à fait « dans le coup » à la jeunesse d'aujourd'hui.

Éliade a une vue réaliste de la nature de l'homme, mais sa perception de cette réalité est plus large que ce qu'on entend généralement par réalisme. Il inclut en particulier, non seulement tout l'éventail des préoccupations humaines dites métaphysiques, mais aussi l'ensemble des phénomènes communément appelés psychiques ou occultes. Éliade a beaucoup écrit sur les mythes et la mythologie. Mais *mythique* n'est jamais pour lui ce qu'il est au sens commun, synonyme de *fictif*. Dans son article « Le Folklore comme moyen de connaissance » il écrit : « Les croyances des peuples dans leur phase ethnographique, ainsi que le folklore des peuples civilisés, ont à la base des *faits* et non des créations fantastiques. »

Nous ne sommes donc pas surpris de constater qu'une partie significative des écrits littéraires d'Éliade constitue ce que l'on est en droit d'appeler de la littérature fantastique. Dans ce type d'ouvrages il traite de thèmes qui seront familiers à tout lecteur de science-fiction et de littérature fantastique. Entre ses mains des thèmes, souvent éculés et usés par l'exploitation facile qu'en ont faite certains auteurs à succès, prennent une signification nouvelle. Ainsi il démontre à nouveau, à la suite de quelques rares écrivains tels Stephen Vincent Benèt, que des sujets fantastiques peuvent donner effectivement lieu à des œuvres de grande valeur. Éliade transforme ces thèmes familiers de la littérature fantastique de deux manières. D'une part les faits exceptionnels sont intégrés dans une perspective philosophique, pour amener le lecteur à les percevoir non pas comme des expériences bizarres isolées, donc mystifiantes et inexplicables aussi bien pour les personnages que pour le lecteur, mais comme des événements naturels qui trouvent leur place dans un tout harmonieux. Ils acquièrent ainsi une signification pour tout homme, dans l'unité du tableau qu'est le grand destin de l'homme. D'autre part, Éliade réussit admirablement et avec une facilité déconcertante la tâche que seuls les plus grands écrivains du fantastique ont réussie ou seulement entreprise : rendre crédibles à ses lecteurs des événements extraordinaires. Il y réussit au moyen d'un récit tout à fait réaliste en introduisant avec subtilité les thèmes surnaturels ; il accomplit cela avec une telle habileté, que le lecteur serait souvent dans l'impossibilité de situer le passage de la réalité quotidienne à une réalité supérieure, au même titre d'ailleurs que les personnages de ses histoires. Cela représente une grande maîtrise littéraire.

Les méthodes employées par Éliade pour arriver à ce résultat sont bien démontrées dans trois de ses plus beaux contes. Dans *Le Secret du docteur Honigberger* le thème central est le yoga et les pouvoirs extraordinaires qu'il procure. Pour les bases théoriques et l'authenticité de cette histoire, Éliade s'est inspiré des *Yoga-Sutras* de Patanjali, le texte de base indien pour l'étude du yoga. Éliade aborde le sujet indirectement, presque insidieusement. Le narrateur, un jeune étudiant de retour à Bucarest après des études aux Indes, accepte l'invitation d'une dame qu'il ne connaît pas, Mme Zerlendi, pour inspecter la bibliothèque de son défunt mari. Le jeune homme accepte de compléter un ouvrage inachevé de celui-ci ; il s'agit de la biographie d'un explorateur et médecin allemand de Transylvanie, le très remarquable Dr Johann Honigberger qui avait vécu au XIXe siècle. Au cours de ses nombreuses visites à la bibliothèque contenant la superbe collection de livres orientaux du Dr Zerlendi, il apprend qu'au cours des nombreuses années qu'il a passées aux Indes le Dr Honigberger avait étudié le yoga et qu'à sa suite, le Dr Zerlendi en avait lui aussi commencé l'étude et la pratique. L'étudiant est surpris d'apprendre par Smaranda, la fille des Zerlendi, que son père n'est pas mort, comme il l'avait pensé, mais avait simplement disparu un beau jour un quart de siècle plus tôt ; il en vient à comprendre que, par-dessus tout, Mme Zerlendi veut apprendre ce qui est advenu de son mari et que le Dr Honigberger n'est qu'un prétexte. Alors qu'il parcourt les carnets du docteur, il découvre son journal secret écrit en roumain et transcrit dans l'alphabet Devanagari, afin que son contenu soit caché à tous sauf aux initiés. Au cours de cette lecture le mystère de la disparition du Dr Zerlendi est enfin dissipé ; mais d'une façon telle que la porte s'ouvre pour révéler de plus grands et de plus réels mystères.

Des fragments de ce journal secret, avec des commentaires interposés par le narrateur, constituent la fin de cette histoire. Elle suit de près le texte des *Yoga-Sutras* et on peut la considérer comme un commentaire sur ce texte d'après l'expérience personnelle d'un pratiquant du yoga. Elle forme ainsi un complément à l'étude scientifique des *Sutras* par Éliade dans son livre : *Yoga, Immortalité et Liberté*. Le Dr Zerlendi raconte ses premiers pas dans le yoga et les obstacles qu'il y a rencontrés ; au fur et à mesure de son initiation il décrit ses expériences de respiration yogique, la concentration sur l'élément du feu, la réalisation d'un stade plus élevé de la conscience dépeint comme le fait d'être éveillé dans un monde endormi, la perception d'une transformation du monde physique d'une manière mystérieuse, la continuité de la conscience de l'éveil au sommeil, le pouvoir de voir tout objet de sa pensée, une sorte de conscience sans forme ni son, le pouvoir de lire la pensée des autres, l'animation interrompue ou le fait d'enlever le corps hors du fil du temps, une mystérieuse « expérience des ténèbres » à laquelle il fait allusion à mots couverts, l'invisibilité, le troisième œil ou l'œil de Shiva, la conscience impersonnelle, la lévitation. Tout ceci trouve son parallèle dans les *Yoga-Sutras* et plus particulièrement dans la troisième partie, Vibhùti Pàda, qui traite des siddhis ou des pouvoirs miraculeux des adeptes du yoga.

Mais alors que l'histoire est fondée directement sur les *Yoga-Sutras*, Éliade n'a pas hésité à y introduire d'autres thèmes occultes sans rapports directs : Shambala, le royaume mythique qui est à l'origine du Shangri-la de James Hilton, l'Atlantide, le continent submergé de l'ouest, et le danger que constituerait un changement soudain dans l'axe de la terre avec des effets désastreux dans le monde entier.

De surcroît, la structure même de l'histoire contient un thème occulte. Le temps est une préoccupation constante dans les œuvres littéraires d'Éliade, que ce soit sous sa forme ordinaire, philosophique ou occulte. Cette histoire possède trois niveaux-temps ; celui du narrateur, 1934-1935, celui du Dr Zerlendi, 1907-1910, et celui du Dr Honigberger, le milieu du xixe siècle, le centre d'intérêt oscillant des uns aux autres. Puis, à la fin de l'histoire, le temps revêt un nouvel aspect, celui des univers parallèles : retournant à la maison des Zerlendi après plusieurs mois, le narrateur y trouve des particularités qui ont changé et qui par là supposent une histoire familiale totalement différente de celle qu'il connaissait. Le Dr Zerlendi était en fait décédé des années auparavant ; Mme Zerlendi s'était remariée et avait complètement oublié le Dr Honigberger. Smaranda, qu'il avait connue comme une vieille fille aigrie par la mort prématurée de son fiancé Hans survenue quelques années plus tôt, avait en fait épousé Hans et lui avait donné un fils. Totalement dérouté l'étudiant fuit la maison. Plus tard il laissera entendre qu'il a compris d'une certaine manière ce qui s'était passé, mais il n'en dit pas un mot.

Le concept des univers parallèles est, bien sûr, un des thèmes préférés et mystérieux de la science-fiction ; mais en lui-même il ne fournit pas une compréhension plus approfondie. La clef de cette compréhension se trouve dans une autre histoire, *Minuit à Serampore*. Le thème central de cette histoire est le concept philosophique indien bien connu du maya, le voile de l'illusion. L'action principale de cette histoire peut être classifiée comme histoire de fantôme d'un type particulier, doué de rétro-connaissance et en tant que tel ne différant pas essentiellement de ses congénères. Ce thème est familier au public américain grâce à la comédie musicale « Brigadoon », adaptée du conte de l'écrivain allemand du xixe siècle F.W.C. Gerstäcker, « Germelshaussen ». Ceux qui s'intéressent aux sciences psychiques le connaissent plutôt d'après le récit de l'aventure de Versailles racontée par Mlles Moberly et Jourdain, tandis que ceux qui étudient les phénomènes religieux exceptionnels, s'en rendront compte d'après certaines scènes de la vie de Jésus vues par la stigmatisée Thérèse Neumann de Konnersreuth.

L'histoire d'Éliade se passe aux Indes, à Calcutta et aux environs ; elle est racontée par le même jeune étudiant roumain (de toute évidence tiré du propre personnage d'Éliade). Un soir, de retour d'une excursion avec deux amis, les savants renommés Bogdanov et Van Manen, ils entendent, en passant devant un bungalow sur la route près de Serampore, les hurlements et les cris d'une femme qu'on assassine. Leurs recherches ne donnent rien, mais, quand ils reviennent sur la route, ils ne trouvent plus trace de la voiture ni du chauffeur. Suivant une lumière mouvante à travers un bois, ils arrivent à une maison où ils voient transporter le corps d'une femme. Ils repartent et par la suite retrouvent le bungalow où les attend le chauffeur qui jure n'avoir jamais quitté le bungalow avec la voiture. Le lendemain on leur assure qu'une telle maison n'a jamais existé, ni même un tel bois. Une enquête révèle qu'il y a eu en effet un meurtre de ce genre, mais qu'il a eu lieu un siècle et demi auparavant.

Les trois amis connaissent bien les légendes indiennes et ils trouvent bientôt une explication logique à leur étrange aventure, une explication qui ne rencontrerait sans doute que scepticisme en Europe ou en Amérique. En se rendant au bungalow ils avaient rencontré un professeur de Calcutta de leur connaissance dont la rumeur raconte qu'il pratique le tantrisme. Ils s'accordent à penser qu'il a dû leur jeter un sort afin que leur présence dans les environs ne gêne en rien le rituel qu'il était venu y pratiquer.

Dans ces circonstances et vu ces présuppositions, cette explication semble valable ; néanmoins elle ne satisfait pas entièrement l'étudiant car il y a trop d'indices laissés de côté et trop de contradictions, et il continue de remâcher toute l'affaire. Quelques mois plus tard à Rishi Kesh il fait part de sa perplexité à Swani Shivananda. Il peut accepter qu'un tantriste puisse jeter un sort à ses amis et à lui-même de sorte qu'ils aient pu être témoins d'une scène qui s'était passée autrefois. Mais il ne peut comprendre comment ils ont pu participer aux activités entourant l'assassinat de cette femme.

Swani Shivananda lui rappelle doucement que tous les événements dans ce monde sont également illusions et qu'aucun n'est réel, mais l'étudiant ne peut saisir toutes les implications contenues dans ce fait ; il insiste sur le fait que même les illusions ont une logique interne. En disant ces mots le Swani le prend par le bras et, alors qu'ils se promènent, l'étudiant sent l'air frais de la montagne se transformer en la chaude atmosphère du Bengale ; tout autour de lui il voit la forêt entourant la maison maudite et bientôt il voit la maison elle-même. Il s'évanouit d'effroi ; mais il a appris la leçon du maya.

Le rapport de cette histoire avec *Le Secret du docteur Honigberger* est clair. A la fin de cette dernière histoire, l'étudiant a trouvé nettement un élément d'irréalité au cours de sa dernière visite à la maison des Zerlendi, alors que rien ne laissait supposer que ses visites antérieures manquaient de réalité. On serait tenté de dire de ses premières visites le contraire et que celles-ci justement étaient illusoires. Dans la perspective du maya au contraire toutes participaient de la nature de l'illusoire et de l'irréel, et il n'y a aucune différence entre elles.

La manière subtile par laquelle Éliade introduit l'élément surnaturel dans *Minuit à Serampore* n'est pas seulement un coup de maître littéraire ; elle sert à souligner la portée philosophique de ce conte. Le thème du maya a une longue histoire dans la littérature. Une légende indienne ancienne qui le contient se trouve dans le Matsya-Purana : l'ascète Narada demande à Vishnou de lui expliquer le sens du maya. Vishnou y consent, mais il lui demande d'abord d'aller lui chercher de l'eau. Avant qu'il en ait trouvé Narada rencontre une belle jeune fille et oublie sa mission. Il l'épouse, élève une famille et vit une vie active pendant plusieurs années. Survient alors une grande inondation qui anéantit sa famille et lui enlève toutes ses possessions. Rejeté sur un rocher Narada entend Vishnou qui dit : « J'attends mon eau depuis une demi-heure. » Éliade lui-même, dans son roman principal *Forêt interdite*, fait raconter cette légende par un de ses personnages dans sa forme originale dépouillée. André Malraux l'a incorporée dans ses *Antimémoires*. Hermann Hesse développe considérablement cette légende dans un des Lebensläufe en appendice de son roman *Das Glasperlenspiel*. Dans cette légende, quelle qu'en soit la version, il n'y a aucune difficulté à constater à quel moment l'illusion débute. Mais cela n'est pas le cas dans l'usage qu'en fait Éliade dans *Minuit à Serampore*. Un des aspects de l'expérience que l'étudiant n'arrive pas à expliquer de façon satisfaisante est l'instant où le sort a commencé à prendre effet — était-ce après que lui et ses amis aient quitté le bungalow ou était-ce plus tôt, ce qui aurait voulu dire qu'ils n'étaient pas vraiment partis en voiture ? C'est ici que le concept du maya ressort de la façon la plus marquante : *tout* est maya, pas seulement leurs expériences surnaturelles, mais aussi leurs expériences « ordinaires ». Si tout est illusion, on ne peut pas tirer un trait, aucune distinction ne peut être faite entre le surnaturel et l'ordinaire.

Le maya apparaît sous des dehors différents dans *Les Bohémiennes*. Dans cette histoire Éliade va plus loin en faisant fusionner l'extraordinaire et l'ordinaire. Dans les deux autres contes les personnages principaux étaient l'auteur lui-même et ses amis, c'est-à-dire des gens hors du commun, cultivés, éduqués, sensibles, particulièrement au courant de la philosophie indienne, et ainsi très réceptifs à la réalité de ce qui les entoure. Dans *Les Bohémiennes*, le personnage central est un homme très ordinaire : Gavrilesco, professeur de piano de son métier, est un être obtus, bavard et tatillon ; il se targue d'être un individu supérieur, d'avoir une nature plus raffinée, plus artistique, mais ses prétentions sont démenties par sa préoccupation constante et obsédante pour des banalités.

Le thème central de cette histoire, c'est la mort et l'état

qui lui succède ; nous voyons les expériences « post mortem » de Gavrilesco vues par lui-même et il se révèle particulièrement obtus et sans compréhension. Presque par hasard il va dans un bordel renommé et quelque peu mystérieux. Là il a quelques expériences plutôt déroutantes et troublantes, mais aucunement surnaturelles ; Gavrilesco ne les soupçonne pas d'être autre chose que des expériences de la « vraie vie ». Et le lecteur lui-même n'a aucun indice de la véritable nature des expériences de Gavrilesco jusqu'à ce qu'il quitte le bordel, au moment où se passe un incident cauchemardesque — un rideau tente de l'étouffer. Il est intéressant de noter que Gavrilesco, quoiqu'il soit effrayé, ne perçoit pas que cet incident est plus troublant que les précédents.

Mais après qu'il a quitté le bordel, il apparaît de plus en plus nettement que plusieurs années se sont écoulées depuis qu'il est entré, quoiqu'il soit convaincu de n'y avoir passé seulement que quelques heures. L'évidence se précise : son élève Otilia s'est mariée quelques années auparavant et sa tante s'est installée à la campagne ; il y a eu une réforme monétaire, et le prix des transports en commun a été augmenté, et, encore plus troublant, un étranger s'est installé dans sa maison. Gavrilesco est de plus en plus dérouté mais il n'a pas la moindre lueur de compréhension ; il pense simplement qu'« il y a quelque chose qui ne tourne pas rond ». A la fin de l'histoire seulement, après être retourné au bordel, avoir retrouvé son amour de jeunesse Hildegard et être parti avec elle dans un carrosse à cheval, il commence à comprendre que le changement fondamental n'est pas à l'extérieur mais en lui-même : « Quelque chose m'arrive et je ne sais pas quoi exactement. »

Des récits d'expériences « post mortem » émanent de bien différentes sources depuis des siècles ; des parallèles intéressants pourraient être faits avec l'épreuve par laquelle est passé Gavrilesco : le compte rendu de la vie qui vient de s'achever — quoique fragmentaire et éparpillé, ses souvenirs lui revenant peu à peu — et la grande chaleur qu'il avait dû endurer. Une fois de plus la maîtrise d'Éliade est en évidence dans l'interpénétration du quotidien et du surnaturel. En situant les scènes « post mortem » initiales dans un bordel, il évoque l'épisode d'après la mort de *Liliom* de Ferenc Molnar. Liliom se rend compte que la cour céleste où il doit être jugé, ressemble fort aux tribunaux de police terrestres dont il a une si grande expérience.

De même que dans *Minuit à Serampore,* l'instant où le sort a débuté ne peut être fixé, de même dans cette histoire le moment exact de la mort de Gavrilesco reste indéterminé. L'existence, l'existence consciente, est continue et la transition de la « vie » à la « mort » tout à fait imperceptible. D'après tous les récits, évidemment, l'état d'après la mort diffère par nature de cette vie ; cependant, dans ses premières étapes, les différences peuvent ne pas être apparentes surtout pour ceux qui n'y sont pas préparés ; et il y a des récits sur bien des gens de l'au-delà qui ne réalisent pas qu'ils sont morts. Gavrilesco est de ceux-ci. Mais du point de vue du voile du maya ces différences ne comptent pas du tout ; les deux états sont illusoires.

Comme dit Hildegard à la fin de l'histoire : « Nous rêvons tous. C'est comme ça que cela a commencé. Comme dans un rêve. »

WILLIAM A. COATES.

LES DÉBUTS LITTÉRAIRES
DE MIRCEA ÉLIADE

Ion Balu

C'est à quatorze ans et demi que Mircea Éliade publia son premier texte, un petit récit fantastique, dans le *Journal des sciences populaires et des voyages*. Il avait pour titre : *Comment j'ai découvert la pierre philosophale*. Le 5 novembre 1921, le journal en question devait célébrer son 25ᵉ anniversaire et son directeur, D. Dimiu, en vue de donner plus d'éclat à l'événement, avait annoncé, dès le mois de septembre précédent, l'organisation d'un concours ouvert à tous les élèves de lycée. Ceux-ci étaient invités à envoyer un texte de leur composition, écrit dans l'esprit de la revue. Les textes les meilleurs et les plus originaux devaient être publiés, et leurs auteurs récompensés soit par des prix en espèces, soit par des livres ou des abonnements à la revue. Les résultats de ce concours furent annoncés au début de décembre. Parmi les gagnants on trouvait le nom de Gr. Moïsil, auteur d'un article intitulé : *Astronomie*. On trouvait également le nom de Mircea Éliade, dont l'essai parut dans le numéro du 27 décembre 1921. En récompense, il reçut un abonnement gratuit.

Le thème de cette petite œuvre d'imagination était évidemment lié aux préoccupations du lycéen qu'il était alors. L'action se passe dans un laboratoire. Une solution chimique traversée par un courant électrique dégage, dès la première étincelle, un gaz sous l'effet duquel le héros de l'histoire éprouve un « étonnement agréable ». Il perd probablement connaissance car il est réveillé par le bruit de deux souris qui se battent furieusement. Il ressent alors des « douleurs épouvantables » dans tout le corps.

Dès ce premier essai, à en juger par la façon dont l'intrigue est construite et menée, Mircea Éliade fait preuve d'une maîtrise qui révèle un talent inné pour l'art d'écrire. Le récit débute par une dispute énigmatique entre deux souris. Le héros lève les yeux vers l'étagère du laboratoire où elles se trouvent, s'aperçoit avec étonnement de la peine qu'il a à se mouvoir, écoute les souris, se souvient de la réaction chimique qu'il avait mise en route. Puis son attention se porte à nouveau sur les souris qui continuent à se battre. « Soudain, un bruit inhabituel, un craquement infernal, une fumée suffocante... Aussitôt, le calme revient. Sur l'étagère, un vieillard à la barbe majestueuse était assis et me souriait l'air ravi. » Puis le vieillard raconte son histoire. Il avait été jadis alchimiste à Nuremberg, et pour trouver la pierre philosophale, avait vendu son âme au diable. Pour le punir, Dieu l'avait obligé à passer cent ans en enfer, puis l'avait changé en souris et condamné à errer sur terre jusqu'à ce qu'il eût trouvé un autre mortel passionné par la recherche de la pierre philosophale. Le vieillard en révèle le secret au héros et disparaît aussitôt « dans un halo de lumière ». Le héros s'écrie : « J'ai le secret... la pierre que je cherchais, elle est là, là... » Et il se réveille. Tout cela n'avait été qu'un rêve. Cependant, en regardant sa cornue, il s'aperçoit à sa grande surprise qu'au lieu d'être remplie de liquide, elle contient maintenant de l'or. Au comble de l'excitation, il veut en avoir le cœur net, prend un cristallisoir, y verse le contenu de la cornue, introduit le produit dans un creuset qu'il soumet à la chaleur d'un arc électrique. « Je fis passer le courant au maximum d'intensité. Le creuset rougit, un gaz suffocant s'en dégagea, et il ne resta bientôt plus rien dans le récipient. » Ce qu'il avait pris pour de l'or n'était en réalité qu'un composé de soufre, de brome,... et de rêve. Les états d'âme contradictoires du héros sont dépeints avec naturel, et il est surprenant de voir avec quelle aisance notre prosateur en culottes courtes évolue dans l'univers onirique, avec quelle finesse, aussi, il s'exprime par des images qui sont de véritables trouvailles. D'une certaine façon, le rêve de ce futur savant qui, à l'époque, avait à peine atteint le seuil de l'adolescence, était prémonitoire : l'alchimie sera plus tard une des passions de Mircea Éliade.

Il s'était mis à écrire dès l'âge de onze ans. Les sujets fantastiques le hantaient déjà, de façon presque obsédante. Les essais qui lui semblaient les meilleurs, il les recopiait dans un gros cahier sur la couverture duquel il avait écrit : « Contes et Nouvelles. Premier volume ». Cependant, en cette année 1921, et durant les deux années qui suivirent, ce n'est pas la littérature qui occupait l'esprit de cet élève curieux de tout du lycée Spiru Haret, mais les sciences naturelles : morphologie et physiologie végétales, entomologie, physique et chimie. Il passait des heures entières dans le laboratoire improvisé qu'il avait installé dans le grenier de la maison familiale, et ses connaissances en matière scientifique dépassaient de loin celles de ses camarades de classe. Il s'appliquait déjà à noter minutieusement tout ce qu'il observait. A vrai dire, il avait fait ses débuts non pas avec *Comment j'ai découvert la pierre philosophale*, mais avec un petit article sur *L'Ennemi du ver à soie*. Il est donc normal que ses essais « littéraires » d'alors aient subi l'influence de son passe-temps favori. Dans *Voyage de cinq scarabées au pays des fourmis rouges*, il imagine une sorte de roman d'aventures où entomologie, fantastique et humour se mêlent en proportions diverses. Un autre essai du même genre, *Mémoires d'un soldat de plomb*, promu « à des dimensions cyclopéennes », remplissait plusieurs cahiers, mais ne fut jamais publié.

En revanche, entre février 1922 et juillet 1923, le *Journal des sciences populaires* publie des textes du jeune Éliade sous le titre général *Carnets d'un éclaireur*. Certains passages se détachent nettement de l'ensemble et ont une réelle valeur. Ces articles — une dizaine au total — sont néanmoins nettement inférieurs au premier essai publié. Il s'agit de reportages romancés inspirés par les activités de plein air du groupe d'éclaireurs dont faisait alors partie le jeune Éliade, et qui relatent des faits réels, l'auteur prenant part à l'action sous son véritable nom. On y constate avec évidence sa prédilection pour les sciences naturelles. Mircea Éliade ne partait jamais en excursion sans tout un attirail d'herbiers, de bocaux, de flacons et d'éprouvettes. Dans *Le Signataire, naturaliste amateur* (14 fév. 1922), il fait part des railleries dont il était la cible, railleries où perçait parfois la jalousie de ses camarades. Il en est de même dans *Le Camp de Sibiu* (13 fév. 1923) et *La Vie au camp* (8 mai 1923). Dans *Le Docteur* (3 juillet 1923), il est au contraire considéré non seulement avec respect, mais aussi avec un peu de crainte. Certains passages de cet article sont écrits en un style qui dénote déjà celui d'un écrivain véritable. On le voit à la façon dont sont menés les dialogues, suggérées les émotions, enchaînées les situations, et ce en dépit d'une langue parfois un peu trop riche en adjectifs gratuits. Le récit débute ainsi :

« Le Docteur, c'était moi, bien que je n'eusse pas seize ans révolus (...) Depuis le matin où j'étais arrivé en plein milieu du camp, un jour d'inspection, avec une vipère vivante se balançant à un lacet de soulier, et que j'avais dû calmer l'effroi général. « Eh bien quoi ! c'est une vipère comme les autres... » Depuis ce jour, dis-je, mes camarades furent convaincus de ma haute et scientifique érudition, et les couplets traditionnels sur mes lunettes de myope qui me faisaient ressembler à un caméléon, s'arrêtèrent aussitôt... »

Et, dans un autre article :

« Comment ne pas être furieux, alors qu'il n'arrête pas de pleuvoir ? Il pleut, alors qu'aujourd'hui justement il devrait faire un temps radieux et que nous devrions partir en excursion. Comment après cela ne pas croire à la fatalité, à l'existence de causes inconnues ? En vérité, cette pluie n'est pas naturelle. On nous a jeté un sort... »

Et Éliade poursuit son récit en l'ordonnant en fonction des caprices du temps. La veille du départ, il avait fait très beau, et lors du retour à Bucarest : « C'est le comble ! A peine avions-nous dépassé Valeni, que le ciel se nettoya complètement et que le soleil réapparut, resplendissant, au-dessus de la montagne. Après cela, comment ne pas être superstitieux ?... »

Ces récits d'éclaireur sont bâtis autour d'une action évidemment assez mince, et leur côté romanesque a quelque chose de désuet. Il n'en va pas de même dans le seul récit qui n'a pas pour thème la vie d'éclaireur. Il s'agit de *Souvenirs d'exode* où Éliade relate certains de ses souvenirs d'enfance, du temps où ses parents et lui durent fuir Tekirghiol, en Bessarabie, au cours de la Première Guerre mondiale. Certaines scènes retiennent l'attention, notamment celle où il décrit comment des soldats en proie à la panique arrêtent une charrette, en chassent les occupants — une femme et son enfant — puis s'enfuient au galop, ou celle où il nous montre la mère terrorisée qui se protégeait la tête avec son fichu tandis que son enfant la tirait par la jupe en lui demandant « des sous pour s'acheter un cerf-volant ».

Ces récits écrits à l'âge de quinze ans et demi ne sont évidemment remarquables que par l'âge de leur auteur, et on ne saurait les situer qu'en marge de la littérature. Mircea Éliade ne tarda pas à se rendre compte lui-même de leur insuffisance. Il en refit plus ou moins le texte, les retranscrivit, s'efforça d'en supprimer les banalités, et mit au contraire en relief certains détails d'observation. On en trouve la preuve dans cette *Lettre du camp*, publiée en 1925. Ce « fragment », comme il sous-titre lui-

même cet essai, ne fait que reprendre deux essais antérieurs : *Le Camp de Sibiu* et *La Vie au camp*. Il leur est
évidemment bien supérieur sur le plan littéraire, mais
l'auteur n'a pas encore trouvé son véritable style. Le
sujet, il faut le reconnaître, s'y prêtait mal.

C'est vers cette même époque que Mircea Éliade subit
une évolution radicale, véritable métamorphose, dont les
conséquences se feront sentir sur ses écrits. Entre 1924
et 1925, il abandonne, non sans un certain regret, l'étude
des sciences exactes. Entre-temps, il avait eu la révélation de la philosophie et des littératures étrangères, française et italienne principalement. Il s'était plongé avec
passion dans la lecture de Balzac, Flaubert, Stendhal et
Voltaire, avait dévoré leurs œuvres complètes, prenant
sur son sommeil jusqu'à ne plus dormir que trois ou
quatre heures par nuit. C'est Balzac qu'il admirait le
plus : « Ce géant qui se mouvait dans tant d'univers différents m'avait conquis. Il ne s'était pas contenté de faire
concurrence à l'état civil, et avait introduit l'androgyne
dans la littérature moderne. De plus, on ne comptait plus
les mythologies qu'il avait échafaudées autour de la
volonté et de l'énigme de l'homme d'action. » Tous les
livres qu'il dévorait alors, il les assimilait pleinement, et
c'est grâce à eux qu'il put construire sa personnalité naissante. Ces lectures de jeunesse firent que le talent inné
d'Éliade put se nourrir de l'expérience des grands maîtres. Elles lui permirent plus tard de séparer dans son
œuvre le bon grain de l'ivraie et de surveiller ses progrès
d'un œil critique.

Dès 1921, il avait commencé à rédiger le *Roman d'un
jeune homme myope*, sporadiquement au début, de façon
assidue par la suite, surtout à partir de la seconde moitié
de 1923. Mircea Éliade éprouvait comme une véritable
volupté à l'écrire. Son but n'était pas tant de rédiger une
autobiographie, mais bien plutôt un témoignage sur
l'adolescence. Il fondait beaucoup d'espoir sur ce *Roman
d'un jeune homme myope* ; il espérait le voir publié en
même temps que *Gaudeamus*, chronique de la vie d'étudiant, écrite pendant l'hiver de 1928. Les deux œuvres

furent données à lire en manuscrit à des amis, mais plus tard, Éliade eut la force de renoncer à leur publication. En attendant, il rédigeait le soir dans sa mansarde des pages entières sur lui-même, ses collègues, ses professeurs. Il notait des scènes vécues, des dialogues, s'efforçant d'en saisir le sel. Le livre ne suivait pas un plan rigoureux, mais plutôt le cours imprévisible des événements vécus par l'auteur. Plus qu'un roman, c'était avant tout un confident. Les pensées intimes, les expériences, les obsessions y étaient présentées de façon brutale, sans aucun fard, d'où une très grande diversité de style et des changements de ton perpétuels. L'acharnement avec lequel il travailla ces années-là constitua pour Mircea Éliade un véritable apprentissage du métier d'écrivain. Le succès ultérieur est le fruit de cette période, et les rares extraits qu'il confia à des revues en 1926 et 1927 en sont la preuve.

Dans *Lundi, leçon d'allemand*, un même personnage montre trois visages différents : professeur sévère, directeur de lycée, puis examinateur conciliant. L'accent est mis sur les différences de comportement. Le professeur, qui arrivait du front, faisait sa classe en uniforme et terrorisait ses élèves d'un simple regard, au point qu'ils en oubliaient leur leçon. Plus tard, devenu directeur, « son visage s'était durci. Chaque matin, ses coups de gueule faisaient trembler les vitres, et les gifles pleuvaient »... « Mais vers la fin de l'année scolaire il convoquait dans son bureau, « pour les amender », tous les mal-notés, plaisantait avec eux, faisait de l'examen une formalité dérisoire, et pensait davantage à sa vigne qu'à l'élève qui était devant lui. »

Éliade prend tout particulièrement soin de la composition du texte. Le *Roman d'un jeune homme myope* est écrit le plus souvent à l'imparfait, temps de la mélancolie, ou au plus-que-parfait, temps des actions irrémédiablement accomplies. Assis sur un banc, le héros regarde les passants : « Ceux-là n'ont pas à repasser d'examen d'allemand », dit-il en soupirant. Et aussitôt, la phrase revient au passé simple.

Novembre, paru en 1927, est de la même nature. Un après-midi d'automne sert de fond au récit, avec son soleil pâle et triste. La vue des peupliers secs et dépouillés incline à la nostalgie, fait penser à l'inutilité de tout effort, et donne une sensation déprimante d'inanité irrémédiable. Ce que le héros a sous les yeux sert de prétexte à des réminiscences et à des allusions autobiographiques. Toute l'action du récit se résume en la confrontation de sentiments contradictoires : aspirations démesurées qui s'« efforcent d'anéantir ou d'étouffer tout ce qui s'oppose à elles », et les compromis inévitables qu'on est bien obligé d'accepter. L'acharnement du héros, son mépris de toute pudeur, ne donnent que plus de relief au bouleversement intérieur qu'il éprouve.

D'un côté apparaît l'homme qui avait rêvé d'être le maître de son propre corps, « tel que j'étais jadis, à l'époque où je considérais toute souffrance charnelle comme une récompense, où je m'éveillais à l'aube pour ne m'endormir que tard dans la nuit, où je chassais le sommeil en me giflant moi-même, où je lisais jusqu'à ce que mes yeux deviennent rouges et mes paupières de plomb, jusqu'à ce que le poids de ma propre tête devienne insupportable et que mon regard se brouille, jusqu'à ce que ma conscience se trouble »... La scène de l'autoflagellation, de même que celles qui décrivent les efforts accomplis en vue de ne pas ressembler aux autres humains sont admirablement évoquées. On y voit culminer une sorte de fierté sauvage et inexorable. « Je m'enivrais à croire que j'effraierais un jour la foule des hommes de chair. Je savais, moi, ce que j'étais vraiment. J'en éprouvais un orgueil insensé et me préparais pour tous les combats dans la certitude que personne ne se doutait de ce que j'étais et de ce que j'accomplirais. » Pour Éliade, cette « foule d'hommes de chair » était celle « des collègues imbéciles et des amis ennuyeux », de tous ceux dont l'existence était purement végétative. Comme nous le verrons, cette phrase est imprégnée de souvenirs de lectures, et Nietzsche n'y est pas étranger.

Mais d'un autre côté, il y avait les défaites et les renoncements. Le héros se rend compte de sa propre faiblesse : il a eu besoin d'amis, leur a dévoilé « les secrets des recoins de son âme ». Il a cédé à la pitié. « Je me suis compromis, et montré aussi versatile que tous les adolescents. Moi aussi j'ai fait des blagues, et j'en ai ri plus qu'elles ne le méritaient... j'ai dormi mes huit heures d'affilée comme tout le monde, et comme tout le monde j'ai erré dans les rues, le soir, en murmurant des aveux. J'ai dévisagé moi aussi des femmes au regard chaud. J'ai perdu mon innocence un soir de pluie, dans une petite chambre suant l'humidité, sur un lit encore chaud des dizaines de corps qui s'y étaient allongés avant moi, et j'entendais les rires de ceux qui attendaient à la porte. » Ses débuts d'écrivain lui semblaient tout aussi décevants : « Au lieu d'aller de l'avant, sûr de moi et de mes pensées, et de ne présenter que des textes achevés, je me suis laissé arracher des articles pour des revues quelconques, pour lesquelles je rédigeais des textes sans âme, sans originalité, écrits sans la moindre chaleur, et dans lesquels je ne retrouvais même pas l'ombre de ma propre pensée. Comme les autres, je suis parvenu, non sans mal, à me faire une place en débutant dans des revues minables, mal imprimées, bourrées de coquilles typographiques, qui n'épargnaient même pas mon nom, capable de toutes les bassesses, je me serais traîné par terre pour quémander une traduction, quitte à me fâcher si elle tardait à être publiée. » Il n'est pas jusqu'à ses premières joies de débutant qui ne lui paraissent à présent dérisoires : « J'ai eu moi aussi mes petites heures de gloire. J'ai connu la satisfaction de l'écrivain dont l'article est publié en première page, sans fautes d'impression, et avec la signature juste en dessous du titre... » Et la « déchéance » continue : on s'habille comme tout le monde, on va voir les films dont on parle... Bref, on rentre dans le rang, ce dont vous félicitent amis et connaissances. Cette rétrospective se termine comme elle avait commencé : « Pourquoi donc m'en voudrais-je d'avoir perdu un après-midi à contempler le ciel, et à ruminer ma tristesse... »

Ce petit récit laissait déjà pressentir une certaine attitude intellectuelle. Le goût de l'introspection révèle déjà un écrivain doué pour l'analyse, et capable de pénétrer jusqu'aux recoins de l'âme. On ne peut qu'être fasciné par la façon dont le héros, toute réticence abolie, se dénude moralement aux yeux du monde. Sous une forme encore embryonnaire, mais néanmoins originale, il s'apparente à certains autres écrivains de l'époque, Camil Petresco entre autres, et il est déjà supérieur à bon nombre d'entre eux. Dès l'âge de 19 ans, Éliade est l'égal des deux écrivains de son temps les mieux doués pour l'analyse : Hortense Papadat-Bengesco, celle des *Essais et Nouvelles*, et Gib Mihaesco, l'auteur de *La Grandiflora*. Il n'est pas moins évident qu'Éliade n'a pas encore atteint la plénitude de son talent, ni même de sa propre conscience esthétique. Ses essais demeurent des poèmes en prose, à la façon d'un D. Anghel par exemple, mais il n'empêche qu'à les lire, on a la sensation de découvrir quelque chose d'unique et d'inimitable.

Les écrits d'Éliade ne se ressentent pas de ses lectures, comme il est de règle chez les débutants qui n'ont que trop tendance à démarquer leurs modèles. Ils sont le fruit d'une nécessité intérieure, le résultat d'une maturation en quête d'une issue. Ils compensent et libèrent à la fois.

Éliade a éprouvé — il l'avoue lui-même — un véritable sentiment d'infériorité à l'égard de ses camarades. Il était myope — infirmité dont il se targua avec ostentation dès le titre de son premier roman. Il était un peu timide, gauche, emprunté, et de plus, il se croyait laid, ce en quoi il avait tort. Une photographie de 1925 nous révèle un jeune homme presque beau : la tête tournée vers la droite présente un profil très fin, des cheveux légèrement ondulés, un front dégagé et quelque peu sévère. Derrière les lunettes, on devine un regard ironique, et la bouche un peu moqueuse confirme cette impression.

Néanmoins, ce complexe d'infériorité éprouvé à tort explique la fréquence avec laquelle on rencontre dans ses écrits tant de jeunes hommes mal assurés d'eux-mêmes, et au physique ingrat.

C'est ce même complexe d'infériorité provoqué par le sentiment de disgrâce physique que nous trouvons dans *L'Amour de mon ami*, essai écrit en 1927. L'intrigue est des plus traditionnelles : une femme est aimée par deux amis rivaux. Mais Éliade donne à ce récit une atmosphère particulière en faisant porter tout le poids du conflit sur l'analyse des ressorts intérieurs qui sont à l'origine du comportement respectif des deux rivaux : « J'avais eu l'impression qu'au début, c'est moi qu'elle préférait. Mais c'est lui qu'elle se mit à regarder le plus : tout ce que je n'avais pas, il l'avait. Je tenais à lui parce qu'il était mon seul ami, et je l'ai détesté lorsque j'ai compris combien il avait de charme, et de force, et de beauté. Je vis alors ce que mon propre corps avait d'ingrat et d'insignifiant. Je le détestais chaque matin, lorsque ses muscles frémissaient sous l'eau et qu'il riait au soleil, tandis que je sortais du lit sans hâte et que je contemplais avec effroi dans une glace ma tête aux cheveux rares. A sa joie de vivre, j'opposais un rire forcé et une feinte indifférence à ma propre laideur et à mon impuissance. M'effaçant devant lui, le complimentant même, je ne l'en détestais que plus. Mais lui, pensant que j'étais toujours son ami, continuait à m'ouvrir son cœur et à témoigner l'affection qu'il avait pour moi. » Dès cette introduction, on voit se nouer les fils du conflit futur, et son déroulement probable apparaît déjà. Le héros aperçoit son rival qui entre avec sa conquête par la porte « la plus cachée » d'une villa. Au comble de l'excitation, il arpente le trottoir en attendant leur sortie. Cette attente fiévreuse est pour lui l'occasion de se remémorer le passé. Durant la nuit, la tempête a beau éclater et les vagues déferler à grand bruit sur le rivage voisin, elle n'existe pas : c'est dans le cœur du héros que la haine et la révolte contre l'ami d'hier se bousculent et éclatent, à la stupéfaction de ce dernier, « incapable de concevoir ce qui se brisait en moi avec un tel fracas... »

Les déficiences physiques de l'auteur, d'ailleurs plus imaginaires que réelles, l'amenèrent à leur trouver à la fois une compensation et un accomplissement par la littérature, puis à se forger un idéal masculin plein de virilité, en rapport avec ses propres lectures, et auquel il cherchait à s'identifier. Cette mutation apparaît avec évidence dans *Éva*.

Surpris en montagne par une tempête de neige, trois jeunes gens s'aperçoivent, après avoir erré pendant des heures, qu'ils se sont égarés. « Je ne sais plus où nous sommes ! » s'écrie l'un des deux amis, la voix rauque de peur. Il est bientôt rejoint par le personnage principal, et par Éva. « Je le regardais tenter de scruter l'horizon, les yeux plissés par le froid et la neige qui lui fouettait le visage. Éva s'était accrochée à mon bras et je la sentais trembler tandis que je me tenais immobile. » Cette scène est assez symbolique et l'issue en est prévisible. L'écrivain maîtrise avec aisance la matière de son essai : le début de la narration est construit autour de ce parallélisme que l'auteur a établi entre le déchaînement des forces de la nature et les attitudes respectives des trois personnages. Ceux-ci reprennent leur marche. Ils n'aspirent qu'à une seule chose : se coucher dans la neige, et dormir, dormir. La peur apparaît peu à peu, furtivement, et le héros fait exprès de parler pour la dissimuler. Mais elle s'intensifie et finit par envahir le subconscient. C'est avec un sens remarquable de la gradation que l'auteur fait monter la tension du récit, et décrit cette occultation progressive de la vie intérieure par la peur. La présence d'Éva, la sœur de son ami, cette même Éva à qui deux jours plus tôt il avait avoué son amour, le héros la ressent maintenant comme un fardeau, et par moments il éprouve l'envie irrésistible de s'en débarrasser. Et plus cette idée lui traverse l'esprit, plus la jeune femme, comme si elle le devinait, s'accroche à son bras. Devant la mort qui semble inévitable, l'instinct de conservation prend sauvagement possession de tout l'être, la chute de l'ami dans les eaux glacées d'un torrent constituant le point culminant du drame. Alors se produit le changement décisif : la peur se sublime en une sorte d'individualisme féroce, et le héros se dépeint lui-même tel qu'il est devenu réellement : dépouillé « des vains ornements et des remords trompeurs de l'esprit... ». « Devant cette mort que je voyais approcher, tout en moi se crispait et se hérissait. Tout ce qui me restait d'âme et d'esprit avait disparu. C'était ainsi, et je n'avais plus désormais ni cœur, ni tête. Je ressemblais à une pierre, ou à une bête sauvage, et je m'en félicitais. Mon âme et mon esprit étaient devenus un fardeau inutile dont je m'étais débarrassé. Mon corps tout entier aspirait à la vie, et à elle seule. Me sentir vivre était devenu mon seul désir, et je haïssais tout ce qui pouvait en cet instant me rapprocher de la mort. »

Tout le comportement ultérieur du héros est contenu dans ces quelques lignes. Un combat surhumain s'engage entre lui et la mort, et les pages où on le voit lutter contre la tempête et tenter de faire obéir un corps épuisé de fatigue semblent avoir été écrites par Jack London. Sourd aux gémissements qu'il entend derrière lui, le héros s'accroche à la vie : il brise la porte du refuge qui sert d'abri durant l'été au gardien du funiculaire, allume le feu, et s'écroule de fatigue. Éva l'implore, mais en vain, de partir au secours de son frère. Aucune prière ne réussit à infléchir un être encore hanté par le spectre de la mort, et qui invoque sa faiblesse et son état d'épuisement pour ne pas bouger. Éva part seule dans la tempête, mais revient sans avoir rien pu faire. Abandonné, l'ami mourra de froid tandis qu'on entend des loups hurler non loin de là.

Un peu plus tard, Éva finit par s'endormir à côté du poêle. Alors, le héros sent ses forces bouillonner en lui. « Dans ce refuge de montagne, j'avais la conviction que c'était moi le maître, et qu'Éva était mon esclave. Cette idée me terrifiait et je pensais à la meute de loups qui hurlaient au dehors et à celui qui, peut-être, était déjà mort dans le ravin. » Bien sûr, une telle indifférence est choquante, et moralement insoutenable. Mais il n'empêche que du point de vue esthétique, le personnage possède une certaine envergure. Influencé par ses lectures de Nietzsche, Éliade transpose sur le plan artistique, et peut-être sans s'en douter, cette « volonté de puissance » qui était au centre de la philosophie d'Alfred Adler. Le héros cherche à faire triompher un instinct de domination, d'expansion de sa propre personnalité à l'encontre de ses proches, sentiment incompatible avec les principes de l'éthique sociale et en conflit total avec elle. Sans aucun doute, cette transposition littéraire de la volonté de puissance était pour Éliade, à son insu peut-être, un acte libératoire et compensateur : ses désirs refoulés prenaient leur revanche.

C'est à un personnage de même nature que nous avons affaire dans *Celui qui doit être obéi*, et ce n'est pas par hasard qu'il ne porte aucun nom. L'action se passe dans une imprimerie et a pour thème une tentative de viol. Ce maître « qui veut être obéi » est un jeune homme. Lorsqu'il se saisit de la fille, il est « comme fasciné par sa propre force. Ses oreilles brûlantes résonnaient de chants de victoire. Son corps était parcouru de frissons. Ses muscles étaient bandés comme ceux d'un athlète prenant son élan, ses os étaient durs comme de la pierre, et aussi implacables qu'elle. Du métal fondu coulait dans son regard... » Pourtant, un seul moment d'hésitation suffit pour que l'acte qu'il envisageait n'aboutisse pas.

Apparemment, ce type de personnage n'avait rien pour plaire à l'auteur, car nous le voyons s'en débarrasser définitivement dans une autre nouvelle, sorte de conte de fées d'une facture très moderne : *L'Homme qui voulait se taire*. Dans ce récit, on entend comme l'écho d'une parabole sur la destinée humaine. Il constitue en quelque sorte la réplique de la première partie de *Novembre*, et de ses lamentations, l'autre face du héros imaginé alors et que l'auteur utilisa à plusieurs reprises. Ce héros est un sage qui se sent perdu au milieu des hommes, « humble, effacé, toujours prêt à raser les murs pour laisser les autres passer devant lui », mais qui néanmoins désirait ardemment que personne ne devine « l'or qui se cachait dans son âme ». C'est pourquoi il prend le parti de se taire : « Tout ce qu'il aurait pu dire, ou faire, ou écrire, aurait été pour lui un martyre, l'aurait fait souffrir sous la torture du fait accompli. Cela ne pouvait que le limiter, le mutiler. Jamais il ne se serait livré tout entier à la parole. Il fallait qu'il se taise, pour susciter en lui un être différent de tous les autres. Il voulait pénétrer en lui-même, se palper, se connaître comme un frère, se consoler et se cacher des autres, être aussi condescendant envers eux que peut l'être un sourire. Et c'est pourquoi il tenait à se taire. » L'ascèse qu'il s'impose pour mieux résister aux tentations, les jours et les nuits d'hallucinations qui aboutissent à ce crépuscule d'été où il croit apercevoir enfin les premières créatures nées de son imagination, l'« ivresse de puissance » qui anime son esprit, sont suggérées par le jeune romancier avec un sens de la création digne d'un écrivain averti. Errant de ville en ville, de royaume en royaume, poursuivi par les créatures issues de sa propre imagination, notre « sage » ne réussit pas à trouver la paix de l'âme. Plus tard, il trouvera une fin tragique lorsque, de retour avec un témoin dans la cellule d'un monastère abandonné, il constate que les créatures qu'il avait réussi à créer avaient été réduites en esclavage. Le voile de l'anecdote dissimule un enseignement plus profond qu'il ne sera donné à notre sage d'entrevoir qu'aux tout derniers instants de sa vie : la volonté de puissance, si elle n'est pas refrénée, ne peut qu'aboutir à la destruction de tout rapport entre les hommes.

Qu'une certaine clarification se soit alors opérée dans la conception qu'Éliade se faisait de la vie, la preuve nous en est fournie par un poème en prose, *Apocalypse d'un soleil mort*, qui devait faire partie d'un ensemble plus vaste, *Sa Sainteté le diable et les douze poupées* (1927), mais qui ne fut jamais publié dans son intégralité. Esthétiquement parlant, ce récit est bien inférieur aux autres. Il a dû très probablement être rédigé antérieurement, car on y reconnaît des allusions « à la tristesse de celui qui est resté seul, et que personne ne peut plus comprendre parce que lui-même n'a que trop compris ». Les entrevues avec le diable, « les longues heures d'attente de mon enfance triste et froide », le désir de quitter ce monde, sont avant tout des souvenirs de lecture, mais montrent aussi que l'auteur s'est familiarisé avec le folklore et son univers. Par endroits, on remarque de véritables morceaux d'anthologie, telle cette incantation « à la lune qui s'éteignait livide » :

> Diable, découvre-toi
> Diable rouge, approche-toi
>   Regards de braise
>   Regards de diable.
> Mordez-moi comme la peur
> Caressez-moi comme le fouet
> Chassez-moi dans les ténèbres
> Sur le versant de la terre, déchirez-moi,
> Prenez-moi...

Il est également étonnant de constater l'aisance avec laquelle Éliade s'identifie à l'univers féminin. Dans *Idylle* (1926), nous le voyons rédiger page à page le journal d'une adolescente et de ses premiers émois sentimentaux. Depuis plus de deux semaines, à la bibliothèque où elle se rend chaque jour, elle rencontre, assis à la même table qu'elle, le même jeune homme, toujours plongé dans des livres d'histoire ancienne, et elle est impressionnée par son allure et par sa classe. Les saluts qu'il lui adresse en arrivant ou en repartant font battre son cœur. La jeune fille se croit aimée, et elle s'imagine en trouver la preuve dans les gestes les plus insignifiants de son vis-à-vis. Les moindres détails sont analysés minutieusement, avec nostalgie, l'auteur semblant s'identifier au bel indifférent. Éliade fait en l'occurrence une sorte d'autoportrait inavoué : il se regarde lui-même à travers les yeux de la jeune fille. Ce narcissisme est assez fréquent chez les écrivains : « Comment n'aurais-je pas pu voir ce front dégagé, les vagues de ses cheveux, sa bouche au sourire ironique ? Il m'a regardée un instant, puis s'est aussitôt replongé dans son livre, en rougissant... »

Quatre mois plus tard, cette « idylle » n'avait pas progressé d'un pas. Dépitée, la jeune fille se console dans les bras d'un bel officier, type même du jeune bellâtre dont Eminesco s'était autrefois férocement moqué : « Chaque jour qui passe, je m'aperçois combien mon petit Georges devient de plus en plus beau depuis qu'il me connaît. Il a les sourcils bruns et merveilleusement dessinés. Ses lèvres sont rouges comme le feu, et elles me brûlent. Son nouvel uniforme, c'est ma tante qui l'a fait tout exprès pour lui. Il lui va à ravir. Il me parle, il me parle... J'en suis étourdie. Et il est d'une audace... »

Parmi les écrits de jeunesse d'Éliade, *Obscurité* (1927) tranche nettement sur les autres par son originalité. Il y est question d'une perte de personnalité, ou plutôt d'un dédoublement, assez étrange. Nous y voyons un jeune intellectuel déployer des efforts surhumains pour essayer de se retrouver lui-même dans un corps apparemment étranger. Le récit débute de façon brutale, pour mieux suggérer cette sorte de chute dans un autre monde : « Il avait été précipité à son insu, sans s'en rendre compte. En tournant le coin de la rue, les châtaigniers se multiplièrent soudain et étendirent leurs branches par-dessus les murs. Les passants changèrent de visage. Les voix qu'il entendait semblaient provenir d'une ville étrangère, où ses pas ne l'avaient jamais porté. Les lumières et les ombres lui faisaient peur. Jamais encore il ne s'était trouvé dans un monde aussi nouveau et aussi étrange. »

La surprise initiale du personnage, l'écart toujours plus grand entre sa propre personnalité et l'évidence qui s'impose à lui, les efforts désespérés qu'il déploie en vue de revenir à sa conscience première révèlent en Mircea Éliade un écrivain d'une sensibilité des plus aiguës, et particulièrement doué pour l'analyse, mais cela semble tellement inné en lui que la précision devient inutile. Le récit fait appel néanmoins à certaines conventions littéraires, et la première rencontre du personnage principal avec un étranger laisse entrevoir les causes profondes du changement qui s'est opéré en lui : « Une porte s'ouvrit et il vit un visage inconnu lui sourire. Ce fut comme si un voile se déchirait brusquement dans son crâne. Il se souvenait soudain d'avoir déjà vu ce visage, dans un rêve peut-être. Sans doute avait-il déjà vécu cet instant, et cela lui faisait peur. Le visage souriait toujours et semblait deviner son trouble. Il le vit alors s'avancer et lui parler, d'une voix inquiète. Mais il avait l'impression d'entendre une langue étrangère qu'il lui fallait d'abord traduire. Il comprenait mal et ne saisissait que des lambeaux de phrases. Il entendit ainsi son compagnon inattendu lui parler de « nuits blanches », de « vie agitée », de « trop grande fatigue », de « repos ». Il se sentit alors pris par le bras, et dirigé vers la porte qui se trouvait à gauche... »

Le jeune homme pénètre alors dans une chambre inconnue, et il cherche désespérément à comprendre ce qui lui arrive, à déchiffrer aussi ce nouvel univers où il est entré sans le vouloir. Le détail le plus banal, les objets les plus courants qu'il aperçoit autour de lui le remplissent d'inquiétude, le font frissonner d'angoisse : le jeune homme s'approche de la fenêtre, regarde la rue, puis feuillette le *De bello gallico*, ouvre un tiroir, prend un autre livre, s'étend sur le lit, regarde un tableau, se lève, se rassoit, etc. Chacun de ces gestes est perçu de façon inhabituelle, et presque malgré lui. Le héros découvre — et nous révèle — les dimensions gigantesques, les aspects étranges qui se cachent sous l'apparence des actes les plus quotidiens. La réalité a perdu ses contours d'origine, est devenue hallucinante, et par cela même, irréelle. La conscience veille cependant, s'astreint à réaliser une sorte de synthèse de sorte que les ressorts de ce personnage énigmatique apparaissent un à un, au fur et à mesure de ses faits et gestes.

A vingt ans, Mircea Éliade est un écrivain déjà formé, et il a conquis la maîtrise de ses moyens d'expression. Il est prêt à rivaliser avec les meilleurs prosateurs de l'époque. Ses contemporains se sont-ils rendu compte de cette entrée dans leurs rangs d'un écrivain authentique ? Pas le moins du monde ! Rares furent ceux qui remarquèrent la prose de ce lycéen. Ce n'est pas en collaborant à des publications peu cotées dans les milieux littéraires qu'il pouvait se faire connaître. Éliade lui-même se lassa assez vite de ses premières incursions dans le domaine littéraire. A l'automne de 1928, il partit pour les Indes où, pendant trois ans, il étudia le sanskrit sous la direction de Surendranath Dasgupta. La littérature proprement dite ne constituait pour lui qu'un des aspects de son activité : critique littéraire, philosophie, et religions orientales le passionnaient au moins tout autant.

Ion Balu.

TEXTES DE
MIRCEA ÉLIADE

ARCHITECTURE SACRÉE ET SYMBOLISME

Mircea Éliade

C'est surtout après 1925 que les études sur le symbolisme architectonique se multiplient et prennent une grande valeur. Il suffit de citer les recherches d'Ananda Coomaraswamy[1], le monumental *Barabudur* de Paul Mus[2], les somptueuses publications du professeur Giuseppe Tucci[3], les études de Walter Andrae[4], celles de Stella Kramrisch[5], de Carl Hentze[6] et de H. Sedlmayr[7]. Un trait commun caractérise toutes ces recherches : c'est leur méthode. Au lieu de chercher des « explications » suivant les principes des sciences empiriques — c'est-à-dire en appliquant la méthode réductive — les auteurs cités s'efforcent de présenter le symbolisme des monuments religieux tel qu'il a été accueilli par les diverses cultures traditionnelles, sans préjuger d'éventuelles contradictions ou d'apparentes absurdités. Un hindou affirme-t-il, par exemple, que sa maison se trouve au « centre du monde », on acceptera sa croyance comme une vérité vécue et, partant, comme une réalité spirituelle ; on ne la soumettra plus à l'épreuve de la réduction scientifique afin de la démystifier, en observant que si toutes les maisons indiennes prétendaient se trouver au « centre du monde », il devrait exister une infinité de tels centres, ce qui est évidemment absurde. Au contraire, devant de telles croyances, les savants occidentaux ont tiré la seule conclusion qui s'imposait : à savoir que l'espace sacré, dans lequel s'inscrivent les « centres du monde », n'a rien à faire avec l'espace profane de la géométrie : il a une autre structure et répond à une autre expérience.

Le problème devenait plus délicat lorsqu'on ne disposait plus de témoignages, oraux ou écrits, précisant le sens attaché au symbolisme d'un monument religieux. Dans de nombreux cas, la signification originelle a été profondément modifiée. Il arrive même qu'à la suite des catastrophes historiques et des syncopes culturelles, la signification première d'un monument sacré ait été complètement perdue. Les exégèses fondées uniquement sur l'analyse des structures symboliques risquaient donc d'être suspectes : on pouvait toujours penser que, non attestée par des témoignages historiques écrits ou oraux, l'interprétation avancée ne représentait que le point de vue personnel du chercheur, qu'elle resterait invérifiable aussi longtemps qu'un témoignage autochtone ne viendrait la confirmer.

Heureusement, les découvertes de la psychologie des profondeurs ont de quoi rassurer même les plus sceptiques. On a pu démontrer que la fonction et la valeur d'un symbole ne s'épuisent pas sur les plans de la vie diurne et de l'activité consciente. Il est tout à fait indifférent qu'un individu se rende compte que l'image d'un arbre vert peut symboliser le renouvellement cosmique, ou qu'un escalier, grimpé dans le rêve, signifie le passage d'un mode d'être à un autre, et annonce donc une rupture de niveau. Un fait seul importe : c'est que la présence de telles images dans les rêves ou dans les rêves éveillés d'un individu traduit des processus psychiques homologables à un « renouvellement » ou à un « passage ». En d'autres termes, le symbole délivre son message et remplit sa fonction alors même que sa signification échappe à la *conscience*.

Ces précisions apportées par la psychologie des profondeurs nous semblent importantes[8]. L'ethnologue, l'historien des religions, le spécialiste du symbolisme religieux se trouvent plus d'une fois devant leurs documents un peu comme le psychologue devant les souvenirs ou les rêves de son patient : ce dernier n'est pas — ou il n'est plus — conscient de la signification des images vécues, il n'en reste pas moins qu'elles ont agi sur son être, qu'elles ont décidé de sa conduite. De même, lorsqu'il s'agit d'interpréter un symbolisme religieux attesté dans une société primitive, l'historien des religions ne doit pas seulement prendre en considération tout ce que les autochtones peuvent dire de ce symbole, il doit aussi interroger la structure du symbole et ce qu'elle révèle à elle seule. Si, comme nous le verrons tout à l'heure, une tente ou une hutte sont pourvues d'une ouverture supérieure pour l'échappement de la fumée, si, en outre, leurs propriétaires croient que l'Étoile polaire marque une ouverture semblable dans la tente céleste — nous sommes fondés à conclure que la tente ou la hutte se trouvent symboliquement au « centre du monde », même si leurs habitants ne sont plus conscients, *aujourd'hui*, de ce symbolisme. Ce qui importe au premier chef, c'est le comportement de l'homme religieux, et son comportement est mieux révélé par les symboles et les mythes qu'il chérit que par les explications qu'il peut être amené à fournir.

Ces quelques remarques préliminaires nous introduisent d'emblée dans notre sujet. Comprendre les symbolismes des temples et des habitations humaines, c'est, avant tout, comprendre la valorisation religieuse de l'espace ; en d'autres termes, connaître la structure et la fonction de l'espace sacré. De tels symbolismes, de tels rituels transforment l'espace dans lequel s'inscrit un temple ou un palais, à la fois en une *imago mundi* et en un centre du monde.

A première vue, il nous paraît évident qu'un sanctuaire représente la zone sacrée par excellence. Précisons, pourtant, que ce n'est pas toujours le sanctuaire qui consacre le lieu : maintes fois, c'est justement le contraire : la sacralité du lieu précède la construction du sanctuaire. Mais, dans un cas comme dans l'autre, nous avons affaire avec un espace sacré, c'est-à-dire avec un territoire qualitativement différent du milieu cosmique environnant, une zone qui se singularise et se détache à l'intérieur de l'espace profane. Nous trouvons donc, à l'origine de toute espèce de sanctuaire — des plus modestes jusqu'aux plus somptueux — l'idée d'un espace sacré encerclé par la zone démesurée, chaotique, mal connue, de l'espace profane. Zone chaotique, justement parce que non organisée ; zone mal connue, parce qu'on ne connaît pas ses limites, ni sa structure. L'espace profane s'oppose nettement à l'espace sacré, car ce dernier a des limites précises, il est parfaitement structuré, il est, dirions-nous, « centré », « concentré ».

Pourquoi un espace quelconque se transforme-t-il en espace sacré ? Simplement parce qu'une sacralité s'y manifeste. La réponse peut nous paraître trop élémentaire, presque infantile. Elle est, en effet, assez difficile à comprendre. Car, une manifestation du sacré, une hiérophanie, comporte, pour la conscience des peuples archaïques, une rupture dans l'homogénéité de l'espace. Traduisant en termes plus familiers, nous dirions que la manifestation du sacré dans un espace quelconque implique, pour celui qui croit à l'authenticité de cette hiérophanie, la présence d'une réalité transcendante. Inutile d'ajouter que les termes de « réalité » et de « transcendance » n'existent pas, en tant que tels, dans les vocabulaires des peuples archaïques. Mais, pour notre propos, ce n'est pas le vocabulaire qui importe, c'est le comportement. Or, le comportement de l'homme appartenant aux sociétés archaïques est fondé sur l'opposition sacré-profane. Le sacré est quelque chose de tout à fait *autre* que le profane. Par conséquent, il n'appartient pas au monde profane, il vient d'ailleurs, il transcende ce monde-ci. C'est pour cette raison que le sacré *est* le réel par excellence. Une manifestation du sacré est toujours une révélation de *l'être*.

Espace sacré

Pour résumer ce que nous venons de dire, l'espace sacré se constitue à la suite d'une rupture de niveau, rupture qui rend possible la communication avec les réalités trans-mondaines, transcendantes. D'où l'énorme importance de l'espace sacré dans la vie de tous les peuples : car c'est dans un tel espace que l'homme peut communiquer avec l'autre monde, le monde des êtres divins ou des ancêtres. Tout espace consacré représente une ouverture vers l'au-delà, vers le transcendant. Il semble même que, jusqu'à une certaine époque, l'homme ne pouvait pas vivre sans de telles ouvertures vers le transcendant, sans une voie sûre de communication avec l'autre monde, monde réel justement parce que monde sacré, habité par les dieux. Nous verrons que cette « ouverture » a été parfois signifiée d'une manière concrète — par exemple, sous la forme d'un trou — dans le corps même du sanctuaire ou de l'habitation.

Un espace, disions-nous, peut être consacré par une hiérophanie, mais l'homme peut, lui aussi, construire l'espace sacré, à condition d'effectuer certains rituels[9]. On ne rappellera pas les innombrables exemples où une apparition divine ou une hiérophanie consacrent un lieu et imposent la construction d'un sanctuaire. Nombre de fois, il n'est pas même besoin d'une téophanie ou d'une hiérophanie proprement dites : un *signe* quelconque suffit à indiquer la sacralité du lieu ; on poursuit une bête fauve, et à l'endroit où on l'assomme, on élève le sanctuaire ; ou bien on lâche en liberté un animal domestique — un taureau, par exemple — on le cherche après quelques jours et on le sacrifie sur la place même. On élèvera ensuite l'autel et on bâtira le village autour de cet autel.

Mais ce sont surtout le symbolisme et les rituels concernant la *construction* d'un espace sacré qui nous intéressent. Nous disions que l'espace sacré est l'endroit où la communication est possible entre ce monde-ci et l'autre monde, d'en haut ou d'en bas, le monde des dieux ou le monde des morts. Et puisque assez tôt s'est imposée l'image des trois zones cosmiques — généralement : Ciel, Terre, région souterraine — la communication entre ces trois zones implique une rupture de niveau. En d'autres termes, dans l'espace sacré d'un temple est rendu possible le passage d'un niveau à l'autre, surtout, et en premier lieu, le passage de la Terre au Ciel. Remarquons que la communication entre les plans cosmiques comporte également une rupture d'ordre ontologique : le passage d'un mode d'être à un autre, le passage de l'état profane à l'état sacré, ou de la Vie à la Mort. Ce complexe symbolique — de communication et lien entre les trois étages cosmiques — est manifeste dans les noms de certains temples et villes royales mésopotamiens, qui s'appellent justement (comme à Nipur, à Larsa, à Babylone), « lien entre le Ciel et la Terre ». Babylone était une *Bâb-ilâni*, une « porte des dieux », car c'est là que les dieux descendaient sur la Terre. D'autre part, le temple ou la ville sacrée faisaient également la liaison avec les régions souterraines. Babylone était bâtie sur *bâb-apsî*, « la Porte d'*Apsû* — *apsû* désignant les Eaux du Chaos d'avant la Création. On rencontre la même tradition chez les Hébreux : le rocher du Temple de Jérusalem pénétrait profondément dans le *tehôm* (équivalent hébraïque d'*apsû*) [10].

Point d'intersection entre les trois zones cosmiques, le temple ou la ville sacrée constitue par conséquent un « centre du monde », car c'est là que passe l'axe de l'Univers, l'*Axis mundi*. Le rocher sur lequel était bâti le temple de Jérusalem était considéré comme se trouvant à l'*umbilicus terrae*. Le pèlerin islandais Nicolas de Thvera, qui avait visité Jérusalem au XIIe siècle, écrivait du Saint-Tombeau : « Là c'est le milieu du monde ; là, le jour du solstice d'été, la lumière du soleil tombe perpendiculaire du ciel. » Conception cosmologique d'un indubitable archaïsme, et qui a survécu jusque dans le Moyen Age tardif : dans les cartes médiévales, Jérusalem était toujours située au centre du monde. Mais cette image était continuellement revalorisée, sur les différents plans de l'expérience chrétienne. Abélard écrivait que l'« âme du monde se trouve au milieu du monde : par conséquent, Jérusalem, d'où vient le Salut, se trouve au centre de la Terre[11] ». De telles spéculations d'ordre théologique et philosophique prolongeaient des croyances plus simples et plus anciennes. Adam ayant été inhumé à l'endroit même où il avait été créé, c'est-à-dire à Jérusalem, sur le Golgotha, le sang du Sauveur le racheta[12].

Universalis columna

Comme il fallait s'y attendre, l'*Axis Mundi* était maintes fois imaginé sous la forme d'un pilier qui soutenait le Ciel. Lorsque Alexandre demanda aux Galates ce qu'ils redoutaient le plus au monde, ils lui répondirent qu'ils n'avaient peur de rien si ce n'est de l'effondrement du Ciel (Arrien, *Anabasis*, I, IV, 7). Saint Patrick et Brigit nous ont transmis d'autres renseignements relatifs aux conceptions celtes sur les piliers qui soutenaient le monde[13]. Des croyances similaires sont attestées chez les Germains : le *Chronicum Laurissense breve*, écrit vers 800, rapporte que Charlemagne, à l'occasion d'une de ses guerres contre les Saxons (772), fit démolir dans la ville d'Eresburg le temple et le bois sacré de leur fameux « Irmensûl » *(fanum et lucum corum famosum Irminsul)*. Rodolphe de Fulda (vers 860) précise que cette fameuse colonne est la « colonne de l'Univers soutenant presque toutes choses » *(universalis columna quasi sustinens omnia)*[14]. Cette image cosmologique est d'ailleurs assez répandue. On la retrouve chez les Romains (Horace, *Odes*, III, 3), dans l'Inde védique (*Rig Veda*, I, 105 ; X, 89, 4, etc.), où il est question du *skambha*, pilier cosmique[14 bis] — mais aussi chez les habitants des Iles Canaries[15] et dans des cultures aussi éloignées que celle des Kwakiutl (Colombie britannique) et des Nad'a de Flores (Indonésie). Les Kwakiutl estiment qu'un poteau de cuivre traverse les trois niveaux cosmiques : là où il s'enfonce dans le Ciel se trouve la « Porte du monde d'en-haut ». L'image visible de ce pilier cosmique est, dans le Ciel, la Voie lactée. Sur la Terre, il est incarné dans le poteau sacré de la maison cultuelle, appelé par les candidats à l'initiation « le poteau des cannibales » : c'est un tronc de cèdre de 10 à 12 mètres de longueur, auquel on adresse des prières avant de le couper[16], et dont plus d'une moitié sort par le toit de la maison cultuelle (toit que l'on brise d'ailleurs pour cette raison ; voir plus loin l'importance rituelle et le symbolisme du « toit brisé »). Le pilier joue un rôle capital dans les cérémonies : c'est lui qui confère une structure cosmique à la maison cultuelle. Dans les chansons rituelles, la maison est appelée « Notre Monde » et les novices proclament : « Je suis au Centre du Monde (...). Je suis près du Pilier du Monde, etc. »[17].

Même assimilation du pilier cosmique au poteau sacré et de la maison cultuelle à l'Univers chez les Nad'a de Flores. Le poteau de sacrifice s'appelle « Poteau du Ciel » et il est censé soutenir le Ciel. Chez les Nage, population située à l'est des Nad'a, on le dit expressément : le poteau empêche le Ciel de tomber sur la Terre[18].

Les montagnes cosmiques

D'autres symboles renforcent cette identification d'un temple au « centre du monde ». Il y a, avant tout, l'homologation du temple ou de la ville royale avec la montagne cosmique. Les temples mésopotamiens s'appellent : « Mont de la Maison », « Mont des Tempêtes », « Maison du Mont de toutes les Terres », etc. Or, dans de multiples traditions, le Cosmos est figuré sous la forme d'une montagne dont le sommet touche le Ciel : là-haut, où le Ciel et la Terre se rencontrent, est le « centre du monde ». Cette montagne cosmique peut être identifiée à une montagne réelle, ou elle peut être mythique — mais elle est placée toujours au centre du monde. C'est le cas du mont Meru dans la cosmo-mythologie indienne ; c'est le cas aussi des montagnes réelles, comme Gerizim, en

Palestine, qui était appelée le « nombril de la Terre », ou le Golgotha, pour les traditions judéo-chrétiennes. Par conséquent, les sanctuaires sont symboliquement assimilés aux Montagnes cosmiques. Les exemples abondent : la *ziggurat* mésopotamienne est à proprement parler une montagne cosmique, ses étages symbolisent les sept cieux planétaires. De même, le temple de Barabudur, véritable *imago mundi*, est construit en forme de montagne [19].

D'après ces traditions, le « centre » est non seulement le sommet de la montagne cosmique, donc le point le plus haut du monde, mais aussi, dirions-nous, le plus « vieux » : car c'est le point où a commencé la création. Il arrive même que les traditions cosmologiques expriment la création à partir d'un « centre » dans des termes qu'on dirait empruntés à l'embryologie. « Le Très-Saint a créé le monde comme un embryon. Tout comme l'embryon croît à partir du nombril, de même Dieu a commencé à créer le monde par le nombril et de là il s'est répandu dans toutes les directions. » *Yoma* affirme : « le monde a été créé en commençant par Sion [20]. » Rabbî bin Gorion disait du rocher de Jérusalem qu'« il s'appelle la Pierre de base de la Terre, c'est-à-dire l'ombilic de la Terre, parce que c'est de là que s'est déployée la Terre tout entière [21] ».

La création de l'homme, réplique de la cosmologie, a eu lieu de même dans le centre du monde. D'après la tradition mésopotamienne, l'homme a été façonné au « nombril de la Terre », là où se trouve le « lien entre le Ciel et la Terre ». Ohrmazd crée Gajômard, l'homme primordial, au centre du monde. Le paradis où Adam fut créé à partir du limon se trouve, bien entendu, au centre du Cosmos. Le paradis était le « nombril de la Terre » et, d'après une tradition syrienne, était établi sur une montagne plus haute que toutes les autres. L'apocalyptique judaïque et le *midrash* précisent qu'Adam fut façonné dans Jérusalem, donc au centre du monde [22].

Il importe de bien mettre en évidence le caractère cohérent et parfaitement articulé de toutes ces croyances se rapportant à la sacralité du « centre ». Il ne s'agit pas de notions isolées, mais d'un ensemble d'idées qui font « système ». En citant, comme nous venons de le faire, des exemples portant sur tel ou tel aspect du « centre », on perd de vue la structure générale du symbole. Or, tous ces aspects sont solidaires et demandent à être intégrés pour faire ressortir le système théorique dont ils dépendent. Pour nous limiter à un seul exemple, il serait facile de montrer comment, pour la tradition iranienne, le pays d'Iran est à la fois « centre du monde » et *imago mundi*, car c'est là que la montagne cosmique touche au Ciel, là que fut créé le premier homme, et là aussi, au cœur même de ce territoire privilégié et « au milieu du Temps », naquit le prophète Zarathustra. En effet, la tradition iranienne conçoit le Cosmos sous la forme d'une roue à six rayons, avec un large trou au milieu comme un ombilic[23]. Le pays iranien *(airyanem vaejah)* est le centre et le cœur du monde[24]. D'après la tradition sassanide, Shiz, la ville où est né Zarathustra, se trouve au centre de l'Univers[25]. Un texte pehlevi précise que Zarathustra a vécu « au milieu du Temps », c'est-à-dire 6 000 ans après la création de l'homme et 6 000 ans avant la résurrection. Tout comme le cœur se trouve au milieu du corps, « le pays d'Iran est plus précieux que tous les autres pays parce qu'il est situé au milieu du monde[26] ». C'est pour cela que Shiz, la « Jérusalem » des Iraniens, était aussi regardée comme le lieu originel de la puissance royale[27]. Le trône de Khosrau II figurait symboliquement tout cela : il représentait l'Univers[28]. L'idée, d'ailleurs, n'était pas uniquement iranienne, elle appartenait à la *Weltanschauung* du Proche-Orient antique : les cités royales étaient l'image du Cosmos et le roi, cosmocrate, incarnait l'*Axis Mundi*, le Pôle[29].

Architecture et cosmogonie

On a remarqué plus haut la signification cosmogonique du Centre : toute création, qu'il s'agisse d'une cosmogonie ou d'une anthropogonie, a lieu dans un centre ou commence dans un centre. D'ailleurs, les choses ne pouvaient pas se passer autrement, si l'on se rappelle que le Centre est justement la place où il s'effectue une rupture de niveau, où l'espace devient *sacré*, donc *réel* par excellence. Une création implique surabondance de réalité, autrement dit une irruption du sacré dans le monde. Il s'ensuit que toute construction ou fabrication a comme modèle exemplaire la cosmogonie. La création du monde devient l'archétype de tout geste créateur humain, quel qu'en soit son plan de références. Dans l'Inde védique, un territoire était légalement pris en possession par l'érection d'un autel du feu dédié à Agni. Mais une telle construction n'était que l'imitation microcosmique de la Création. En effet, d'après le *Çatapatha Brâhmana*, l'eau dans laquelle on gâche l'argile représente l'Eau primordiale ; l'argile servant de base à l'autel est la Terre ; les parois latérales représentent l'Atmosphère, etc. [30]. En élevant l'autel, on répétait la cosmogonie ; de cette façon, le territoire qu'on venait d'occuper passait de l'état chaotique à l'état organisé ; il était « cosmisé ».

On pourrait citer un grand nombre d'exemples illustrant cette idée que la prise en possession d'un territoire, l'installation d'un village ou la construction d'une maison cultuelle représentent la répétition symbolique de la cosmogonie. Le cercle ou le carré construit à partir d'un centre est une *imago mundi*. Tout comme l'Univers visible se développe à partir d'un centre et s'étend vers les quatre points cardinaux, le village se constitue autour d'un croisement. A Bali, aussi bien que dans certaines régions de l'Asie, lorsqu'on s'apprête à bâtir un nouveau village on recherche un croisement naturel, où se croisent perpendiculairement deux chemins [31]. La division du village en quatre secteurs correspond à la division de l'Univers en quatre horizons. Au milieu du village on laisse souvent une place vide : là s'élèvera plus tard la maison cultuelle, dont le toit représente symboliquement le Ciel (en certains cas, le ciel est indiqué par le sommet d'un arbre ou par l'image d'une montagne) [32].

Sur le même axe perpendiculaire se trouve, à l'autre extrémité, le monde des morts, symbolisé par certains animaux (serpent, crocodile, etc.) ou par les idéogrammes des ténèbres[33]. Le symbolisme cosmique du village est repris dans la structure du sanctuaire ou de la maison cultuelle. A Waropen, en Nouvelle-Guinée, la « maison d'hommes » se trouve au milieu du village : son toit représente la voûte céleste, les quatre parois correspondent aux quatre directions de l'espace. A Ceram, la pierre sacrée du village symbolise le Ciel, et les quatre colonnes en pierre qui la soutiennent incarnent les quatre piliers qui soutiennent le Ciel[34]. On rencontrera des exemples similaires en Amérique du Nord.

On n'est pas surpris de rencontrer des conceptions analogues dans l'Italie ancienne et chez les anciens Germains : il s'agit, en somme, d'une idée archaïque et très répandue. Construire un temple ou une ville équivaut à réitérer la « construction » de l'univers : à partir d'un centre, on projette les quatre horizons dans les quatre directions cardinales[35]. Le *mundus* romain était une fosse circulaire, divisée en quatre, il était à la fois l'image du Cosmos et le modèle exemplaire de l'habitat humain. On a suggéré, avec raison, que *Roma quadrata* doit être comprise non pas comme ayant la forme d'un carré, mais comme étant divisée en quatre[36]. Le *mundus* était évidemment assimilé à l'*omphalos*, à l'ombilic de la Terre : la ville se situait au milieu de l'*orbis terrarum*[37]. On a pu montrer que les mêmes idées expliquent la structure des villages germaniques[38]. Dans les contextes culturels extrêmement variés, nous retrouvons toujours le même schéma cosmologique et le même scénario rituel : l'installation dans un territoire équivaut à la fondation d'un monde.

Dans l'Inde, nous rencontrerons le même symbolisme lorsqu'il s'agit de la construction d'une maison. Avant de poser la première pierre l'astrologue indique le point des fondations qui se trouve au-dessus du serpent qui soutient le monde. Le maître maçon taille un pieu et l'enfonce dans le sol, exactement au point désigné, afin de bien fixer la tête du serpent. Une pierre de base est posée ensuite au-dessus du pieu. La pierre de l'angle se trouve ainsi exactement au « centre du monde »[39]. D'autre part, l'acte de fondation répète l'acte cosmogonique, car enfoncer le pieu dans la tête du serpent et le « fixer », c'est imiter le geste primordial de Soma ou d'Indra, lorsque ce dernier, comme s'exprime le *Rig Veda*, « a frappé le Serpent dans son repaire » (VI, 17, 19), lorsque son éclair lui a « tranché la tête » (I, 52, 10). Le serpent symbolise le chaos, l'amorphe, le non-manifesté. Le décapiter équivaut à un acte de création, passage du virtuel et de l'amorphe au formel.

Remarquons que, dans ce dernier exemple, il ne s'agit plus de la construction d'un temple ou d'une ville sacrée, mais de l'élévation d'une simple maison. Les deux thèmes qui nous préoccupent — c'est-à-dire la répétition de la cosmogonie et le symbolisme du centre — ne sont pas exclusifs à l'architecture sacrée : les mêmes rituels et symboles sont présents lorsqu'il s'agit de bâtir une demeure qui, à nos yeux de modernes, est « profane ». Or, il est évident que nous nous trompons : pour l'homme des sociétés traditionnelles, la demeure n'est pas profane ; elle est consacrée dans sa structure architectonique même, exactement comme un temple. Cela pose un problème considérable : est-ce que le symbolisme de l'habitation humaine dérive du symbolisme du sanctuaire, ou vice versa ? Nous tâcherons de répondre plus tard à cette question.

Templum-tempus

Pour l'instant, il nous reste à élucider encore un aspect important du symbolisme des temples. Si le sanctuaire est construit dans un « centre du monde » et le rituel de construction imite la cosmogonie, si, par conséquent, le sanctuaire devient la réplique du Cosmos, devient une *imago mundi* — on doit s'attendre à trouver dans sa structure également le symbolisme temporel. Car un Cosmos est un organisme vivant, il implique donc le temps naturel, cyclique, c'est-à-dire le temps circulaire qui constitue l'année. En effet, nous rencontrons ce symbolisme temporel dans certaines traditions. Voir par exemple, ce qu'en rapporte Flavius Josèphe (*Ant. Jud.*, III, 7, 7) à propos du symbolisme du temple de Jérusalem : les trois parties du sanctuaire correspondent aux trois régions cosmiques (la cour représentant la « mer » — c'est-à-dire les régions inférieures — la Sainte Maison figurant la Terre, et le Saint des Saints, le Ciel) ; les douze pains qui se trouvent sur la table sont les douze mois de l'année ; le candélabre à soixante-dix branches représente les décans (c'est-à-dire la division zodiacale des sept planètes en dizaines). En bâtissant le temple, on ne construisait pas seulement le monde, on construisait aussi le temps cosmique.

C'est le mérite de Hermann Usener d'avoir, le premier, expliqué la parenté étymologique entre *templum* et *tempus*, en interprétant ces deux termes par la notion d'« intersection », de « croisement »[40]. Des recherches ultérieures ont précisé encore cette découverte : *templum* désigne un « tournant » spatial et *tempus* un « tournant » temporel dans un horizon spatio-temporel[41].

Le symbolisme temporel d'une construction sacrée est également attesté dans l'Inde ancienne. L'autel védique est, suivant l'heureuse formule de Paul Mus[42], le temps matérialisé. *La Çatapatha Brâhmana* (X, 5, 4, 10) le dit très clairement : « L'autel du feu est l'Année (...). Les nuits sont des pierres de clôture et celles-ci, il y en a 360, parce qu'il y a 360 nuits dans l'année ; les jours sont les briques *yapusmatî*, celles-ci, il y en a 360, car il y a 360 jours dans l'année. » D'autre part, l'Année est Prajâpati. De sorte que la construction de chaque nouvel autel védique non seulement répète la cosmogonie et réanime Prajâpati, mais construit aussi l'« Année », c'est-à-dire régénère le Temps en le « créant » de nouveau[43].

Ajoutons que de telles conceptions cosmogonico-temporelles ne constituent pas l'apanage exclusif des civilisations évoluées : on les rencontre déjà aux stades archaïques de culture. Pour ne donner qu'un exemple : la cabane sacrée, initiatique, de certaines tribus Algonkines (Odjibwa, etc.) et Sioux (Dakota, Omaha, Winnebago, etc.) représente, elle aussi, l'Univers. Son toit symbolise la coupole céleste, le plancher représente la Terre, les quatre parois les quatre directions de l'espace cosmique. La construction rituelle de l'espace est soulignée par un triple symbolisme : les quatre portes, les quatre fenêtres et les quatre couleurs, signifiant les quatre points cardinaux [44]. La construction de la cabane sacrée répète donc la cosmogonie, car cette maisonnette représente le Monde [45]. Or, les Dakota affirment que « l'Année est un cercle autour du Monde [46] », c'est-à-dire autour de la hutte initiatique. Ils conçoivent l'Année comme une course à travers les quatre directions cardinales [47]. Pour les Lenape — qui, eux aussi, identifient la cabane sacrée au Cosmos — le Créateur est censé habiter au sommet de la coupole céleste, la main sur le pilier central, réplique de l'*Axis mundi*. Durant la fête qui s'appelle la « création du monde », une danse se déroule à l'intérieur de la cabane — donc, au centre de l'Univers — et les danseurs évoluent autour de ce pilier central [48]. On pourrait citer d'autres cérémonies, comportant un symbolisme analogue : par exemple celle que les Karuk, les Yurok et les tribus Hupa de Californie appellent le « Renouvellement du monde », et où la répétition rituelle de la cosmogonie implique à la fois le symbolisme du centre du monde, la construction de l'espace et le renouvellement du temps cosmique [49].

Le symbolisme spatio-temporel est également mis en lumière par le vocabulaire. Les Yokut utilisent le terme « monde » au sens d'« année » : ils disent « le monde est passé » c'est-à-dire « un an s'est écoulé ». Pour les Yuki, l'« année » s'exprime par les vocables « Terre » ou « monde ». Ils disent, comme les Yokut, « la Terre est passée » lorsqu'un an est passé [50]. Chez les Cris aussi, le « monde » désigne l'« année » et les Salteaux équiparent la Terre et l'année [51].

Symbolisme et histoire

Cette mention des faits nord-américains nous introduit d'emblée dans le problème que nous avons réservé tout à l'heure, celui de l'origine et de l'histoire de tous ces symbolismes cosmologico-architecturaux des centres du monde, des sanctuaires et des habitations. Le problème est extrêmement difficile ; aussi ne prétendons-nous ni le présenter dans toute sa complexité, ni le résoudre. Tout comme les autres faits de culture — mythologie, structures sociales et économiques, civilisation matérielle — les conceptions cosmologiques et leurs applications dans le symbolisme architectural, ont une histoire : elles ont circulé d'une culture à l'autre et ont nécessairement subi des altérations, des enrichissements ou des appauvrissements ; en un mot, elles ont été diversement assimilées et revalorisées par les populations qui les recevaient. Quelques exemples : Karl Lehmann a montré la diffusion du symbolisme céleste des monuments sacrés dans l'Occident, de l'Antiquité au Moyen Age ; dans son érudite étude, *The « Dome of Heaven » in Asia*, Alexander Coburn Soper a prolongé l'enquête en Asie [52]. Selon cet auteur, le symbolisme du dôme céleste, tel qu'il a été exprimé par les architectes occidentaux, s'est diffusé, dans le premier millénaire de l'ère chrétienne, dans l'Inde et dans toute l'Asie jusqu'au Pacifique. Précisons que Soper [53] se préoccupe uniquement de la diffusion des formules et des techniques architecturales, élaborées et perfectionnées en Occident, et qui, d'après lui, sont trop complexes pour pouvoir avoir été découvertes indépendamment en plusieurs points du monde. Mais Soper ne discute pas les formes architecturales élémentaires qui, par exemple en Chine et dans l'Inde, ont précédé l'apport occidental. Car, à supposer que l'on accepte entièrement la thèse de Soper, il est certain que les influences récentes d'origine occidentale ont consisté surtout dans la transmission de recettes architectoniques perfectionnées ; on n'est pas autorisé à conclure que le symbolisme du dôme céleste attesté dans les monuments religieux asiatiques est le résultat des idées et des techniques occidentales. Il suffit de relire *The Symbolism of the Dome* de Coomaraswamy pour se convaincre qu'un tel symbolisme est déjà amplement élaboré dans l'Inde bien avant le premier millénaire de notre ère[54].

Cet exemple[55] est instructif : il montre comment un apport extérieur, véhiculé par l'histoire, se superpose à un fonds de croyances autochtones et donne naissance à des expressions nouvelles. L'exemple le plus illustre est le temple de Barabudur. Paul Mus a montré comment ce monument représente une somme de la pensée indienne, encore que sa formule architecturale remonte en dernière analyse à un schéma cosmologique mésopotamien. Car la conception indienne des sept ou neuf cieux planétaires est très probablement d'origine babylonienne. Mais ces faits précisés, un autre problème se pose : avant que ne s'exercent les probables influences mésopotamiennes, l'Inde et l'Indonésie ne connaissaient-elles pas le symbolisme du centre du monde et le schéma cosmologique des trois niveaux ? La réponse ne peut être qu'affirmative. En effet, on retrouve le symbolisme d'une montagne cosmique ou d'un arbre central reliant les trois zones cosmiques, non seulement dans l'Inde ancienne et dans l'Indonésie, mais aussi chez certaines populations archaïques où les influences indo-mésopotamiennes sont difficiles à concevoir : par exemple, chez les Pygmées Semang de la péninsule de Malacca[55]. On a pu également montrer que la tripartition cosmique, particulière à l'ancienne religion tibétaine, le Bon, précède de beaucoup l'influence indienne[56]. La triade et la symbolique du nombre trois sont d'ailleurs largement attestées dans la Chine ancienne et dans toute l'Eurasie[57]. Le symbolisme du centre du monde joue aussi, d'ailleurs, un rôle important chez les Australiens.

Nous rencontrons d'autre part une situation analogue dans l'Asie centrale et septentrionale. On sait maintenant que des schémas cosmologiques d'origine méridionale ont été diffusés jusque dans la Sibérie arctique. La conception centrale et nord-asiatique des sept, neuf ou seize cieux dérive de l'idée mésopotamienne des sept cieux planétaires[58]. Mais le symbolisme du centre du monde et tout le complexe mythico-rituel de l'espace sacré et de la communication entre la Terre et le Ciel ont précédé, dans l'Asie centrale et septentrionale, les influences indo-mésopotamiennes. Ces influences, qui se sont exercées par vagues successives durant plusieurs millénaires, se superposaient à un complexe culturel autochtone, plus ancien et plus élémentaire. En effet, dans toute l'Asie centrale et septentrionale, on relève dans la structure même de l'habitation humaine le symbolisme de l'Arbre ou du Pilier qui relient les trois zones cosmiques. La maison est une *imago mundi*. Le Ciel est conçu comme une immense tente soutenue par un pilier central : autrement dit, le piquet de la tente ou le poteau central de la maison sont assimilés aux piliers du monde et sont désignés sous ce nom[59]. Le pilier central est un élément caractéristique de l'habitation des populations primitives arctiques, nord-américaines et nord-asiatiques. Il a un rôle rituel important : c'est au pied de ce pilier qu'ont lieu les sacrifices en l'honneur de l'Être suprême céleste et qu'on lui adresse les prières qui lui sont réservées[60]. Le même symbolisme s'est conservé chez les pasteurs éleveurs de l'Asie centrale, mais l'habitation à toit coni-que avec un pilier central étant ici remplacée par la yourte, la fonction mythico-rituelle du pilier est dévolue à l'ouverture supérieure d'évacuation de la fumée[61]. On rencontre d'ailleurs le pilier sacré, dressé au milieu de l'habitation, chez les peuples pasteurs hamites et hami-toïdes[62].

Cet ensemble de faits prouve que le symbolisme du centre du monde est antérieur aux savantes cosmologies élaborées dans le Proche-Orient antique. L'expression même de « centre du monde » se retrouve littéralement, et chargée du même symbolisme, dans le rituel des Kwa-kiutl[63] et dans certains mythes zuni[64]. Enfin, dans une étude récente[65], E. De Martino a très clairement inter-prété le complexe mythico-rituel du poteau sacré *(kauwa-auwa)* chez une tribu Arunta, les Achilpa. Selon leurs traditions, l'Être divin Numbakula a « cosmisé », dans les temps mythiques, le territoire des futurs Achilpa, a créé leurs ancêtres et a fondé leurs institutions. Du tronc d'un gommier, Numbakula a façonné le poteau sacré et, après l'avoir oint avec du sang, y a grimpé et a disparu dans le Ciel. E. De Martino a montré que l'organisation du territoire équivaut à une « cosmisation » à partir d'un Centre d'irradiation et que le poteau *kauwa-auwa* représente un axe cosmique ; son rôle rituel confirme parfaitement cette interprétation. Durant leurs pérégrinations, les Achilpa transportent toujours le poteau sacré avec eux et choisissent la direction à suivre d'après son inclinaison. Cela permet aux Achilpa, tout en se déplaçant continuellement, de ne s'éloigner jamais du « centre du monde » : ils sont toujours « centrés » et en communication avec le Ciel où a disparu Numbakula. Que l'on brise le poteau et c'est la catastrophe ; c'est en quelque sorte la « fin du monde », la régression dans le chaos. Spencer et Gillen rapportent un mythe selon lequel le poteau sacré s'étant une fois cassé, la tribu entière devint la proie de l'angoisse ; ses membres vagabondèrent quelque temps et finalement ils s'assirent à terre et se laissèrent mourir[66].

Ce dernier exemple illustre admirablement à la fois la fonction cosmologique du centre et son rôle sotériologique : car c'est grâce au poteau rituel, véritable *Axis mundi*, que les Achilpa estiment pouvoir communiquer avec le domaine céleste. Organiser un territoire, le « cosmiser », équivaut en dernière instance à le consacrer. Ainsi, à la base de tout le symbolisme, si complexe, des temples et des sanctuaires, on trouve l'expérience primaire de l'espace sacré, d'un espace où s'est effectuée une rupture de niveau.

Créer son propre Univers

Nous reviendrons sur les conséquences qui découlent de cette conclusion. Pour l'instant, remarquons qu'habiter un territoire, c'est-à-dire s'installer, bâtir une demeure, implique toujours une décision vitale qui engage l'existence de la communauté tout entière. Se « situer » dans un paysage, l'organiser, l'habiter — sont des actions qui présupposent un choix existentiel : *le choix de l'« Univers » que l'on est prêt à assumer en le « créant »*. On a vu plus haut que tout établissement humain comporte la fixation d'un Centre et la projection des horizons, c'est-à-dire la cosmisation du territoire, sa transformation dans un « Univers », réplique de l'Univers exemplaire, créé et habité par les dieux. Toute installation humaine, qu'il s'agisse de la prise en possession d'un pays tout entier ou de l'élévation d'une simple demeure, répète donc la cosmogonie. On sait par ailleurs que le mythe cosmogonique est, en général, le modèle de tous les mythes et rites se rapportant à un « faire », à une « œuvre », à une « création ».

Or, s'il est toujours indispensable de répéter symboliquement la cosmogonie, pour « cosmiser » l'espace où l'on a choisi de vivre, l'histoire culturelle de l'humanité archaïque connaît plusieurs manières d'effectuer cette cosmisation. Pour notre propos, il nous suffit de distinguer deux manières, correspondant d'ailleurs à deux styles culturels et à deux étapes historiques : 1. la « cosmisation » d'un territoire par le symbolisme du centre du monde, opération qui imite, évidemment, la cosmogonie, mais une cosmogonie réduite à la simple projection d'un centre pour assurer la communication avec l'en-haut ; 2. et la « cosmisation » qui implique une répétition plus dramatique de la cosmogonie. En effet, à partir d'un certain type de culture, le mythe cosmogonique explique la Création par la mise à mort d'un géant primordial (Ymir, Purusha, P'an-ku) : ses organes donnent naissance aux différentes régions cosmiques. Selon d'autres groupes de mythes, ce n'est pas seulement le Cosmos qui prend naissance à la suite de l'immolation d'un Être primordial, et de sa propre substance, ce sont aussi les plantes alimentaires, les races humaines ou les différentes classes sociales. Ces types de mythes intéressent notre sujet parce que ce sont eux qui, en dernière instance, justifient les sacrifices de construction. En effet, on sait que, pour durer, une « construction » (maison, ouvrage technique, mais aussi œuvre spirituelle) doit être animée, c'est-à-dire recevoir à la fois une vie et une âme. Le « transfert » de l'âme n'est possible que par la voie d'un sacrifice sanglant. L'histoire des religions, l'ethnologie et le folklore connaissent d'innombrables formes du *Bauopfer*, c'est-à-dire des sacrifices sanglants ou symboliques au profit d'une construction. Nous avons étudié ailleurs ce complexe mythico-rituel[67] ; pour notre propos, il suffit de dire qu'il est solidaire des mythes cosmogoniques qui mettent en vedette l'immolation d'un Être primordial ; dans la perspective de l'histoire culturelle, le complexe mythico-rituel du *Bauopfer* fait partie intégrante du *Weltanschauung* des paléo-cultivateurs (les *Urpflanzen* dans la terminologie ethnologique allemande).

Retenons ce fait : l'installation dans un territoire, tout comme la construction d'une demeure, comportent une « cosmisation » préalable : celle-ci peut être symbolique (fixation du centre) ou rituelle (sacrifice de fondation, réplique du démembrement cosmogonique primordial). Quelle que soit la modalité par laquelle le « chaos inhabité » devient un « Cosmos », le but poursuivi est le même : consacrer l'espace, l'homologuer à l'espace habité par les dieux ou le rendre susceptible de communiquer avec cet espace transcendant. Or, chacune de ces opérations implique, pour l'être humain, une très grave décision vitale : *on ne peut s'installer dans le monde qu'en assumant la responsabilité de le créer*. Et puisque l'homme s'efforce toujours d'imiter les modèles divins, il est obligé, dans certains horizons culturels, de répéter périodiquement une tragédie originelle (dans l'exemple que nous venons d'évoquer, le meurtre et le démembrement d'un Être primordial). Mais, même en laissant de côté les sacrifices sanglants de fondation (d'un village, d'un sanctuaire, d'une maison), toujours est-il que le choix et la consécration d'un espace engagent l'être humain tout entier : pour vivre dans son propre monde, il faut le créer — quel que soit le prix qu'on doit payer pour effectuer cette création et la rendre durable.

Maison-corps humain

Nous avons dit plus haut qu'à la base du symbolisme des temples, on trouve l'expérience primaire de l'espace sacré. Plusieurs conséquences importantes découlent de ce fait. Voici la première : le symbolisme des temples en tant que « centre du monde » est une élaboration ultérieure du symbolisme cosmologique de l'habitation humaine. Comme nous venons de le voir, chaque maison arctique, chaque tente et chaque yourte de l'Asie septentrionale sont conçues comme situées au centre du monde : le poteau central ou le trou de fumée signifient l'*axis mundi*. On pourrait donc dire que l'homme des sociétés archaïques s'efforce de vivre continuellement dans un espace consacré, dans un Univers maintenu « ouvert » par les communications entre les niveaux cosmiques. A partir d'un certain stade de culture, la demeure humaine imite la demeure divine.

Une deuxième conséquence serait la suivante : puisque le territoire cosmisé et la demeure humaine sont des répliques à la fois du Cosmos et de la demeure divine, la voie restait ouverte pour des homologations ultérieures entre le Cosmos, la maison (ou le temple) et le corps humain. En effet, on trouve de semblables homologations dans toutes les cultures supérieures de l'Asie, mais elles sont déjà attestées à des niveaux culturels archaïques. Qui plus est : l'homologation Cosmos-maison-corps humain a donné lieu à des spéculations philosophiques encore actuelles dans l'Inde, et qui, en Occident, se sont prolongées jusqu'à la Renaissance[68]. On n'insistera pas sur ces multiples homologations qui constituent justement une de ses notes les plus caractéristiques de la pensée indienne. C'est surtout le jaïnisme qui présente le Cosmos sous la forme d'un être humain, mais cette anthropomorphie cosmologique est une note spécifique de l'Inde tout entière[69]. Ajoutons tout de suite qu'il s'agit d'une conception archaïque : ses racines plongent dans les mythologies qui expliquent la naissance du Cosmos à partir d'un géant primordial. La pensée religieuse indienne a abondamment utilisé cette homologation traditionnelle Cosmos-corps humain, et on comprend pourquoi : le corps, comme le Cosmos, est, en dernière instance, une situation existentielle, un système de conditionnements qu'on assume. Dans les rituels impliquant une physiologie subtile de structure yogique, la colonne vertébrale est assimilée au pilier cosmique *(skambha)* ou à la montagne Meru, les souffles sont identifiés aux vents, le nombril ou le cœur au « centre du monde », etc.[70]. Mais l'homologation se fait aussi entre le corps humain et le complexe rituel dans son ensemble : la place du sacrifice, les ustensiles et les gestes sacrificiels sont assimilés aux divers organes et fonctions physiologiques. C'est grâce à un tel système d'homologation que les activités organiques, et en premier lieu l'expérience sexuelle, ont été sanctifiées et — surtout à l'époque tantrique — utilisées en tant que moyens de délivrance[71]. Le corps humain, homologué rituellement au Cosmos ou à l'autel védique *(imago mundi)*, était en plus assimilé à une maison. Un texte hathayogique parle du corps comme d'« une maison avec une colonne et neuf portes » *(Goraksa Çataka,* 14).

Tout cela revient à dire qu'en s'installant consciemment dans la situation exemplaire à laquelle il est en quelque sorte prédestiné, l'homme se « cosmise » ; en d'autres termes, il reproduit, à l'échelle humaine, le système des conditionnements réciproques et des rythmes qui caractérise et constitue un « monde », qui, en somme, définit tout Univers. L'homologation joue également dans le sens contraire : le temple ou la maison sont à leur tour considérés comme un corps humain. L'« œil » du dôme est un terme fréquent dans plusieurs traditions architecturales [72]. Mais il importe de souligner un fait : chacune de ces images équivalentes — Cosmos, maison, corps humain — présente ou est susceptible de recevoir une « ouverture » rendant possible le passage dans un autre monde. L'orifice supérieur d'une tour indienne porte, entre autres noms, celui de *brâhmarandhra* [73]. Or, on sait que ce terme désigne l'« ouverture » qui se trouve au sommet du crâne et qui joue un rôle capital dans les techniques yogico-tantriques [74] ; c'est également par là que s'envole l'âme au moment de la mort. Rappelons à ce propos la coutume de briser le crâne des yogis morts, pour faciliter le départ de l'âme [75].

Cette coutume indienne a sa réplique dans les croyances abondamment répandues en Europe et en Asie que l'âme du mort sort par la cheminée (trou de fumée) ou par le toit, et notamment par la partie du toit qui se trouve au-dessus de l'« angle sacré » [76] (de l'espace sanctifié qui, dans certains types d'habitations eurasiatiques, correspond au pilier central et joue, par conséquent, le rôle du « centre du monde ») ; en cas d'agonie prolongée, on enlève une ou plusieurs planches du toit, ou même on le brise [77]. La signification de cette coutume est évidente : l'âme se détachera plus facilement de son corps si l'autre image du corps-Cosmos, qui est la maison, est fracturée dans sa partie supérieure.

Il est remarquable que le vocabulaire mystique indien a conservé l'homologation homme-maison, et notamment l'assimilation du crâne au toit ou à la coupole. L'expérience mystique fondamentale, c'est-à-dire le dépassement de la condition humaine, est exprimée par une double image : la rupture du toit et le vol dans les airs. Les textes bouddhiques parlent des Arhats qui « volent dans les airs en brisant le toit du palais [78] », qui « volant par leur propre volonté, brisent et traversent le toit de la maison et vont dans les arbres [79] » ; l'arhat Moggallâva, « brisant la coupole, se lance dans les airs [80] ». Ces formules imagées sont susceptibles d'une double interprétation : sur le plan de la physiologie subtile et de l'expérience mystique, il s'agit d'une « extase » et donc de l'envol de l'âme par le *brâhmarandhra* : sur le plan métaphysique, il s'agit de l'abolition du monde conditionné. Mais les deux significations du « vol » des Arhats expriment la rupture de niveau ontologique et le passage d'un mode d'être à un autre, ou, plus exactement, le passage de l'existence conditionnée à un mode d'être non conditionné, c'est-à-dire de parfaite liberté.

Dans la plupart des idéologies archaïques, l'image du « vol » signifie l'accès à un mode d'être surhumain (dieu, magicien, « esprit »), en dernière instance la liberté de se mouvoir à volonté, donc une appropriation de la condition de l'esprit [81]. Pour la pensée indienne, l'Arhat qui « brise le toit de la maison » et s'envole dans les airs illustre d'une manière imagée qu'il a transcendé le Cosmos et a accédé à un mode d'être paradoxal, voire impensable, celui de la liberté absolue (quelque nom qu'on lui donne : *nirvâna, asamsrita, samâdhi, sahaja*, etc.). Au niveau mythologique, le geste exemplaire de la transcension du monde par un acte violent de rupture est celui du Bouddha proclamant qu'il a « brisé » l'Œuf cosmique, « la coquille de l'ignorance », et qu'il a obtenu « la bienheureuse, l'universelle dignité de Bouddha [82] ».

Ces derniers exemples nous ont opportunément montré l'importance et la pérennité des symboles archaïques relatifs à l'habitation humaine. Tout en modifiant continuellement leurs valeurs, en s'enrichissant de significations nouvelles et en s'intégrant dans des systèmes de pensée de plus en plus articulés, ces symboles archaïques ont pourtant conservé une certaine unité de structure. Les idées de « centre du monde », d'*Axis Mundi*, de communication entre les niveaux cosmiques, de rupture ontologique, etc., ont été inégalement vécues et diversement valorisées par les différentes cultures ; des études utiles pourront être entreprises sur ces différences, et dégager les rapports qui existent entre certains cycles culturels — moments historiques ou « styles » de civilisation — et le triomphe de telle ou telle expression symbolique. Mais les variations de formules et les différences d'ordre statistique n'arrivent pas à compromettre l'unité de structure de toute cette classe de symboles. Leur pérennité pose même un problème que l'historien des religions n'est pas tenu de résoudre : on peut se demander, en effet, si de tels symboles n'expriment pas une expérience existentielle fondamentale, celle notamment de la situation spécifique de l'homme dans le Cosmos. A la base de tous ces symboles, on trouve l'idée de l'hétérogénéité de l'espace ; attestée à tous les niveaux de culture, elle répond à une expérience originelle, l'expérience même du sacré. A côté de l'espace profane et en opposition avec lui, il existe l'espace sacré où s'opèrent la rupture de niveau et, partant, la communication avec le trans-humain.

Solidaire de l'expérience et de la notion d'espace sacré, on rencontre une autre idée fondamentale : toute situation légale et permanente implique l'insertion dans un Cosmos, dans un Univers parfaitement organisé, donc imité du modèle exemplaire, la Création. Territoire habité, temple, maison, corps, nous l'avons vu, sont des Cosmos. Mais, chacun selon son mode d'être, tous ces Cosmos gardent une « ouverture », quelque sens qu'on lui attribue dans les diverses cultures (l'« œil » du temple, cheminée, trou de fumée, *brâhmarandhra*, etc.). D'une façon ou d'une autre, le Cosmos que l'on habite — corps, maison, territoire, ce monde-ci — communique par en haut avec un autre niveau qui lui est transcendant. Il n'est pas indifférent de constater que l'homme des sociétés traditionnelles éprouvait le besoin d'habiter un Cosmos « ouvert » ; le caractère concret des « ouvertures » que nous venons de relever dans les divers types d'habitation prouve l'universalité et la pérennité d'un tel besoin de communication avec l'autre monde, celui d'en haut.

Il arrive que dans une religion acosmique, comme celle de l'Inde après les Upanishad et le bouddhisme, l'ouverture vers le plan supérieur n'exprime plus le passage de la condition humaine à la condition surhumaine — mais la transcendance, l'abolition du Cosmos, la liberté. La différence est énorme entre la signification philosophique de l'« œuf brisé » par Bouddha ou du toit fracturé par les Arhats — et le symbolisme du passage de la Terre au Ciel le long de l'*Axis Mundi* ou par le trou de fumée. Il reste pourtant que la philosophie comme la mystique indiennes ont choisi de préférence parmi les images qui pouvaient signifier la rupture ontologique et la transcendance, cette image primordiale de l'éclatement du toit. Cela veut dire que le dépassement de la condition humaine se traduit, d'une façon imagée, par l'anéantissement de la « maison », c'est-à-dire du Cosmos personnel que l'on a choisi d'habiter. Toute « demeure stable » où l'on s'est « installé » équivaut, sur le plan philosophique, à une situation existentielle qu'on a assumée. L'image de l'éclatement du toit signifie qu'on a aboli toute « situation », qu'on a choisi non l'installation dans le monde, mais la liberté absolue qui, pour la pensée indienne, implique l'anéantissement de tout monde conditionné.

MIRCEA ÉLIADE.

NOTES

1. Surtout *Elements of Buddhist Iconography* (Cambridge, 1935) ; « Symbolism of the Dome » (*Indian Historical Quarterly*, XIV, 1938, pp. 1-56) et les études republiées dans le volume *Figures of Speech or Figures of Thought* (London, 1946).

2. Paul Mus, *Barabudur. Esquisse d'une histoire du bouddhisme fondée sur la critique archéologique des textes*, I-II (Hanoï, 1935).

3. G. Tucci, *Mc'od rten e -ts'a nel Tibet Indiano ed Occidentale. Contributo allo studio dell'arte religiosa tibetana e del suo significato* (*Indo-Tibetica*, vol. I, Roma, 1932) ; id., *Il Simbolismo architettonico dei tempi di Tibet Occidentale* (*Indo-Tibetica*, III-IV, Roma, 1938).

4. W. Andrae, *Das Gotteshaus und die Urformen des Bauens im alten*

Orient (Berlin, 1930) ; *id., Die ionische Säule, Bauform oder Symbol ?* (Berlin, 1933).

5. Stella Kramrisch, *The Hindu Temple*, 2 vol. (Calcutta, 1946).

6. C. Hentze, *Bronzegerät, Kultbauten, Religion im ältesten China der Chang-Zeit* (Anvers, 1951).

7. H. Sedlmayr, « Architektur als abbildende Kunst » (*Österreichische Akademie der Wissenschaften*, Phil.-hist. Klasse, Sitzungsberichte, 225/3, Wien, 1948) ; *id., Die Entstehung der Kathedrale* (Zürich, 1950).

8. Ajoutons qu'il n'est pas question d'appliquer les méthodes de la psychologie des profondeurs à l'étude historique des religions. Nous nous proposons d'examiner ailleurs les rapports entre la psychologie et l'histoire des religions.

9. *Cf.* notre *Traité d'histoire des religions* (Paris, 1949), pp. 317 *sq.*

10. On trouve quelques indications bibliographiques dans notre livre *Le Mythe de l'éternel retour* (Paris, 1949), pp. 30 *sq., cf.* aussi *Images et symboles* (Paris, 1952), pp. 52 *sq.*

11. Voir les textes et les références bibliographiques dans Lars-Ivar Ringbom, *Graltempel und Paradies. Beziehungen zwischen Iran und Europa im Mittelalter* (Stockholm, 1951), pp. 255 *sq.*, 284 *sq.*

12. *Cf. Le Mythe de l'éternel retour*, p. 33 ; *Traité d'histoire des religions*, p. 324.

13. *Irische Texte*, I, p. 25.

14. Jan de Vries, « La valeur religieuse du mot germanique *irmis* » (*Cahiers du Sud*, 1952, pp. 18-27), pp. 18-19 ; *id., Altgermanische Religionsgeschichte*, I (Leipzig, 1935), pp. 186-187.

14 *bis*. Il est à remarquer que *brahman* a été assimilé au *skambha*, en tant que *Urgrund* qui soutient le monde, à la fois axe cosmique et fondement ontologique ; *cf.* M. Éliade, *Le Yoga, Immortalité et Liberté* (Paris, 1954), p. 125. Exemple, entre mille autres, de l'ultérieure valorisation philosophique de ces très anciens schémas et images cosmologiques.

15. *Cf.* Dominik Wölfel, « Die Religionen der vorindogermanischen Europa » (*Christus und die Religionen der Erde*, Wien, 1951, vol. I, pp. 163-537), p. 433.

16. *Cf.* les prières similaires adressées, dans l'Inde ancienne, à l'arbre du tronc duquel on fera le poteau sacrificiel *(yupa)* ; M. Éliade, *Le Chamanisme et les techniques archaïques de l'extase* (Paris, 1951), pp. 362 *sq.*

17. Voir les ouvrages de F. Boas, résumés et intégrés par Werner Müler, *Weltbild und Kult der Kwakiutl-Indianer* (Wiesbaden, 1955), pp. 17-20.

18. *Cf.* P. Arndt, « Die Megalithenkultur des Nad'a » (*Anthropos*, 27, 1932, pp. 11-64), pp. 61-62. R. Heine-Geldern a noté les rapports entre menhir et poteau rituel en Assam, en Birmanie occidentale et aux îles Célèbes ; *cf.* « Die Megalithen Südostasiens und ihre Bedeutung für die Klärung der Megalithenfrage in Europa und Polynesien » (*Anthropos*, 23, 1928, pp. 276-315), p. 283. Voir aussi : Josef Röder, *Pfahl und Menhir*. Dominik Wölfel croit que, dans la Méditerranée protohistorique, le poteau en bois est un ersatz du mégalithe (*op. cit.*, p. 213).

19. *Cf.* les références dans notre *Mythe de l'éternel retour*, pp. 32 *sq.*

20. Textes cités par A.-J. Wensinck, *The Ideas of the Western Semites concerning the Navel of the Earth* (Amsterdam, 1916), pp. 19 et 16.

21. Cité par W. Roscher, « Neue Omphalosstudien » (*Abh.d.König.Sächs.Gesell. Wiss. Phil.klasse*, vol. 31.1.1915), p. 16.

22. Voir les références groupées dans notre *Mythe de l'éternel retour*, pp. 36-37.

23. *Cf. Bundahishn*, ch. V, et la carte reproduite par Lars-Ivar Ringbom, *Graltempel und Paradies*, p. 280, fig. 81. Voir aussi le commentaire illuminant de Henry Corbin, « Terre céleste et Corps de résurrection d'après quelques traditions iraniennes » (*Eranos-Jahrbuch*, XXII, Zürich, 1954, pp. 97-194), pp. 114 *sq.*

24. *Videvdat*, I, 3 ; Ringbom, p. 292.

25. Voir les références groupées et commentées par Ringbom, pp. 294 *sq.*, et *passim.*

26. *Saddar*, LXXXI, 4-5 ; Ringbom, p. 327. *Cf.* H. Corbin, *op. cit.*, pp. 153 *sq.*

27. *Cf.* Ringbom, pp. 295 *sq* ; H. Corbin, pp. 123 *sq.*

28. Ringbom, *op. cit.*, pp. 75 *sq.* ; H.P. L'Orange, *Studies on the Iconography of Cosmic Kingship in the Ancient World* (Oslo, 1953), pp. 19 *sq.*

29. L'Orange, *op. cit.*, p. 13 et *passim.*

30. *Çatapatha Brâhmana*, I, 9, 2, 29 ; VI, 5, 1 *sq.* ; *cf. Le Mythe de l'éternel retour*, pp. 121 *sq.*

31. C. Tj. Bertling, *Vierzahl, Kreuz und Mandala in Asien* (Amsterdam, 1954), p. 11.

32. Bertling, *ibid.*, p. 8.

33. On retrouve ce complexe iconographique en Chine, dans l'Inde, en Indonésie, dans la Nouvelle-Guinée ; *cf.* Bertling, *op. cit.*, p. 8.

34. Voir les références chez Bertling, *op. cit.*, pp. 4-5.

35. *Cf.* l'exégèse de ce complexe symbolique dans Carl Hentze, *Bronzegerät, Kultbauten Religion im ältesten China der Chang-Zeit*, pp. 198 *sq.*, et *passim.*

36. Sur le *mundus*, *cf.* Werner Müller, *Kreis und Kreuz. Untersuchungen zur sakralen Siedlung bei Italikern und Germanen* (Berlin, 1938), pp. 61 *sq.* ; sur *Roma quadrata*, *ibid.*, p. 60, d'après F. Altheim.

37. W.-H. Roscher, chez W. Müller, *Kreis und Kreuz*, p. 63.

38. W. Müller, *op. cit.*, pp. 65 *sq.*

39. *Cf.* les références dans *Le Mythe de l'éternel retour*, p. 40. On déterminait la place de l'autel de feu en se tournant vers l'Est et en jetant une pique de joug *(çamyâ)* : là où la pique s'enfonçait dans le sol et restait debout, c'était le « centre » (*Pancavimça Brâhmana*, XXV, 10,4 et 13,2) ; *cf.* A. Coomaraswamy, « Symbolism of the Dome », p. 21, n. 28.

40. H. Usener, *Götternamen* (2ᵉ éd., Bonn, 1929), pp. 191 *sq.*

41. *Cf.* W. Müller, *Kreis und Kreuz*, p. 39. Voir aussi pp. 33 *sq.*

42. *Barabudur*, I, p. 384.

43. Sur le temps construit, voir Paul Mus, *Barabudur*, vol. II, pp. 733-789.

44. Voir les matériaux groupés et interprétés par Werner Müller, *Die blaue Hütte. Zum Sinnbild der Perle bei nordamerikanischen Indianern* (Wiesbaden, 1954), pp. 60 *sq.*

45. Les mythes expliquent et justifient ce symbolisme cosmique : la première initiation a eu comme scène l'Univers tout entier ; *cf.* Werner Müller, *op. cit.*, p. 63.

46. W. Müller, *op. cit.*, p. 133.

47. *Ibid.*, p. 134. *Cf.* la conception spatio-temporelle de l'Univers en tant que Maison, telle qu'elle est formulée par le *Çatapatha Brâhmana*, I, 66, 1, 9 : « Celui seul gagne l'Année qui connaît ses portes, car à quoi sert une maison pour quelqu'un qui ne sait pas comment y entrer ? »

48. W. Müller, *op. cit.*, p. 135.

49. *Cf.* A.L. Kroeber et E.W. Gifford, *World Renewal, a Cult System of Native Northwest California* (Anthropological Record, XIII, Nr. I, University of California, Berkeley, 1949).

50. A.L. Kroeber, *Handbook of the Indians of California* (Washington, 1925), pp. 498 et 177.

51. A.I. Hallowell, dans *American Anthropologist*, N.S. 39, 1937, p. 665. On rappellera également que la pyramide mexicaine a 364 marches ou 366 niches.

52. « The Dome of Heaven » (*The Art Bulletin*, XXVII, pp. 1 *sq.*).

53. A.C. Soper, « The "Dome of Heaven" in Asia » (*The Art Bulletin*, XXIX, 1947, pp. 225-248). Sur le problème des influences méditerranéennes sur l'art de l'Asie centrale, voir le riche mémoire de Mario Bussagli, « L'influsso classico ed iranico sull'arte dell'Asia centrale » (*Rivista dell'Istituto Nazionale d'Archeologia e Storia dell'Arte*, Nuova Seria, II, 1953, pp. 175-262).

54. Il s'agit, en tout cas, d'un symbolisme cosmico-architectural attesté déjà dans la protohistoire de l'Europe orientale, le Proche-Orient et le Caucase ; *cf.* Ferdinand Bork, *Die Geschichte des Weltbildes* (Leipzig, 1930) ; Richard Pittioni, « Zum Kulturgeschichtlichen Alter des Blockbaues » (*Wiener Zeitschrift für Volskunde*, XXXVI, 1930, pp. 75 *sq.*) ; Leopold Schmidt, « Die Kittinge. Probleme der Burgenländischen Blockbauspeicher » (*Burgenländische Heimmatblätter*, X, Heft 3, 1950, pp. 97-116).

55. M. Éliade, *Le Chamanisme et les techniques archaïques de l'extase* (Paris, 1951), pp. 253 *sq.*

56. Helmut Hoffmann, *Quellen zur Geschichte der tibetischen Bon-Religion* (Wiesbaden, 1950), p. 139.

57. E. Erkes, « Ein Märchenmotiv bei Lao-tse » (*Sinologica*, III, 1952, pp. 100-105) ; P. Cyrill u. K. Krasinski, *Tibetische Medizinphilosophie* (Zürich, 1953), p. 320 et *passim*.

58. On trouvera les matériaux et la discussion dans notre livre *Le Chamanisme*, pp. 251 *sq.*, 435 *sq.*

59. M. Éliade, *Le Chamanisme*, pp. 235 *sq.* Voir aussi G. Ränk, *Die Heilige Hinterecke im Hauskult der Völker Nordosteuropas und Nordasiens* (FF Communications, Nr. 137, Helsinki, 1949), pp. 91 *sq.*, 107 *sq.* ; Dominik Schröder, « Zur Religion der Tujen des Sininggebietes, Kukunor » (*Anthropos*, 48, 1953, pp. 202-259), pp. 210 *sq.*

60. W. Schmidt, « Der heilige Mittelpfahl des Hauses » (*Anthropos*, 35-36, 1940-1941, pp. 966-969) ; P.M. Hermanns, « Uiguren und ihre neuentdeckten Nachkommen » (*Anthropos*, 1940-1941), pp. 90 *sq.* ; G. Ränk, *op. cit.*, pp. 110 *sq.* Le pilier *(Axis Mundi)*, ou l'arbre démuni de branches (l'Arbre du Monde), sont conçus comme un escalier menant au ciel : les chamans les grimpent dans leur voyage céleste ; *cf.* M. Éliade, *Le Chamanisme*, pp. 118 *sq.*, et *passim*.

61. M. Éliade, *Le Chamanisme*, p. 238 ; G. Ränk, *op. cit.*, pp. 222 *sq.* C'est par cette ouverture que s'envolent les chamans ; *cf. Le Chamanisme*, p. 238.

62. W. Schmidt, « Der heilige Mittelpfahl », p. 967. Sur les subséquentes valorisations mythico-religieuses du pilier central, *cf.* Evel Gasparini, *I Riti popolari slavi* (Venezia, 1952, cours à l'Istituto Universitario di Ca'Foscari), pp. 62 *sq.* ; *id.*, « La cultura lusaziana e i protoslavi » (*Ricerche Slavistiche*, I, 1952), p. 88.

63. *Cf.* W. Müller, *Weltbild und Kult der Kwakiutl-Indianer*, p. 20.

64. *Cf.* Elsie C. Parson, *Pueblo Indian Religion* (Chicago, 1939), pp. 218 *sq.*, mythe traduit et commenté par R. Pettazzoni, *Miti e Legende*, III (Torino, 1953), pp. 520 *sq.*, spécialement p. 529.

65. E. De Martino, « Angoscia territoriale e riscatto culturale nel mito Achilpa delle origini » (*Studi e Materiali di Storia delle Religioni*, XXIII, 1951-1952, pp. 51-66).

66. Spencer et Gillen, *The Arunta* (London, 1926), I, p. 388 ; E. de Martino, *op. cit.*, p. 59. Sur les traditions des Indiens Choctaw concernant le poteau sacré et son rôle dans les pérégrinations, *cf.* R. Pettazzoni, note à l'article de De Martino, p. 60.

67. *Cf.* notre article « Manole et le monastère d'Arges », dans *Revue des Études Roumaines*, 3-4, 1957, pp. 7-28, reproduit dans *De Zalmoxis à Gengis-Khan* (1970), pp. 162-185.

68. Nous reviendrons sur ce problème dans une étude spéciale. Voir pour l'instant : « Cosmical Homology and Yoga » (*Journal of the Indian Society of Oriental Art*, June-December 1937, pp. 188-203) ; *Le Yoga. Immortalité et Liberté* (Paris, 1954), pp. 237 *sq.*

69. *Cf.* par exemple H. von Glasenapp, *Der Jainismus* (Berlin, 1952), planche 15 ; W. Kirfel, *Die Kosmographie der Inder* (Bonn-Leipzig, 1920).

70. Voir M. Éliade, *Le Yoga*, pp. 124 *sq.*, 237 *sq.*, etc.

71. *Cf.* par exemple la *Brhadâranyaka-Up.*, VI, 4, 3 *sq.*, et les textes parallèles sur l'érotique mystique cités et commentés dans *Le Yoga*, pp. 256 *sq.*

72. *Cf.* Ananda Coomaraswamy, « Symbolism of the Dome », pp. 34 *sq.*

73. A. Coomaraswamy, *op. cit.*, p. 46, n. 53. Cet orifice, équivalent de l'« œil » du temple, correspond au « trou » *(Axis Mundi)* que marque, au moins symboliquement, le pilier central au toit de la construction (Cosmos). Dans certains *stûpa*, la prolongation à la verticale du toit est indiquée d'une manière concrète ; voir Coomaraswamy, *op. cit.*, p. 18. *Cf.* aussi A. Coomaraswamy, « Svayamâtrnna : Janua Coeli » (*Zalmoxis*, II, 1939, publié 1941, pp. 1-51).

74. M. Éliade, *Le Yoga*, pp. 245 *sq.*, 270 *sq.*

75. *Cf.* Éliade, *Le Yoga*, p. 400. Voir aussi A. Coomaraswamy, « Symbolism of the Dome », p. 53, n. 60.

76. G. Ränk, *Die Heilige Hinterecke*, pp. 45 *sq.*

77. G. Ränk, *op. cit.*, p. 47. L'ouverture sert à l'âme du mort pour sortir et pour *revenir*, pendant la période où l'on croit qu'il ne s'éloigne pas définitivement de la maison. Il y a lieu de rappeler ici la conception chinoise archaïque de l'urne-maison ; *cf.* Carl Hentze, *Bronzegerät, Kultbauten, Religion*, pp. 49 *sq.*, et *passim*. Certaines maisonnettes funéraires présentent une ouverture supérieure permettant à l'âme du mort d'entrer et de sortir ; voir le petit modèle en terre cuite trouvé dans une tombe coréenne et reproduit par C. Hentze, « Contribution à l'étude de l'origine typologique des bronzes anciens de la Chine » (*Sinologica*, III, 1953, pp. 229-239), fig. 2-3.

78. *Jâtaka*, III, p. 472.

79. *Dhammapada Atthakathâ*, I, 63 ; Coomaraswamy, « Symbolism of the Dome », p. 54.

80. *Dhammapada Atthakathâ*, III, 66 ; *Jâtaka* IV, 228-229 ; Coomaraswamy, p. 54. Sur le vol des Arhats, *cf.* notre *Chamanisme*, pp. 367 *sq.* et notre *Yoga*, pp. 205 *sq.*, 276 *sq.*, 207. L'apprenti chaman esquimau, lorsqu'il expérimente pour la première fois le *qaumaneq* (l'« illumination » ou l'« éclair »), c'est « comme si la maison dans laquelle il se trouve s'élevait tout à coup » (Rasmussen, cité dans *Le Chamanisme*, p. 69).

81. *Cf.* notre article, « Symbolisme du Vol magique », *Numen*, 3, pp. 1-13.

82. *Suttavibhanga*, *Pârîjika* I, 1, 4, commenté par Paul Mus, « La Notion du temps réversible dans la mythologie bouddhique » (extrait de l'*Annuaire de l'École pratique des Hautes Études*, Section des Sciences religieuses, 1938-1939, Melun, 1939), p. 13 ; voir aussi M. Éliade « Le Temps et l'Éternité dans la pensée indienne » (*Eranos Jahrbuch*, XX, 1952, pp. 219-252), p. 238 ; *id.*, *Images et symboles* (Paris, 1952), pp. 100 *sq.*

LE MYTHE DE L'ALCHIMIE

Le rétablissement du sens et des buts originels de l'alchimie est dû surtout à la perspicacité de l'historiographie contemporaine. Il y a peu de temps encore, on considérait l'alchimie comme une protochimie, c'est-à-dire une discipline naïve, préscientifique, ou au contraire comme un amas de sottes superstitions sans rapport avec la culture.

Les premiers historiens des sciences cherchaient dans les textes alchimiques les observations de phénomènes chimiques ou les découvertes qu'ils auraient pu contenir. Mais une telle démarche équivaudrait à juger et à classifier les grandes œuvres poétiques selon leur justesse historique, leurs préceptes moraux ou leurs implications philosophiques. Il est certain que les alchimistes contribuèrent de fait au progrès des sciences naturelles, mais ils le firent indirectement, et seulement comme une conséquence de leur intérêt pour les substances minérales et la matière vivante, car ils étaient des « expérimentateurs », et non des penseurs abstraits ou des lettrés érudits. Cependant, leur propension à « l'expérimentation » ne se limitait pas au domaine naturel. Comme j'ai essayé de le démontrer dans mon ouvrage *Forgerons et alchimistes*[1], les expériences des alchimistes sur les substances minérales ou végétales auraient un but plus ambitieux : modifier leur propre mode d'être.

Le récent changement de la perspective historiographique constitue à lui seul un phénomène culturel d'importance ; mais l'analyse de ce sujet nous emmènerait trop loin. Qu'il nous suffise de dire qu'on peut percevoir cette nouvelle approche historiographique — pour ne citer que quelques exemples — dans les recherches de Joseph Needham et de Nathan Sivin sur l'alchimie chinoise[2] ; dans celles de Paul Kraus et de Henry Corbin pour l'alchimie islamique[3], celles de H.T. Shepard pour l'alchimie hellénistique[4] et de Walter Pagel et Allen G. Debus pour la Renaissance et la période postérieure[5]. Je signalerais aussi quelques ouvrages prometteurs comme celui sur John Dee, etc.

Afin de resituer d'une façon plus correcte l'alchimie dans son contexte original, on doit se rappeler ce qui suit : dans toutes les cultures où l'alchimie est présente, elle y est toujours intimement liée à une tradition ésotérique ou « mystique » : en Chine avec le Taoïsme ; en Inde : le Yoga et le Tantrisme ; dans l'Égypte hellénistique : la Gnose ; dans les pays islamiques : les écoles mystiques de l'Hermétisme et de l'Ésotérisme ; en Occident pendant le Moyen Age et la Renaissance : l'Hermétisme, le mysticisme chrétien et sectaire, et la Cabale. En résumé, tous les alchimistes déclarent que leur art est une technique ésotérique, qui poursuit des buts semblables ou comparables à ceux des grandes traditions ésotériques et « mystiques ».

J'examinerai plus loin le caractère spécifique de certaines pratiques alchimiques. Pour l'instant je voudrais souligner l'importance du *secret*, c'est-à-dire la transmission ésotérique des doctrines et des techniques alchimiques. Le plus ancien texte hellénistique, *Physiké kai Mystiké* (qui date probablement du IIe siècle ap. J.-C.) raconte comment ce livre fut découvert, après avoir été caché dans la colonne d'un temple égyptien. Dans le prologue d'un traité alchimique indien classique, *Rasarnava*, la déesse demande à Shiva le secret pour devenir *Jivan-*

mukta, c'est-à-dire un être « libéré dans sa vie ». Shiva lui répond que ce secret est très peu connu, même parmi les dieux. Le plus fameux des alchimistes chinois, Ko Hung (260-340) insiste, lui aussi, sur l'importance du secret ; il dit : « Le secret recouvre les recettes efficaces... les substances auxquelles on se réfère sont banales, mais on ne peut pas les identifier si on n'a pas connaissance du code qui les concerne[6]. » L'incompréhensibilité voulue des textes alchimiques pour le non-initié devient presque un lieu commun dans la littérature occidentale après la Renaissance. Un auteur cité par le *Rosarium Philosophorum* déclare : « Seul celui qui sait comment faire la pierre philosophale comprend les paroles qui la concernent[7]. » Et le *Rosarium* prévient le lecteur que ces questions doivent être transmises « de façon mystique », comme la poésie emploie les fables et les paraboles. En bref, nous sommes confrontés à un « langage secret ». Selon certains auteurs, il y avait même un « serment de ne pas divulguer le secret dans les livres[8] ».

Or, on le sait bien, le secret était une règle générale dans presque toutes les techniques et les sciences à leurs débuts : la céramique, la métallurgie, la médecine et les mathématiques. On a une riche documentation sur la transmission secrète des méthodes, des outils et des recettes en Chine et en Inde, dans le Proche-Orient antique et en Grèce. Et même beaucoup plus récemment, un auteur comme Galien prévient un de ses disciples que la science médicale qu'il enseigne doit être reçue comme l'initié recevait le *telete* dans les mystères d'Eleusis[9]. En réalité, quand on révélait à quelqu'un les secrets d'un métier, d'une technique ou d'une science, on lui faisait subir une initiation. Cependant, pour l'alchimie asiatique ou occidentale, la communication des secrets était partie intégrante d'un canevas mythique plus large, qu'on peut décrire de la façon suivante. Au début des temps, ces secrets furent transmis à quelques personnages légendaires, mais ils furent « scellés » par la suite, donc soigneusement cachés. Cette longue période de dissimulation a pris fin récemment, et on peut de nouveau avoir accès à la révélation originelle ; mais bien entendu, seuls quelques adeptes choisis la partagent, après avoir subi une initiation spéciale.

Le thème mythologique de la révélation primitive, cachée depuis des temps immémoriaux, qui a été dévoilée ou redécouverte depuis peu, prit une grande extension au cours des quatre derniers siècles avant notre ère. On trouve aussi bien ce thème en Inde qu'au Proche-Orient, en Égypte et dans les régions méditerranéennes. Toute une « littérature de la révélation » se développe à l'âge hellénistique, depuis le disciple de Platon, Héraclide du Pont (388-310), jusqu'aux innombrables livres oraculaires, ouvrages apocalyptiques et pseudo-épigraphiques juifs, et au *Corpus Hermeticus*[10].

Les secrets dévoilés dans ces textes peuvent être en rapport avec des événements imminents et décisifs de l'histoire (comme c'est le cas pour les œuvres oraculaires ou apocalyptiques), ou bien ils prétendent faire connaître les moyens d'atteindre la perfection, « la sagesse », le salut ou même l'immortalité.

La littérature alchimique appartient à cette seconde catégorie ; les écrits des alchimistes chinois, indiens, islamiques et européens se réfèrent à des méthodes, des expériences et des recettes qui sont capables de guérir les hommes et ainsi de prolonger la vie humaine indéfiniment, mais aussi de parfaire les métaux vils, c'est-à-dire de les transmuter en or alchimique, et qui peuvent concéder l'immortalité aux hommes. Il est caractéristique que la réalisation de l'œuvre alchimique elle-même n'abolisse pas l'injonction au secret et à l'occultation. Selon Ko Hung[11], les adeptes qui obtiennent l'élixir et qui deviennent immortels *(hsien)* continuent à errer de par le monde, mais ils dissimulent leur état d'immortels, et ne sont reconnus que par quelques collègues alchimistes. Il existe également en Inde une immense littérature, en sanskrit et en langue vernaculaire, concernant certains *sidhis* célèbres, c'est-à-dire des yogis-alchimistes qui vivent durant des siècles, mais qui se dévoilent rarement[12]. On se trouve en présence de la même croyance en Europe centrale et occidentale : certains hermétistes et alchimistes étaient censés vivre indéfiniment sans que leurs contemporains les reconnaissent (par exemple, Nicolas Flamel et sa femme Pernelle). Au xviie siècle, le même mythe s'était répandu à propos des Rose-Croix ; et au siècle suivant, à un niveau plus populaire, à propos du mystérieux comte de Saint-Germain.

Ce canevas mythique, la révélation originelle redécouverte après une longue période d'obscurité et actuellement en possession de quelques initiés qui se sont toutefois engagés à garder le secret sur leurs travaux, est d'une grande importance pour la compréhension de l'alchimie. Les phases de l'*opus* (œuvre) alchimique constituent une initiation, c'est-à-dire une série d'expériences spécifiques qui ont pour but la transformation radicale de la condition humaine. Mais l'initié qui a réussi ne peut exprimer convenablement sa nouvelle manière d'être en langue profane, il se voit obligé d'utiliser un langage « secret ». D'autre part, il refusera une prodigieuse longévité, « immortalité terrestre », etc., pour les mêmes raisons que Bouddha défendait aux *Bhikkus* de manifester leurs « pouvoirs miraculeux » *(siddhi)* : car de tels « pouvoirs miraculeux » auraient pu troubler les ignorants et dérouter les innocents[13]. Je ne discuterai pas ici des origines de l'alchimie[14], mais il est évident que les buts de la quête alchimique, nommément : la santé et la longévité, la transmutation des métaux vils en or, la fabrication de l'élixir d'immortalité, ont derrière eux une longue préhistoire en Orient et (aussi) en Occident ; cette préhistoire révèle d'ailleurs de façon significative une structure mythico-religieuse précise. En effet, il y a d'innombrables mythes qui évoquent une source, un arbre, une plante ou toute autre substance susceptible d'accorder longévité, rajeunissement ou immortalité. On peut remarquer le *soma* védique, l'*hacma* iranien, l'ambroisie grecque, et le légendaire chaudron celtique qui contient l'aliment d'immortalité ; ou bien la Fontaine de Jouvence, les herbes miraculeuses et les fruits de jouvence d'un arbre difficile à atteindre. Or, dans toutes les traditions alchimiques, mais particulièrement dans l'alchimie chinoise, des plantes et des fruits spécifiques jouent un rôle important dans l'art de prolonger la vie et de retrouver la jeunesse éternelle.

La continuité entre un schéma mythico-rituel archaïque et la recherche alchimique est illustrée encore plus clairement dans l'adaptation et la réinterprétation de la cérémonie bien connue du retour symbolique aux origines. Dans l'Inde ancienne, l'archétype du rituel initiatique *(diksa)* rejoue en détail un *regressus ad uterum* : le protagoniste est enfermé dans une hutte qui représente symboliquement la matrice : il y devient l'embryon. Quand il sort de la hutte, on le compare à l'embryon sortant de l'utérus, et on le proclame « né dans le monde des dieux [15] ». Or, il est significatif que Caraka, le plus grand expert en médecine indienne, recommande un traitement similaire pour guérir les malades et surtout pour rajeunir les vieillards : le malade est enfermé dans une pièce obscure, où il subit un *regressus ad uterum*. (Par exemple, ce traitement fut appliqué en janvier-février 1938 au pandit Mandan Mohan Mahaniya. La presse indienne rapporte que lorsque le pandit, homme d'un âge très avancé, sortit de la chambre, il semblait être un homme de soixante ans). Une partie du canon *Ayurveda*, spécifiquement consacré au rajeunissement, s'appelle le *rasayana*, littéralement « la voie de la sève organique [16] ». Mais le terme *rasayana* en est venu à désigner l'« alchimie », et le mot *rasa* fut utilisé plus tard au sens de « mercure ». Alberuni se méprit en comprenant l'« or ». C'est ainsi qu'un rituel d'initiation, l'accomplissement d'un retour symbolique dans la matrice, suivi d'une renaissance dans une plus haute spiritualité fut intégré dans le système médical traditionnel de l'Inde, comme une technique spécifiquement consacrée au rajeunissement. En outre, cette même technique prit le sens d'« alchimie » dans son usage postérieur.

Le *regressus ad uterum* est aussi impliqué dans la technique taoïste de la « respiration embryonnaire ». L'adepte essaie d'imiter la respiration en circuit fermé à la manière du fœtus. Une célèbre phrase taoïste explique le but à atteindre par cet exercice de yoga : « En revenant à la base, en retournant à l'origine, on chasse la vieillesse, on retourne à l'état de fœtus[17]. » Un autre texte taoïste le présente de la façon suivante : « C'est pourquoi le Bouddha (Yon-lai Tathagata), dans sa grande miséricorde, a révélé la méthode du travail (alchimique) du feu et il a enseigné à l'homme *de pénétrer à nouveau dans la matrice*, pour refaire sa (véritable) nature et (la plénitude) de son lot de vie[18]. » On retrouve fréquemment ce motif dans l'alchimie occidentale. Parmi les nombreux exemples cités dans mon livre, je rappellerai cette phrase de Paracelse : « Celui qui veut entrer dans le royaume de Dieu doit d'abord pénétrer avec son corps dans sa mère et là mourir. » Dans un traité du xviiie, on peut lire : « Car je ne peux atteindre le royaume céleste si je ne nais pas une seconde fois. C'est pourquoi je désire retourner au sein de ma mère, à fin d'être régénéré...[19] » Tous ces symboles, tous ces rituels et ces techniques mettent l'accent sur une idée centrale : pour obtenir le rajeunissement ou la longévité, il est nécessaire de retourner aux origines, et ainsi de recommencer sa vie. Mais cette idée implique la possibilité d'abolir le temps, c'est-à-dire le passé, et présuppose plus précisément un certain contrôle sur le flux temporel. On peut déchiffrer une pensée presque analogue sous les croyances et les pratiques des mineurs et des métallurgistes d'autrefois. « Les substances minérales participaient à la sacralité de la Terre-Mère. Nous rencontrons très tôt l'idée que les minerais "croissent" dans le ventre de la Terre, ni plus ni moins que des embryons. L'art de la métallurgie adopte ainsi un caractère obstétrique. Le mineur et le métallurgiste interviennent dans le déroulement de l'embryologie souterraine : ils précipitent le rythme de croissance des minerais, ils collaborent à l'œuvre de la Nature et l'aident à accoucher plus vite. » Bref, par ses techniques, l'homme se substitue peu à peu au Temps, son travail remplace l'œuvre du Temps[20].

Nous reparlerons bientôt des conséquences d'une telle

conception ; grâce au feu, les métallurgistes transforment les minerais, « enfants », en métaux, (les) « adultes », avec cette pensée sous-jacente que si on leur en laissait le temps, les minerais deviendraient des métaux « purs » dans le sein de leur mère, la Terre. Plus encore, les « vrais » métaux se seraient transformés en or si on les avait laissés « pousser » sans les déranger pendant quelques milliers d'années. Cette croyance était très répandue dans de nombreuses sociétés traditionnelles et elle a survécu en Europe occidentale jusqu'à la révolution industrielle. Au IIe siècle av. J.-C., les alchimistes chinois déclaraient déjà que les métaux « vils » deviennent des métaux « nobles » après de nombreuses années. Un certain nombre de populations d'Asie du Sud-Est partageaient les mêmes convictions. « Ainsi les Annamites sont persuadés que l'or trouvé dans les mines est formé lentement sur place au cours des siècles, et que si l'on avait fouillé le sol à l'origine, on aurait découvert du bronze à l'endroit où l'on trouve de l'or[21]. »

Il est inutile de multiplier les exemples. Je me contenterai de citer un alchimiste occidental du XVIIIe siècle. « S'il ne se trouvait point d'empêchements au-dehors qui s'opposassent à l'exécution de ses desseins, la Nature achèverait toujours toutes ses productions [...]. C'est pourquoi nous devons considérer la naissance des Métaux imparfaits comme celle des Avortons et des Monstres, qui n'arrive que parce que la Nature est détournée dans ses actions, et qu'elle trouve une résistance qui lui lie les mains, et des obstacles qui l'empêchent d'agir aussi régulièrement qu'elle a accoutumé de faire [...]. De là vient qu'encore qu'elle ne veuille produire qu'un seul Métal, elle est néanmoins contrainte d'en faire plusieurs. » Seul l'or cependant « est l'Enfant de ses désirs ». L'or est « son fils légitime, parce qu'il n'y a que l'or qui soit la véritable production[22] ».

C'est la « noblesse » de l'or donc, d'être le fruit arrivé à maturité ; les autres métaux sont « vulgaires » car ils ne sont pas mûrs. En d'autres termes, l'ultime but de la Nature est la finition du royaume minéral, sa « maturation » complète. La transmutation naturelle des métaux en or est inscrite dans leur destinée, car la Nature tend vers la perfection.

Cette incroyable exaltation que provoque l'or nous incite à nous y arrêter un instant ; il existe une merveilleuse mythologie de l'*Homo Faber :* tous ces mythes, ces légendes et ces poèmes épiques racontent les débuts décisifs de la conquête du monde naturel par les premiers hommes. Mais l'or n'appartient pas à cette mythologie de l'*Homo Faber* ; c'est une création de l'*Homo Religiosus* ; ce métal prit de la valeur pour des raisons essentiellement symboliques et religieuses : il fut le premier métal que les hommes utilisèrent, bien qu'on ne puisse en faire ni des outils ni des armes. Au cours de l'histoire, des innovations technologiques de l'emploi de la pierre au travail du bronze, puis à celui du fer, et enfin à l'acier, l'or n'a joué aucun rôle. En outre, c'est le métal le plus difficile à exploiter ; pour obtenir de six à douze grammes d'or, il faut remonter à la surface une tonne de minerai.

L'exploitation des dépôts alluviaux est souvent moins compliquée mais aussi beaucoup moins profitable : quelques centigrammes par mètre cube de sable. En comparaison, le travail d'exploitation du pétrole est infiniment plus simple et plus facile ; néanmoins, depuis le temps des pharaons jusqu'à notre époque, les hommes ont continué laborieusement leur quête acharnée. La valeur symbolique primordiale de l'or n'a jamais pu être abolie, malgré la désacralisation progressive de la nature et de l'existence humaines.

« L'or, c'est l'immortalité », répètent les *Brahmanas*, ces textes rituels post-védiques qui furent composés à partir du viiie siècle av. J.C. En conséquence, quand on a réussi à obtenir l'élixir qui transforme les métaux en or alchimique, on a aussi l'immortalité ; la transmutation des métaux équivaut à une croissance miraculeuse. Selon le fameux alchimiste Arnold de Villanova, « il existe dans la Nature une certaine matière pure qui, découverte et portée à la perfection par l'Art, convertit en soi-même tous les corps imparfaits qu'elle touche ». En d'autres termes, l'Élixir (ou la Pierre Philosophale) consomme le travail de la Nature et le complète. Comme le dit le Frater Simone da Colonia dans *Speculum minus alchimiae* : « Cet art nous apprend à faire un remède appelé Élixir, lequel, versé sur les métaux imparfaits, les perfectionne complètement, et c'est pour cette raison qu'il fut inventé[23]. » Ben Jonson a développé la même idée dans sa pièce *L'Alchimiste* (acte II, scène II). Un des personnages, Surly, hésite à partager l'opinion alchimique selon laquelle la croissance des métaux serait comparable à l'embryologie animale, et selon laquelle, à l'image du poussin qui éclôt de l'œuf, n'importe quel métal finirait par devenir de l'or grâce à la lente maturation à l'œuvre dans les entrailles de la Terre. Car, dit Surly, « l'œuf est ordonné par la Nature à cette fin et il est un poussin *in potentia* ». Et Subtle de répliquer : « Nous en disons autant du plomb et des autres métaux, qui seraient de l'or s'ils avaient eu le temps de le devenir. » Un autre personnage, Mammon, ajoute : « Et c'est là ce que réalise notre Art. »

Par ailleurs, l'Élixir est capable d'accélérer le rythme temporel de tous les organismes, donc leur croissance. Ramon Llull écrivait : « Au printemps, la Pierre, par son immense et merveilleuse chaleur, apporte la vie aux plantes : si tu en dissous l'équivalent d'un grain de sel dans une coquille de noix (remplie) d'eau, et que tu en arroses un cep de vigne, il donnera du raisin mûr en mai[24]. » L'alchimie chinoise, comme l'alchimie arabe et occidentale, exalte aussi les vertus thérapeutiques universelles de l'Élixir. Ko Hung répète souvent que l'Élixir pouvait « guérir » les métaux ordinaires et les transformer en or, Roger Bacon, sans employer l'expression de Pierre ou d'Élixir, parle dans son *Opus Majus* d'une « médecine qui fait disparaître les impuretés et toutes les corruptions du plus vil métal, peut laver les impuretés du corps et empêche si bien la déchéance de ce corps qu'elle prolonge la vie de plusieurs siècles ». D'après Arnold de Villanova, « la Pierre Philosophale guérit toutes les maladies [...]. Elle guérit en un jour une maladie qui durerait un mois, en douze jours une maladie d'un an, une plus longue en un mois. Elle rend aux vieillards la jeunesse[25]. » Il semble que le secret principal de l'*opus alchimicum* soit relié au pouvoir de l'adepte sur le temps humain et le temps cosmique.

On peut distinguer trois importants rythmes temporels dans la Nature ; le temps géologique, le temps végétal et animal, et le temps humain. En d'autres termes, la Nature est un immense organisme vivant, où tout ce qui la compose — les minerais, la pierre, les plantes, les animaux et les hommes — est le résultat d'une insémination, d'une germination et d'une naissance. Cependant, les rythmes temporaux sont différents pour chaque forme de vie ; l'arrivée à maturation des minéraux se fait en quelques milliers d'années, alors que les plantes poussent, fructifient et meurent en quelques mois. Pour commander au Temps, il faut contrôler aussi ses différents rythmes, donc pouvoir interchanger ses cycles temporaux. Comme nous l'avons déjà vu, les premiers mineurs et métallurgistes croyaient pouvoir accélérer la croissance des minéraux par le feu. Les alchimistes furent plus ambitieux : ils pensaient « guérir » les métaux ordinaires et accélérer leur maturation, en les transmuant en métaux plus nobles et enfin en or, mais ils allaient encore plus loin : leur élixir était supposé guérir et rajeunir les hommes, prolonger leur vie indéfiniment et en faire des êtres immortels. En résumé, pour les alchimistes, la vie était l'épiphanie du temps organique. Mais l'intervention active de l'alchimiste dans le cycle naturel introduit un nouvel élément qu'on pourrait qualifier d'« eschatologique ».

L'*opus* alchimique : la guérison, le mûrissement accéléré et le perfectionnement des créations de la nature, fait apparaître une *eschatologie naturelle*, si on peut dire ; l'alchimiste anticipe la « Fin et la réalisation glorieuse » de la Nature.

On peut comparer une telle pensée à l'espoir qu'aurait Teilhard de Chardin en une rédemption cosmique à travers le Christ, c'est-à-dire la transmutation de la matière cosmique par le sacrement de la messe.

Comme nous allons le voir, il existe une symétrie fondamentale entre la théologie optimiste de Teilhard de Chardin, et plus spécialement entre son espoir d'une eschatologie cosmique accomplie par le Christ et l'idéologie religieuse de l'alchimie occidentale tardive.

Mais avant de parler de ces problèmes, il me faut résumer rapidement le développement de l'alchimie en Europe centrale et occidentale. L'enthousiasme provoqué par la redécouverte du Néo-platonisme et de l'Hermétisme hellénistique au début de la Renaissance italienne se prolongea pendant deux siècles. Nous savons maintenant que les doctrines néo-platoniciennes et hermétiques eurent un impact profond et créateur sur la philosophie et les arts, et jouèrent un grand rôle dans le développement de la chimie alchimique, de la médecine, des sciences naturelles, de l'éducation et de la théorie politique[26].

En ce qui concerne l'alchimie, nous devons nous rappeler que certaines de ses données fondamentales telles que la croissance des minéraux, la transmutation des métaux, l'Élixir et le secret obligatoire, furent transmises depuis le Moyen Age jusqu'à la Renaissance et la Réforme. Les savants du xviie siècle par exemple, loin de mettre en doute la croissance des métaux, se demandaient au contraire si les alchimistes pouvaient aider la Nature, et si « ceux qui prétendaient l'avoir déjà fait étaient des honnêtes hommes, des sots ou des imposteurs[27] ». Herman Boerhaave (1664-1739), qu'on considère comme le premier grand chimiste rationnel, connu pour ses expériences empiriques, croyait encore à la transmutation des métaux, et nous verrons bientôt la place importante que tiendra l'alchimie dans la révolution scientifique de Newton. Mais sous l'influence du Néo-platonisme et de l'Hermétisme, l'alchimie arabe et occidentale traditionnelle des temps médiévaux élargit son système de référence. Le modèle aristotélicien fut remplacé par le modèle néo-platonicien, qui insiste sur le rôle des intermédiaires spirituels entre l'homme, le Cosmos et la Divinité suprême. Cette ancienne croyance universelle de la collaboration de l'alchimiste avec la nature prit dès lors une signification christologique. Les alchimistes pensaient alors que, comme le Christ avait racheté l'homme par sa mort et sa résurrection, l'*opus alchimicum* assurerait la rédemption de la Nature. Heinrich Kunrath, hermétiste du XVIe siècle, assimilait la Pierre Philosophale à Jésus-Christ, le « Fils du Macrocosme », et il pensait que sa découverte révélerait la véritable nature du macrocosme, comme le Christ avait accordé son intégralité à ce microcosme qu'est l'homme[28]. C.G. Jung accordait beaucoup d'importance à cet aspect de l'alchimie de la Renaissance et de la Réforme ; il étudia avec beaucoup de soin le parallèle entre le Christ et la Pierre Philosophale[29]. Au XVIIIe siècle, le bénédictin Dom Pernety résumait ainsi l'interprétation alchimique du *Mysterium* chrétien[30] : « ... Leur élixir est originairement une partie de l'esprit universel du monde, corporifié dans une terre vierge, d'où il doit être extrait pour passer par toutes les opérations requises avant d'arriver à son terme de gloire et de perfection immuable. Dans la première préparation il est tourmenté, comme le dit Basile Valentin, jusqu'à verser son sang ; dans la putréfaction il meurt ; quand la couleur blanche succède à la noire, il sort des ténèbres du tombeau, et ressuscite glorieux ; il monte au ciel, tout quintessencié ; de là, dit Raimond Lulle, il vient juger les vivants et les morts, et récompenser chacun selon ses œuvres. » « Les morts » correspondent à une partie de l'homme impure et altérée, qui ne peut résister au feu et qui est anéantie dans la Géhenne.

Dès la Renaissance, l'ancienne alchimie opérationnelle, comme ses réinterprétations mystiques et christologiques plus récentes, eurent un rôle décisif dans l'extraordinaire métamorphose culturelle qui fit triompher les sciences naturelles et la révolution industrielle. L'espoir de racheter l'homme et la nature par l'*opus* alchimique était le prolongement de cette nostalgie d'une *Renovatio* radicale qui obsédait la chrétienté occidentale depuis Giacchino da Fiore. Cette régénération, la « Renaissance spirituelle », c'est le but majeur du christianisme, mais elle perdit de plus en plus d'importance dans la vie religieuse institutionnelle ; pour beaucoup de raisons. Ce fut plutôt la nostalgie d'une « renaissance spirituelle » authentique, l'espoir d'une *métanoia* collective et d'une transfiguration de l'espoir qui inspirait les mouvements populaires millénaires du Moyen Age et de la Renaissance, les théologies prophétiques, les visions mystiques et la Gnose hermétique ; c'est cet espoir qui inspira ce que l'on peut appeler la réinterprétation chimique de l'*opus alchimicum*. John Dee (né en 1527), fameux alchimiste, mathématicien et savant universel, assurait à l'empereur Rudolf II qu'il possédait le secret de la transmutation ; il pensait que les puissances spirituelles libérées par des opérations occultes, et surtout alchimiques, pouvaient changer le monde[31]. L'alchimiste anglais Elias Ashmole, comme de nombreux contemporains, croyait que l'alchimie, l'astrologie et la magie sauveraient les sciences de son temps. En effet, pour les disciples de Paracelse et de Van Helmond, c'est seulement par l'étude de la « philosophie chimique » (c'est-à-dire la nouvelle alchimie), ou « vraie médecine », qu'on pouvait comprendre la nature[32] ; c'est la chimie, et non l'astronomie, la clef qui révélerait les secrets de la terre et du ciel ; l'alchimie avait une signification divine.

Puisque la Création était comprise comme un processus chimique, on interprétait les phénomènes terrestres et célestes en termes chimiques ; le « philosophe chimiste » pouvait apprendre les secrets des corps terrestres et célestes en se fondant sur les relations macrocosme-microcosme. C'est ainsi que Robert Fludd donnait une description chimique de la circulation du sang, mise en parallèle avec la motion circulaire du soleil[33].

Comme beaucoup de leurs contemporains, les Hermétistes et les « philosophes chimistes » attendaient et préparaient un changement radical de toutes les institutions religieuses, sociales et culturelles.

La première phase indispensable de cette *renovatio*

universelle était la réforme de la Science, et c'est un petit livre, le *Fama Fraternitatis,* publié anonymement en 1614, qui déclencha le mouvement d'idées des Rose-Croix en appelant un renouveau du savoir.

Le fondateur mythique de l'ordre, Christian Rosen-krantz, avait la réputation de s'être rendu maître des vrais secrets de la médecine et ainsi de toutes les sciences. Il écrivit de nombreux livres qui sont restés secrets, et auxquels seuls les Rose-Croix avaient accès[34]. C'est ainsi qu'on retrouve au début du XVIIe siècle ce processus déjà connu : un personnage mythique qui transmet à un groupement secret d'initiés la révélation primordiale, redécouverte après avoir été dissimulée pendant des siècles. Comme dans de nombreux textes chinois, tantriques et hellénistiques, cette redécouverte est annoncée au monde pour attirer l'attention de tous ceux qui sont sincèrement en quête de la vérité et du salut, et cela, bien qu'elle reste elle-même interdite aux profanes. L'auteur du *Fama Fraternitatis* demandait en réalité à tous les hommes de science d'Europe de reconsidérer leur art, et de rejoindre les Rose-Croix pour accélérer cette réforme. La réponse à cet appel fut si grande que plusieurs centaines de livres et d'opuscules ayant trait à cette association secrète furent publiés en moins de dix ans. En 1619, Johann Valentin Andreae, qu'on pense être l'auteur du *Fama,* publia le *Christianopolis,* ouvrage qui influença sans doute la *Nouvelle Atlantis* de Bacon[35]. Dans le *Christianopolis,* Andreae suggérait de former une association ayant pout but l'élaboration d'une nouvelle méthode de connaissance fondée sur la « philosophie chimique ». Le centre d'études de cette cité utopique serait un laboratoire, où « le ciel et la terre s'uniront » et « les divins mystères empreints dans la terre seront découverts[36] ».

Parmi les défenseurs du *Fama Fraternitatis* et des Rose-Croix se trouvait Robert Fludd, membre du Collège royal des physiciens et adepte de l'alchimie mystique. Il déclara en termes énergiques qu'il était impossible pour quiconque n'ayant pas eu une sérieuse formation dans les sciences occultes d'atteindre à la connaissance suprême de la philosophie naturelle ; pour lui « la vraie médecine » était la base même de cette philosophie : notre connaissance du microcosme, c'est-à-dire du corps humain, nous apprend la structure de l'Univers et nous guide vers notre Créateur ; de même, plus nous en savons sur l'Univers, plus nous en apprenons sur nous-mêmes [37].

Certaines études récentes, en particulier celle de Debus et de Frances Yates, ont éclairé d'un jour nouveau les conséquences de cette recherche des sciences naturelles — fondée sur la « philosophie chimique » et les sciences occultes. L'importance accordée à l'approfondissement des recettes alchimiques par des expériences dans des laboratoires bien équipés ouvrait la voie vers la chimie rationnelle, et l'échange continu et systématique d'informations entre les scientifiques eut comme conséquence la création de nombreuses académies et sociétés scientifiques. Cependant, le mythe de la « vraie alchimie » continuait à influencer les auteurs de la révolution scientifique. Dans un essai publié en 1658, Robert Boyle préconisait la libre circulation des secrets médicaux et alchimiques [38] ; Newton, quant à lui, pensait qu'il était dangereux de faire connaître les secrets de l'alchimie, et il écrivait au secrétaire de la Royal Society que Boyle devrait garder « le secret le plus absolu en cette matière [39] ».

Newton ne publia jamais les résultats de ses études et de ses expériences alchimiques, malgré la réussite de certaines d'entre elles ; mais ses innombrables manuscrits alchimiques, négligés jusqu'en 1940, ont été très bien étudiés par le professeur Dobbs dans son livre : *Les Fondements de l'alchimie newtonienne* [40]. Selon Dobbs, Newton explora « toutes les œuvres de l'ancienne alchimie, comme cela n'avait jamais été fait avant, ni depuis » (page 88). Il y recherchait les structures du petit monde, pour l'appareiller à son système cosmologique : et même la découverte de la force de gravitation ne le satisfaisait pas entièrement. Malgré ses expériences intensives de 1668 à 1696, il ne réussit pas à trouver l'énergie qui gouverne l'action des petits corps, néanmoins, quand il commença en 1679-1680 à étudier sérieusement la dynamique de la motion orbitale, c'était l'application de ses idées sur l'attraction chimique du cosmos[41].

Ainsi que l'ont montré MacGuire et Rattansi, Newton était convaincu que depuis les premiers temps, « Dieu avait enseigné les secrets de la philosophie naturelle et de la vraie religion à quelques élus. Par la suite, on perdit cette connaissance mais elle fut partiellement retrouvée, et on l'incorpora aux fables et aux formules mythiques, pour la soustraire ainsi au profane, et c'est par l'expérience qu'on pouvait la redécouvrir dans les temps modernes[42] ».

C'est pour cette raison que Newton s'était généralement tourné vers les parties les plus ésotériques en espérant que les véritables secrets s'y trouvaient cachés.

Il est extrêmement révélateur que le fondateur de la physique mécanique moderne n'ait jamais rejeté la théologie de la révélation primordiale occulte, ni le principe de la transmutation, fondement même de l'alchimie. Il écrivit dans son traité sur l'*Optique* : « La transformation des Corps en Lumière, et inversement, est conforme aux Lois de la Nature qui semble heureuse d'une telle Transmutation[43]. » Selon le professeur Dobbs, « la pensée alchimique de Newton était si bien fondée qu'il ne lui arriva jamais de douter de sa valeur en règle générale, et après 1675, toute sa carrière fut dans un certain sens consacrée à intégrer l'alchimie à la philosophie mécanique[44] », et quand il publia les *Principia*, ses adversaires affirmèrent avec violence que les forces de Newton étaient en réalité des forces occultes. Or, Dobbs admet que ces critiques étaient fondées : « Les forces de Newton ressemblaient beaucoup aux sympathies et aux antipathies secrètes qu'on trouve dans la littérature occulte de la Renaissance. Mais Newton avait donné à ces forces un statut ontologique équivalent à celui de la matière et de l'énergie. C'est donc en quantifiant ces forces qu'il permit aux philosophies mécaniques de s'élever au-dessus du mécanisme imaginaire de l'impact. » Le professeur Richard Westfall, dans son livre : *Force in Newton's Physics,* en arrive à la conclusion que c'est l'union de la tradition hermétique avec la philosophie mécanique qui enfanta la science moderne, mais celle-ci, dans son développement spectaculaire, a ignoré ou rejeté son héritage hermétique[45]. En d'autres termes, le succès de la mécanique newtonienne a été l'anéantissement de son propre idéal scientifique ; en réalité, Newton et ses contemporains s'attendaient à une tout autre forme de révolution scientifique. C'est en prolongeant et en développant les espoirs des néo-alchimistes de la Renaissance, et son objectif : la rédemption de la Nature, que des hommes aussi différents que Paracelse, John Dee, Comenius, J.V. Andreae, Ashmole, Fludd et Newton voyaient dans l'alchimie le modèle d'une entreprise plus ambitieuse : la perfection de l'homme par une nouvelle méthode scientifique. Pour eux, une telle méthode aurait intégré un christianisme supraconfessionnel à la tradition hermétique et aux sciences naturelles : médecine, astronomie et physique mécanique. Cette ambitieuse synthèse était en réalité une nouvelle création religieuse qu'on peut comparer à la précédente assimilation des réalisations métaphysiques du platonisme, de l'aristotélisme et des néo-platoniciens. L'élaboration au XVIIᵉ siècle de cette forme de connaissance représente la dernière tentative religieuse de l'Europe chrétienne. Pythagore et Platon avaient proposé à la Grèce ancienne des systèmes religieux de la science, mais ils sont surtout caractéristiques de la culture chinoise où l'art, la science et la technologie seraient incompréhensibles sans implications cosmologiques, éthiques et « existentielles ».

On peut dire en conclusion que l'alchimiste a achevé la dernière phase d'un projet très ancien qui naquit quand les premiers hommes entreprirent de transformer la Nature. Le concept de la transmutation alchimique est donc la dernière expression de cette croyance immémoriale de l'action humaine sur la transformation de la Nature. Le mythe de l'alchimie est un des rares mythes optimistes : en effet, l'*opus alchimicum* ne se contente pas seulement de transformer, de parfaire ou de régénérer la Nature ; il confère la perfection à l'existence humaine, en lui donnant santé, jeunesse éternelle et même immortalité.

On peut dire, dans la perspective de l'histoire des religions, que c'est par l'alchimie que l'homme recouvre sa perfection originelle, dont la perte a inspiré tant de légendes tragiques dans le monde entier.

Pour l'alchimiste, l'homme est un *créateur :* il régénère la Nature et maîtrise le Temps ; il perfectionne la création divine. On peut comparer cette « eschatologie naturelle » à la théologie évolutionniste, rédemptrice, cosmique de Teilhard de Chardin, qui est admise généralement comme une des rares théologies chrétiennes optimistes. C'est certainement cette conception de l'homme comme un être créateur à l'imagination inépuisable qui explique la survivance des idéaux alchimiques dans l'idéologie du XIXᵉ siècle ; ceux-ci étant déjà complètement sécularisés à cette époque, leur survie paraissait compromise puisque l'alchimie elle-même avait disparu. Le triomphe des sciences expérimentales n'avait pas aboli les rêves et les idéaux de l'alchimie, mais la nouvelle idéologie du XIXᵉ les cristallisait autour du mythe du progrès infini. Cette idéologie, confirmée par les sciences expérimentales et les progrès de l'industrialisation a repris les rêves millénaires des alchimistes et leur a redonné de l'élan, malgré leur sécularisation radicale [46]. Le mythe de la perfection et de la rédemption de la Nature a survécu sous une autre forme dans les projets prométhéens des sociétés industrialisées qui ont pour but la transformation de la nature, et plus spécialement sa transmutation en « énergie ».

C'est aussi au XIXᵉ siècle que l'homme a réussi à supplanter le Temps ; son désir d'accélérer le rythme naturel des êtres organiques et non organiques commence déjà à se réaliser, alors que les produits synthétiques de la chimie organique ont démontré la possibilité d'accélérer et même d'annihiler le temps, par la préparation en laboratoire et en usine de substances que la nature aurait produites en quelques milliers d'années et c'est « la préparation synthétique de la vie », même sous la forme de quelques modestes cellules de protoplasme qui était, nous le savons, le rêve suprême de la science, de la deuxième moitié du XIXᵉ siècle à nos jours.

En conquérant la nature par les sciences physico-chiques, l'homme peut devenir son rival, sans être l'esclave du temps, car dès lors la science et la main-d'œuvre feront son travail. C'est avec ce qu'il reconnaît être l'essentiel de lui-même, son intelligence appliquée et sa capacité de travail, que l'homme moderne reprend sur lui la fonction de durée temporelle, le rôle du temps. Bien sûr, il a été condamné au travail dès le début ; mais dans les sociétés traditionnelles, le travail avait une dimension liturgique et religieuse ; maintenant, dans les sociétés industrielles modernes, il est entièrement sécularisé. Pour la première fois dans son histoire, l'homme a assuré la tâche de « faire mieux et plus vite » que la nature, sans avoir à sa disposition cette dimension sacrée qui rend le travail supportable dans d'autres sociétés.

Cette sécularisation radicale du labeur humain a eu des conséquences telles que l'on peut les comparer avec celles qu'impliquaient la domestication du feu et la découverte de l'agriculture.

Mais ceci est une autre histoire[47]...

MIRCEA ÉLIADE,
1976.
Traduit de l'anglais,
par Ileana Tacou.

NOTES

1. *Forgerons et alchimistes* (Paris, 1955). *Cf.* aussi « The Forge and the Crucible : A Postscript », *History of Religions*, VIII (1968), pp. 74-88.
2. Joseph Needham, *Science and Civilisation in China* (Cambridge, 1954), vol. II et V, 2 (1974) ; Nathan Sivin, *Chinese Alchemy : Preliminary Studies* (Cambridge, Mass., 1968) ; *cf.* aussi *History of Religions*, X (1970), pp. 178-182.

3. Paul Kraus, « Jabir ibn Hayyan : Contributions à l'histoire des idées scientifiques dans l'Islam, I-II », *Mémoires de l'Institut d'Égypte* (Le Caire, 1942), pp. 1-214, (1943), pp. 1-406 ; Henry Corbin, « Le "Livre du Glorieux" de Jabir ibn Hayyan », *Eranos Jahrbuch*, 18 (1950), pp. 47-114 ; *cf. En Islam iranien*, I-IV (Paris, 1971-1972), index, vol. IV, s.v. : alchimie, alchimique.

4. *Cf.* entre autres, « Gnosticism and alchemy », *Ambix*, 6 (1957), pp. 86-101 ; « The Redemption Theme and Hellenistic Alchemy », *Ambix*, 7 (1959), pp. 42-76 ; « The Ouroborus and the Unity of Matter in Alchemy : A Study in Origins », *Ambix*, 10 (1962), pp. 83-96.

5. Parmi les nombreux textes de Walter Pagel, *cf.* particulièrement *Paracelsus : An Introduction to Philosophical Medicine in the Era of the Renaissance* (Basel and New York, 1958 ; trad. fr. *Paracelse*, Paris, 1963) ; *Das medizinische Weltbild des Paracelsus, seine Zusammenhänge mit Neuplatonismus und Gnosis* (Wiesbaden, 1962). *Cf.* aussi Allen G. Debus, *The English Paracelsians* (London, 1965) ; *The Chemical Dream of the Renaissance* (Cambridge, 1968) ; « Alchemy and the Historian of Science », *History of Science*, 6 (1967), pp. 128-138 ; « The Chemical Philosophers : Chemical Medicine from Paracelsus to van Helmont », *History of Science*, 12 (1974), pp. 235-259.

6. Ko Hung, *Pao-p'u Tzu*, chap. 16, trad. Lu-Ch'iang Wu et Tenney L. Davis, *Proceedings of the American Academy of Arts and Sciences*, 70 (1935), pp. 221-284, *cf.* partie pp. 262-263.

7. Cité dans *Forgerons*, p. 170.

8. Zadith Senior, cité dans *Forgerons*, p. 170.

9. *Cf. De Usu Partium*, 7, p. 14.

10. *Cf.* les textes cités et analysés par Martin Hengel, *Judaism and Hellenism* (Philadelphia, 1974), I, pp. 211-243 ; II, pp. 139-164.

11. *Pao-p'u Tzu*, ch. 3, trad. Eugène Feifel, *Monumenta Serica*, 6 (1941), pp. 113-211, partic. pp. 182 *sq.*

12. *Cf.* M. Éliade, *Yoga : Immortality and Freedom* (New York ; 1958), pp. 296-297 (*Le Yoga*, éd. 1972, pp. 299-300).

13. *Cf.* Éliade, *Yoga*, p. 179 (*Le Yoga*, pp. 183-184).

14. *Cf.* Éliade, « The Forge and the Crucible : A Postscript », pp. 77-78 ; N. Sivin, *op. cit.*, pp. 22-23 ; Robert P. Multhau, *The Origins of Chemistry* (New York, 1967), pp. 82-83 ; et partic. J. Needham, *Science and Civilization in China*, V, 2, pp. 14 *sq.*

15. *Cf.* M. Éliade, *Initiation, rites, sociétés secrètes*, 2ᵉ édition, Paris, 1976, pp. 118-119.

16. *Cf.* Arion Rosu, « Considérations sur une technique du *rasayana* ayurvedique », *Indo-Iranian Journal*, 17 (1975), pp. 1-29, partic. pp. 4-5.

17. *T'ai-si K'eou Kiue* (« Oral Formulas for Embryonic Breathing »), cité dans *Forgerons et Alchimistes*, p. 129.

18. Texte cité dans *Forgerons*, p. 124.

19. Textes cités dans *Forgerons*, p. 159.

20. *Cf. Forgerons*, p. 8.

21. *Cf. Forgerons*, p. 53.

22. *Ibid.*

23. Textes cités dans *Forgerons*, pp. 172-173.

24. *Cf. Forgerons*, p. 173.

25. *Ibid.*

26. W. Pagel, *Paracelsus* ; Frances Yates, *Giordano Bruno and the Hermetic Tradition* (Chicago, 1965) ; *idem*, *The Rosicrucian Enlightenment*.

27. Betty J. Teeter Dobbs, *The Foundations of Newton's Alchemy*, p. 44.

28. *Ibid.*, p. 54.

29. *Cf.* partic. *Psychology and Alchemy*, trad. de R.F.C. Hull, 2ᵉ édition (Princeton, 1968), pp. 345 *sq.* (« The Lapis-Christ Parallel »).

30. Dom A.J. Pernety, *Dictionnaire mytho-hermétique* (Paris, 1758 ; rééd., collection « Arche », Milan, 1969), p. 349.

31. *Cf.* Peter French, *John Dee* ; R.J.W. Evans, *Rudolf II and his World*, pp. 218-228. A propos de l'influence de John Dee sur Kunrath, *cf.* Frances Yates, *The Rosicrucian Enlightenment*, pp. 37-38.

32. A.G. Debus, « Alchemy and the Historian of Science », p. 134.

33. A.G. Debus, « The Chemical Dream of the Renaissance », pp. 7, 14-15.

34. Debus, « The Chemical Dream », pp. 17-18. *Fama Fraternitatis* est rééditée dans *The Rosicrucian Enlightenment*, pp. 238-251. Une traduction française de *Fama*, de *Confessio Fraternitatis R.C.* (1615) et de *The Chymical Marriage of Christian Rosencreutz*, de J.V. Andreae (1586-1654) a été faite par Bernard Gorceix, *La Bible des Rose-Croix* (Paris, 1970).

35. *Cf.* Andreae, *Christianopolis, an Ideal State of the Seventeenth Century*, traduit par Félix Émil Held (New York and London, 1916). *Cf.* aussi Yates, *The Rosicrucian Enlightenment*, pp. 145-146 ; Debus, « The Chemical Dream », pp. 19-20 ; John Warwick Montgomery, *Cross and Crucible. Johann Valentin Andreae (1586-1654)*, *Phoenix of the Theologians*, I-II (La Haye, 1973).

36. *Christianopolis* (tr. Held), pp. 196-197.

37. Robert Fludd, *Apologia Compendiaris Fraternitatem de Rosea Cruce Suspicionis et Infamiae Maculis Aspersam, Veritatis quasi Fluctibus abluens et abstergens* (Leiden, 1616), pp. 89-93, 100-103, cité par Debus, *op. cit.*, pp. 22-23.

38. L'essai a été réédité avec un additif de Margaret E. Rowbottom, « The earliest published writing of Robert Fludd », *Annals of Science*, 6 (1950), pp. 376-389. « If... the Elixir be a secret, that we owe wholly to our Makers Revelation, not our own industry, methinks we should not so much grudge to impart what we did not labour to acquire, since our Saviour's prescription in the like case was this : *Freely ye have received, freely give* », etc., Rowbottom, p. 384. La citation ci-dessus est reprise par Dobbs, *The Foundations of Newton's Alchemy*, pp. 68-69.

39. Des fragments de cette lettre à Henry Oldenburg, du 26 avril 1676 (Newton, *Correspondance*, II, pp. 1-3) sont cités par Dobbs, *op. cit.*, p. 195.

40. L'histoire des manuscrits alchimiques de Newton jusqu'à leur partielle redécouverte par John Maynard Keynes en 1936-1939 est relatée par Dobbs, pp. 6 *sq.*

41. Richard S. Westfall, « Newton and Hermetic Tradition », in *Science, Medicine and Society in the Renaissance. Essays to honor Walter Pagel*, éd. par Allen G. Debus (New York, 1972), vol. II, pp. 183-198, partic. pp. 193-194 ; Dobbs, p. 211.

42. Dobbs, p. 90, se référant à E. McGuire et P.M. Rattansi, « Newton and the "Pipes of Pan" », *Notes and Records of the Royal Society of London*, 21 (1966), pp. 108-143.

43. Newton, *Opticks* (London, 1704 ; reprise de la 4e édition (1730) : New York, 1952), p. 374 cité par Dobbs, p. 231.

44. *Op. cit.*, p. 230.

45. Richard S. Westfall, *Force in Newton's Physics. The Science of Dynamics in the Seventeenth Century* (London et New York, 1971), pp. 377-391 ; Dobbs, *op. cit.*, p. 211.

46. Éliade, *Forgerons*, pp. 178-179.

47. *Cf. Forgerons*, pp. 182-185.

Bibliographie

Seule est recensée l'édition française des œuvres de Mircea Éliade.

ESSAIS

Techniques du Yoga, Gallimard, 1948.
Traité d'histoire des religions, Payot, 1949.
Le Mythe de i'éternel retour, Gallimard, 1949 ; seconde édition revue et augmentée, 1969.
Le Chamanisme et les techniques archaïques de l'extase, Payot, 1951 ; seconde édition revue et augmentée, 1968.
Images et symboles, Gallimard, 1952.
Le Yoga. Immortalité et liberté, Payot, 1954 ; nouvelle édition revue et augmentée, 1975.
Forgerons et Alchimistes, Flammarion, 1956.
Mythes, rêves et mystères, Gallimard, 1957.
Naissances mystiques. Essai sur quelques types d'initiation, Gallimard, 1959.
Méphistophélès et l'Androgyne, Gallimard, 1962.
Aspects du mythe, Gallimard, 1963.
Patanjali et le Yoga, Seuil, 1962.
Le Sacré et le Profane, Gallimard, 1965.
De Zalmoxis à Gengis-Khan, Payot, 1970.
La Nostalgie des origines, Gallimard, 1970.
Religions australiennes, Payot, 1972.

Occultisme, sorcellerie et modes culturelles, Gallimard, 1978.

Histoire des croyances et des idées religieuses, vol. 1, De l'Age de pierre aux Mystères d'Éleusis, Payot, 1976 ; vol. 2, *De Gautama Bouddha au triomphe du christianisme*, Payot, 1978 ; vol. 3, *De Mahomet à l'âge des Réformes*, Payot, 1983.

ROMANS

La Nuit bengali, Gallimard, 1950.
Forêt interdite, Gallimard, 1955.
Minuit à Serampore, Stock, 1956.
Fragments d'un Journal, 1, Gallimard, 1973.
Le Vieil Homme et l'Officier, Gallimard, 1977.
Mademoiselle Christina, L'Herne, 1978.
Le Serpent, L'Herne, 1978.
Mémoires 1, 1907-1937, Gallimard, 1980.
Uniformes de général (nouvelles), Gallimard, 1981.
Fragments d'un Journal, 2, Gallimard, 1981.
Le Temps d'un centenaire, suivi de *Dayan*, Gallimard; 1981.
Les Dix-Neuf Roses, Gallimard, 1982.
Les Trois Grâces (nouvelles), Gallimard, 1984.
A l'ombre d'une fleur de lys (nouvelles), Gallimard, 1985.

Composition réalisée par C.M.L., Montrouge

IMPRIMÉ EN FRANCE PAR BRODARD ET TAUPIN
Usine de La Flèche (Sarthe).
LIBRAIRIE GÉNÉRALE FRANÇAISE - 6, rue Pierre-Sarrazin - 75006 Paris.
ISBN : 2 - 253 - 03769 - 9   ✿ 42/4033/9